W9-BZX-763

TODO
- LO QUE DEJAMOS -
ATRAS

Umbriel Editores

Argentina • Chile • Colombia • España
Estados Unidos • México • Perú • Uruguay • Venezuela

Título original: *The Secrets We Left Behind*
Editor original: Simon & Schuster UK Ltd., Londres
Traducción: Núria Martí Pérez

1.ª edición Junio 2016

Esta es una obra de ficción. Todos los acontecimientos y diálogos, y todos los personajes, son fruto de la imaginación de la autora. Por lo demás, todo parecido con cualquier persona, viva o muerta, es puramente fortuito.

Aribau, 142, pral. – 08036 Barcelona
www.umbrieleditores.com

ISBN: 978-84-92915-80-4
E-ISBN: 978-84-9944-966-1
Depósito legal: B-3.777-2016

Fotocomposición: Ediciones Urano, S.A.U.
Impreso por Romanyà Valls, S.A. – Verdaguer, 1 – 08786 Capellades (Barcelona)

Impreso en España – *Printed in Spain*

Para Emma y James
Y para Francis

Prólogo

Sheffield, octubre de 2010

El pasado fin de semana se atrasaron los relojes y ahora se hace de noche incluso más temprano aún. Se maldice a sí misma, debería haber salido antes de casa. Conduce con demasiada rapidez porque quiere llegar antes de que oscurezca, ya que si hoy no los ve, no los volverá a ver hasta la semana que viene. Cuando aparca el coche y cruza la antigua entrada de piedra del parque, el cielo está empezando a oscurecer. Es un día inusualmente frío para ser finales de octubre y en el aire flota el olor a leña. Los colores otoñales de la naturaleza se ven especialmente vivos después de la lluvia, y las hojas húmedas despiden un olor fresco, a tierra, aunque son resbaladizas y ha estado a punto de caerse de plano en más de una ocasión mientras se apresura por entre el bosque.

En el pasado le encantaba este parque, pero ahora avanza con la cabeza agachada, evitando mirar a su alrededor. Ha caminado por estos senderos serpenteantes tan a menudo en tiempos más felices que ahora le resulta casi doloroso venir aquí, pero es la única oportunidad que tiene de observarlos sin ser vista y debe aprovecharla. Camina junto al estanque, pero no hay ni rastro de los patos ni de las pollas de agua que viven a su alrededor, ni del par de garzas reales grises que a veces aparecen en la otra orilla. Hoy el estanque está sereno y silencioso, y bajo esta luz el agua parece casi negra. Hay algo en la oscuridad del agua que le produce una sensación de tristeza y soledad.

Pasa por la parte trasera del café hasta llegar a las pasarelas del arroyo, procurando mantenerse detrás de los árboles. Viste toda de negro, salvo por el pañuelo plateado de color claro. Probablemente no la delatará en la oscuridad, pero por si acaso se lo quita del cuello y lo guarda en el bolso. En la zona de los columpios hay unas pocas madres con sus hijos y aguza la vista para reconocer los rostros que busca, pero es evidente que todavía no han llegado. Echa un vistazo al reloj de pulsera, a estas horas ya deberían estar aquí.

A su izquierda un gato blanquinegro se desliza por entre el cercado de metal de la zona de los columpios antes de agacharse, echando las orejas atrás y moviendo la cola al ver una presa real o imaginada en la maleza. Ella lo observa, distrayéndose por un momento con la nívea blancura de sus patas y bigotes. Es un gatito muy bonito, y pese a no ser más que una cría ya está practicando sus habilidades como cazador. Se abalanza sobre una hoja seca, atrapándola entre las patas para examinarla.

En ese instante ella los divisa, están entrando en la zona de los columpios. Al reconocer sus voces se acerca instintivamente un poco para oírlas con mayor claridad, pero de pronto se detiene. Ya no se atreve a aproximarse más. Si la descubren, como le ocurrió en una ocasión, dejarán de venir al parque y tal vez no los vuelva a encontrar nunca más. Por el momento debe conformarse con quedarse agazapada en la penumbra.

1

Sheffield, 21 de diciembre de 2009

Escuché el crujir de mis botas mientras me dirigía al trabajo. Era una mañana fría y despejada. El cielo estaba aún oscuro, Sheffield se encontraba cubierto de un manto de nieve y me chocó el contraste de los tejados blancos de las casas y los chapiteles de la iglesia con la intensa negritud como telón de fondo. Por la noche había vuelto a caer un aguacero y como apenas se veía aún un alma en la calle todo estaba inmaculado y perfecto, solo mis huellas oscuras estropeaban la prístina blancura del lugar. Hoy era el solsticio de invierno y también cumplía cincuenta años, aunque nadie lo sabía. Por lo que concernía a mi familia, yo había cumplido los cincuenta hacía tres años y medio, cuando lo celebramos según la fecha que figuraba en mi partida de nacimiento y que, por una extraña coincidencia, había caído en el solsticio de verano. Me sentía rara al saber que hoy era un día tan señalado para mí sin podérselo contar a nadie. De pequeña me parecía de lo más injusto que mi cumpleaños coincidiera con el día más corto del año. «¿Sabes qué, pajarito?, me dijo mi madre al final del día, haremos otra fiesta para ti en verano para que celebres dos cumpleaños, como la reina de Inglaterra.» Y ahora resultaba que tenía dos aniversarios, pero solo celebraba uno. A estas alturas de mi vida ya me había acostumbrado, pero hubo uno en particular que me costó mucho, el que tenía un cero al final. Lancé un suspiro mientras me dirigía al trabajo contemplando mi aliento cristalizándose en el aire matutino. No valía la pena darle más vueltas al asunto.

Hoy era mi último día de trabajo en el Proyecto para Familias Jóvenes, ya que no iba a volver hasta unos días después de Año Nuevo. Estaba segura de que tendría que trabajar hasta la víspera de Navidad, sobre todo porque ya había tenido una semana libre, pero mis jefes sabían que mi hija acababa de dar a luz y eran muy flexibles. Normalmente los miércoles salía de trabajar al mediodía, pero después de hacérseme la mañana eterna, me di cuenta de que aún tenía que redactar algunas notas de casos de familias y como no quería dejarlas para después de Navidad, haciendo de tripas corazón, decidí terminarlas.

Me tuve que quedar trabajando en el despacho hasta las dos del mediodía. Luego les deseé a mis compañeros felices fiestas, me puse las botas de goma y salí disparada al exterior cubierto de nieve. Tomé la calle Queen y subí por la vía adoquinada, empinada y angosta, que llevaba a la catedral. Esta parte de la ciudad era muy bonita y la pequeña plaza georgiana donde se encontraban todos los bufetes de abogados se veía preciosa cubierta de nieve. Las guirnaldas de luces de colores colgando de las ventanas y las farolas antiguas en medio de la plaza le daban el aspecto de una postal navideña.

Cuando entré en el acogedor ambiente del café vegetariano donde solía almorzar, ya se habían ido la mayoría de clientes que acudían a esa hora y empezaban a llegar los fanáticos del té con pastel de zanahoria. Reconocí a algunos. En este lugar siempre acostumbrabas a ver las mismas caras, la mayoría eran de una mezcla de estudiantes y profesores de las dos universidades de Sheffield, mujeres bohemias y pintorescas, y lo que mi marido Duncan llamaba a veces *barbudos raros*. Como yo, iban al café sobre todo por la comida ecológica que servían, pero el suelo de madera del local, las paredes granate y los periódicos gratuitos habían hecho que fuera un sitio muy popular para escaparte del bullicioso centro de la ciudad, en especial los días fríos y grises como el de hoy.

Mientras esperaba en la cola, eché un vistazo alrededor para ver las mesas que estaban libres. Una ráfaga de aire se coló en el local cuando un tipo cubierto con un abrigo negro enorme abrió la puerta y desapareció en la calle gris. Miré dos veces. Por un instante el modo de andar de ese hombre me resultó familiar, pero me dije que era imposible.

—Un *risotto* de calabaza moscada y nueces —le pedí a la camarera cuando me llegó el turno.

Deposité el plato en la bandeja con un botellín de agua y me dirigí a la cajera. Cuando estaba a punto de dejar la bandeja en el mostrador para pagar, oí una voz masculina exclamar: «¡Jo!» Se me cayó la bandeja de las manos y al chocar contra el suelo, el *risotto* se volcó. El plato se hizo trizas y el arroz se desparramó por el suelo de madera. Durante un instante me quedé paralizada, sin poder respirar. Eché un vistazo a mi alrededor horrorizada, pero de pronto descubrí que la voz pertenecía a un tipo barbudo, bajito y rechoncho, que acababa de saludar con entusiasmo a una joven con el cabello violeta.

En el café se hizo de golpe un silencio sepulcral.

—¿Estás bien? —me preguntó alguien.

—Sí —respondí asintiendo con la cabeza—. Sí, gracias. Siento haber tirado la comida, se me ha escurrido la bandeja de las manos.

Temblando como un flan procuré ayudarla a recoger los pedazos del plato del suelo, pero la chica del mostrador insistió en que me sentara a la mesa mientras me traía otro *risotto*.

—No ha sido culpa tuya, cariño —me tranquilizó—. Las bandejas siempre están húmedas.

Hacía años que no me sobresaltaba así, creía que mi cuerpo ya no reaccionaba con ese antiguo reflejo desde hacía mucho.

Había acabado de comprar casi todos los regalos navideños, pero quería regalarle algo especial a Hannah, tal vez unos pendientes, o una pulsera. Le dije a Duncan que quería destacar con este regalo, ahora que ella también era madre, pero para serte sincera, era sobre todo para celebrar que el parto hubiera ido bien. La gente no se daba cuenta de lo peligrosos que eran los partos, pero yo sí lo sabía. Cuando me senté en el abarrotado autobús para volver al centro de la ciudad, me pregunté si Hannah tendría otro hijo al cabo de uno o dos años y cómo lo afrontaría yo si fuera así. Duncan no había querido que yo estuviera en el hospital mientras mi hija daba a luz. «Marcos te llamará en cuanto haya alguna novedad», me había dicho. «Como no hay nada que puedas hacer, es mejor que te quedes en casa viendo una película en deuvedé o algún programa por la tele en lugar de estar caminando preocupada de arriba para abajo por el pasillo del hospital.»

«Si me da la gana caminar preocupada de un lado a otro, lo haré, ¡no te fastidia!», le había soltado con más brusquedad de la que deseaba. Solo quería permanecer allí, necesitaba estar al menos cerca de mi hija. Me senté en una silla de plástico de la sala de espera del hospital, rezándole a todos los dioses que se me ocurrían, logrando contenerme a duras penas para no echar la puerta de la sala de partos abajo a patadas. Pobre Duncan. Yo sabía que también estaba preocupado, pero me sentía tan angustiada que ni siquiera pude hablar con él hasta saber que mi hija estaba en perfectas condiciones. Al final, después de pasar una larga noche hecha un manojo de nervios, todo había ido razonablemente bien, gracias a Dios, y ahora esperábamos con ilusión nuestras primeras navidades como abuelos.

Después de apearme del autobús, al pasar por el Winter Garden de tejado acristalado para acortar el camino, con sus cactus enormes, sus exóticos helechos y sus palmeras gigantescas, me di cuenta de que por los alrededores del invernadero había bastantes niños pequeños que parecían estar interesados en las plantas. Ahora advertía por primera vez las inmensas reproducciones de serpientes y lagartos escondidas en la maleza, una buena forma de atraer a los críos. Al salir del Winter Garden pasé por delante de los Jardines de la Paz, donde en verano los niños correteaban chillando en bañador y gorra de visera para protegerse del sol, entrando y saliendo de las fuentes. Qué pena que cuando Hannah era pequeña no hubiera aún ninguna de estas cosas, pero me moría de ganas de poder ir con mi hija y Toby a los jardines para hacer un picnic sobre el césped y contemplar a mi nieto jugando con otros niños del parque en el agua espumosa de los surtidores.

Era Nochebuena y el centro de la ciudad estaba, como era de esperar, repleto de gente. Algunos comerciantes se veían nerviosos y otros tenían cara malhumorada. Aunque la mayor parte de estudiantes habían regresado a sus hogares por Navidad, algunos se habían quedado en Sheffield trabajando en tiendas y bares o disfrutando de la ciudad, como el grupo de jóvenes chinas con gorros de Papá Noel que hacían cola para subirse al Ojo de Sheffield, cogidas de la mano y riendo mientras esperaban su turno. La noria* se había montado en verano y ahora que estaba iluminada por Navidad se veía sin duda espectacular, sobre todo por la noche. Al lado había un árbol navideño enorme decorado con luces azules y al estar todavía sus ramas cubiertas de nieve tenía un aspecto precioso.

Cuando pasé por la zona peatonal de Fargate para dirigirme a Marks & Spencer advertí delante de mí a una mujer a poco más de un metro de distancia empujando un cochecito repleto de compras. Un niño de unos cuatro años caminaba tambaleándose a su lado, con el bracito en alto intentando sobrepasar las voluminosas bolsas que sobresalían por los lados para agarrarse al mango. Mientras yo los miraba, el pequeño tropezó y se cayó de bruces contra el suelo helado. La madre se volvió de golpe con los brazos en jarras. Se encontraba en un estado avanzado de gestación a juzgar por su voluminosa barriga.

—¡Maldita sea!, Aaron, no tengo tiempo para estas tonterías, te lo digo en serio. ¡Levántate del suelo de una vez! —le ordenó la mujer cuando yo estaba a punto de ayudar al pequeño a hacerlo para que ella no tuviera que agacharse.

El niño, abrigado con un plumón azul y un gorro rojo de lana, seguía tendido en el suelo con las suelas de sus botas de agua de Spiderman vueltas hacia arriba. Se echó a llorar desconsoladamente.

—He dicho que te levantes. ¡Ahora mismo! —gritó la mujer.

—¡Por el amor de Dios! —exclamé sujetando al niño por las axilas para ayudarle a ponerse en pie.

—¡Tú no te metas! —me espetó, soltando el cochecito para acercarse a mí amenazadoramente.

---

* Una noria transportable de sesenta metros de altura que se montó en Sheffield en julio del 2009 y se desmontó en noviembre del 2010. *(N. de la T.)*

Me preparé para un eventual ataque, pero de pronto el sobrecargado cochecito se volcó y el bebé que había dentro se echó a llorar.

—¡Mira lo que ha pasado por tu culpa! —gritó la mujer volviéndose, aunque no estaba claro a quién se lo decía.

Agarrando a su hijo por la manga se lo llevó de vuelta a su lado, haciéndole llorar con más fuerza aún.

—¡Deja de llorar, desgraciado! ¡Y si sigues berreando ya te puedes olvidar de los regalos de Navidad! —le chilló enderezando el cochecito con una voz tan dura como una bofetada.

Arrastrando al niño que seguía llorando a lágrima viva cruzó la calle, obligando a un tranvía que pasaba en ese momento a dar un frenazo y tocar el claxon. La mujer cruzando la plaza sin volver la vista atrás, se encaminó sin más al mercado del Castillo.

Me quedé plantada en el lugar por unos momentos. Los berridos del niño fueron disminuyendo de intensidad y su gorrito rojo se fue empequeñeciendo mientras desaparecían entre los montones de gente. Sentí un nudo en la garganta y tuve que contenerme para no derramar unas cálidas lágrimas. Por un segundo fantaseé imaginándome que le arrebataba el niño a esa malvada bruja que le había tocado por madre y me lo llevaba a casa para que disfrutara de unas navidades auténticas, cariñosas y felices. A algunas personas les deberían prohibir tener hijos. Pero recordé la formación que había recibido antes de unirme a la plantilla del Proyecto para Familias Jóvenes: no juzgues a los demás, no conoces su pasado ni las circunstancias de su vida. Y era verdad, algunas de las familias a las que ayudábamos tenían al parecer unos problemas muy graves y complejos, pero para serte sincera, yo sabía que la mayoría amaba a sus hijos, y a veces con unos pocos consejos que les dieras ya les bastaba para que su vida volviera a ir por buen camino. Aunque había algunos casos muy duros y entonces me daban ganas de llevarme a esos pobres niños a mi casa para que la vida les fuera mejor.

Las puertas automáticas de Marks & Spencer se abrieron de par en par y al entrar en el local noté una ráfaga de aire caliente que contrastaba con el frío ambiente de fuera. En la sección de artículos navideños las madres estaban comprando objetos brillantes y relucientes, con sus hijos pegados a su lado contemplándolas de hito en hito con ojos como platos. Me quedé allí un minuto, tratando de olvidarme de aquella mujer horrible, pero por más que lo intentaba no pude quitarme de encima esa deprimente sensación. No lo entendía, debería estar contenta, porque Hannah iba a venir el día de San Esteban a visitarnos y se quedaría con nosotros hasta la noche siguiente. Podría al fin cuidar de ella y mimarla un poco. Había estado con Hannah y su marido unos días después de nacer Toby, pero a Duncan le preocupaba que me hiciera pesada. «Necesitan aprender a ser padres», me advirtió. «Si te quedas con ellos demasiados días cuando te vayas les costará todavía más adaptarse a su nueva vida. Y, además, si tu hija te necesita solo tiene que llamarte.» Tal vez tuviera razón. Sabía que yo tendía a sobreproteger a Hannah, siempre lo había hecho. Pero ahora la veía tan cansada que quería echarle una mano a toda costa.

En el supermercado de Marks & Spencer había una cola de gente esperando para recoger los pavos de granja ecológica que habían encargado. Lo cual me recordó que tenía que pedir a Duncan que llamara por teléfono al carnicero para ir a buscar el pavo que había encargado. Yo no soportaba esos lugares. Todavía me atrevía a cocinar pollo asado, aunque hubiera dejado de consumirlo, pero las carnicerías o los mostradores de la carne del súper me sacaban de quicio. Sobre todo no soportaba ver sangre de nuevo, en el delantal del carnicero o en sus manos. Las oscuras manchas en la tabla de cortar de madera ensangrentada y la mera idea de que el suelo de detrás del mostrador o de la trastienda estuviera cubierto de sangre, pegándose a la suela de los zapatos del carnicero y haciendo que el aserrín se apelmazara, me horrorizaba.

Vagué por los pasillos del supermercado, metiendo jengibre cristalizado y delicias turcas en el cesto, aunque me resistí a comprar los arbolitos navideños de chocolate envueltos en papel de plata porque el año anterior *Monty*, al que tanto le daba que el chocolate fuera malo para los perros, había birlado un buen montón, zampándoselos con envoltorio y todo, y se había pasado dos días defecando cacas brillantes. Mientras me dirigía a la caja, divisé a un tipo desapareciendo detrás de un surtido de pastelillos de frutos secos. Al verlo sentí de pronto un escalofrío. Estaba casi calvo y llevaba un abrigo oscuro enorme que parecía irle demasiado grande, pero su forma de andar me resultaba familiar. Lo vi por un instante al final de un pasillo del súper. Solo vislumbré su cara de perfil, pero advertí que llevaba unas gafas de montura gruesa y que su piel era más pálida de lo habitual. Scott tenía la piel olivácea, el pelo largo y no llevaba gafas, pero ese tipo tenía algo que me recordaba mucho a él... El hombre se volvió un poco hacia mí y por un instante me quedé paralizada. Era él, era Scott, y ahora estaba en Sheffield. De súbito noté un zumbido en los oídos, la cabeza me empezó a dar vueltas. Alguien me tocó en el brazo.

—¿Te encuentras bien, cariño? Ven, siéntate un minuto, no te preocupes por la compra, cielo. Ya nos ocuparemos de ella.

Al principio no entendí a qué se refería, pero luego comprendí que había soltado la cesta sin darme cuenta. Una dependienta y otra mujer se pusieron a recoger del suelo los productos mientras una anciana me acompañaba hasta las sillas alineadas en la pared reservadas para las personas mayores.

—¡Lo siento! —me disculpé—. Estoy bien. De verdad.

Me senté en una silla y alguien me ofreció un vaso de agua.

—¿Quieres que llamemos a alguien, cielo? Mi hija tiene un móvil, si quieres... —me preguntó la anciana rodeándome con el brazo.

—No, ya estoy bien, pero se lo agradezco mucho.

Me tomé el vaso de agua de un trago y agarré la cesta de la compra de manos de la dependienta.

—Gracias. Solo me he mareado un poco, eso es todo, esta mañana no he desayunado.

Al ponerme en la cola de la caja, eché un vistazo alrededor para localizar a aquel tipo, pero había desaparecido. No podía ser Scott, me dije. Scott estaba en Nueva Zelanda. Era más alto. Y más corpulento, y además tenía el pelo largo. Pero la última vez que lo había visto, Hannah solo tenía ocho meses y de eso hacía más de treinta años. Tal vez ahora hubiera cambiado de aspecto, yo también había cambiado bastante. En aquella época, al poco tiempo de nacer Hannah, me había teñido el pelo de pelirrojo y me lo había cortado. Al estar cuidando de mi hija todo el día me resultaba más práctico. Ahora, en cambio, lo llevaba al natural, todavía no estaba lo bastante encanecido como para tener que teñírmelo con regularidad, pero ya no era de ese color castaño aterciopelado tan lustroso como cuando conocí a Scott y a Eva.

Pagué la compra en la caja y salí a la calle. Me sentía demasiado alterada como para ocuparme del regalo de mi hija y decidí dejarlo para otro día. Me dirigí de vuelta a casa, echando un vistazo nerviosamente a mi alrededor, escrutando la multitud por si acaso veía a un tipo medio calvo con un abrigo oscuro enorme. Me sentía agitada y expuesta, y estaba temblando con tanta fuerza que los dientes me castañeteaban. Mientras esperaba el autobús, recordé que como ese día Duncan tenía consulta —las vacunas de rutina, principalmente a gatos y perros—, probablemente ya estaría en casa y se preguntaría por qué había vuelto yo tan temprano. Podía decirle que tenía migraña, pero no quería mentirle. Nunca le había mentido, solo le había ocultado lo que me había ocurrido antes de conocernos.

2

El día de San Esteban me levanté temprano y a las siete de la mañana ya estaba en la cocina, duchada y vestida, preparando café y tostadas. El día anterior había sido muy agradable; Duncan había cocinado solomillo Wellington para él, tarta de cebolla caramelizada para mí, y helado de chocolate con trufa. Después nos habíamos dedicado a mirar en la tele programas navideños, bebiendo oporto y comiendo pastelillos de frutos secos. Fue un buen día y me llegó al alma que Duncan se esforzara tanto por crear un ambiente festivo. Pero hoy era la festividad navideña más importante, un día muy especial.

Me comí la tostada de pie y me tomé el café mientras sacaba la comida de la nevera. Tenía muchas cosas por hacer, como cocinar el pavo al horno para Duncan y Marcos, preparar el picadillo a base de albaricoques y perejil, rellenar el pavo, y hornear el pan de anacardos y almendras para Hannah y para mí.

—Bien —dijo Duncan entrando en la cocina recién salido de la ducha con el pelo todavía húmedo—. Déjame ayudarte.

—Toma, pélalas por favor —respondí entregándole un pelapatatas y una bolsa llena de patatas y chirivías.

Me besó en la mejilla antes de ponerse manos a la obra.

—¡Alegra esa cara! Va a ser un día maravilloso —señaló animándome.

El día anterior había estado un poco deprimida. Sé que era egoísta por mi parte, pero quería que mi hija y mi nieto hubieran pasado la Navidad con nosotros.

—No me molesta que ayer estuvieran con los padres de Marcos —observé agregando gelatina de arándanos y una pizca de clavo molido a la col roja y la manzana rallada, mientras se cocían a fuego lento—. Pero creía… ya sabes a lo que me refiero, era la primera Navidad de Toby… Y ni siquiera hace dos semanas que Hannah dio a luz. ¿Tú también no habías creído…?

—Cariño —respondió Duncan cortando la patata que acababa de pelar en cuatro trozos—. Llegarán pronto a casa y se quedarán hasta mañana por la noche. Disfrutemos de su estancia. Solo estuvieron en casa de los padres de Marcos un par de horas. ¿No crees que nosotros hemos salido ganando?

—Lo sé, pero…

—¡Oh, venga! No me digas que hubieras preferido que vinieran solo a comer el día de Navidad en lugar de quedarse hasta mañana.

—No, supongo que no —asentí con un suspiro—. Lo que ocurre es que mi hija me tiene un poco preocupada. Me da la impresión de que algo va mal en su vida. ¿Tú no has notado nada raro?

—Cuando la vi la última vez estaba un poco más callada que de costumbre, pero acababa de dar a luz. Y teniendo en cuenta todo por lo que ha pasado… —añadió haciendo una pausa para mirarme de súbito con cara preocupada—. ¿De verdad crees que le pasa algo?

Al ver su expresión angustiada me acordé de hasta qué punto le importaba Hannah. La quería como me prometió que lo haría, como si fuera su propia hija.

Lancé un suspiro.

—Seguramente no. Supongo que me estoy preocupando por nada —repuse besándole en la cabeza—. Lo siento.

Eso era precisamente lo que había hecho que decidiera mantener una relación con él. Nunca habría podido vivir con una pareja que no amara a Hannah como si fuera su propia hija. La primera Navidad que pasamos juntos me preguntaba angustiada cómo reaccionaría un hombre que no estaba acostumbrado a los niños cuando mi hija de siete años le despertara a las cuatro de la madrugada para enseñarle los regalos que él ya había visto y que me había ayudado a envolver la noche anterior. Pero le encantó y se lo tomó muy en serio, sugiriéndome incluso que alquilásemos un disfraz de Papá Noel por si acaso Hannah se despertaba y me veía metiendo los regalitos dentro del calcetín.

En Nochebuena buscamos por la casa un par de calcetines largos elásticos para que Hannah colgara uno al pie de su cama y dejé el otro sin que me viera en el salón. Rellenamos uno de chucherías, monedas de chocolate, ratoncitos de azúcar rosados y blancos, peniques brillantes y una mandarina hasta que empezó a crujir de tan lleno que estaba, como si fuera a rasgarse en cualquier momento, y luego entramos sigilosamente en su habitación para cambiarlo por el otro vacío.

—¡La Nochebuena me encanta! —susurró Duncan—. ¿Te acuerdas de cuando sentías de pequeña sobre tus pies el peso del calcetín lleno a rebosar de regalitos y te decías ¡Ha venido!?

Me acordaba perfectamente, pero para mí esas felices navidades se habían terminado demasiado pronto.

—¡Mira, ha escrito una carta! —exclamó Duncan en voz baja deteniéndose para coger del suelo el sobre que se había caído de la cama—. No sabía que le hubiera escrito a Papá Noel.

—Yo tampoco.

Tras coger la carta, el pastelillo de frutos secos, el vaso de jerez y la zanahoria para el reno, nos dirigimos al salón. Alrededor de los bordes de la página había dibujado un árbol de Navidad lleno de adornos y estrellitas centelleantes. *Querido Papá Noel, si existes de verdad, te pido que me despiertes cuando vengas a mi casa. Si no lo haces, no creeré en ti. Tu amiga Hannah Matthews.*

PD. Espero que estés bien y te deseo felices fiestas.

Terminó la carta con varias líneas de «besos».

—¡Vaya, no me lo puedo creer! —admití riendo—. Mi hija está chantajeando a Papá Noel.

Duncan sonrió.

—Es lista, pero ¿te has fijado en que no le ha pedido nada? Solo le ha deseado felices fiestas —puntualizó rodeándome con el brazo y besándome en la nariz—. ¡Qué niña más encantadora y educada!

Aquel año pasamos unos momentos inolvidables. A Duncan le encantó adornar la casa con luces de colores, decorar el árbol y leerle a Hannah en Nochebuena el poema «La vigilia de Navidad».

—Me siento como si volviera a la infancia —dijo—. Es una festividad mágica.

—Así es como la Navidad debe ser para un niño.

Seguí fingiendo la visita de Papá Noel hasta que Hannah fue a la universidad. A aquellas alturas ya se había convertido en cierto modo en un juego y le dejaba un regalo en vez de un calcetín lleno de chucherías, pero yo quería conservar esos momentos mágicos de la Navidad lo máximo posible.

Hannah y Marcos iban a llegar a la una del mediodía y a las doce y media ya habíamos acabado de preparar la comida y en la casa flotaba el fragante aroma del pavo asado y de las hierbas aromáticas del relleno, y el olor fresco y penetrante de la col lombarda. Duncan había encendido la chimenea del comedor y tras cubrir la mesa con un mantel de un blanco inmaculado, la había decorado con candelabros altos y servilletas con argollas. Mientras él sacaba la nieve y el hielo del camino de la entrada, corté una ramita del árbol de Navidad y me escabullí al jardín, como llevaba haciendo durante los últimos diez años el día de San Esteban.

Encontré el lugar al final del jardín, marcado por una pequeña cruz de madera sobresaliendo en medio de la nieve, al pie del ciruelo. Me agaché y saqué la nieve de encima. Era el último bebé perdido; este casi había logrado sobrevivir. El cuerpecito perfectamente formado de seis centímetros de un niño varón de trece semanas. El único que había vivido más de ocho y no quería pensar dónde habrían ido a parar los diminutos cuerpos de los otros. Tenía que haber mirado, tenía que haber superado mi horror y agarrado sus cuerpecitos muertos y ensangrentados con mis propias manos mientras los traía al mundo, para enterrarlos al pie del ciruelo y visitarlos cuando necesitara recordar aquel momento.

Dentro de una semana esta pequeña cruz estará rodeada de campanillas de invierno, me dije dejando la ramita de pino ante ella.

—Feliz Navidad, cariño —susurré.

Las ocho primeras semanas de gestación habían sido muy angustiantes, cada vez que sentía una punzada temía que me volviera a pasar. Pero a medida que transcurrían las semanas y me hacían ecografías, me sentí de maravilla, empecé a tener esperanzas. En cuanto superé la etapa mágica de las doce semanas, me relajé de golpe. Estábamos tan seguros de que esta vez todo iría bien que incluso le empezamos a decir a la gente que esperábamos un hijo pasando olímpicamente de sus comentarios. Sí, ambos éramos cuarentones y no, no queríamos disfrutar de nuestra libertad ahora que Hannah se había ido de casa. Todavía teníamos mucho amor para dar y ambos queríamos tener a este niño —*nuestro* hijo— desesperadamente. Pero el día de Navidad, por la tarde, el dolor volvió y supe de inmediato lo que sucedería. En aquella época Hannah nos había venido a ver con Nick, su novio. Le pidió que se fuera y ella y Duncan estuvieron intentando consolarme durante las siguientes semanas, procurando no romper a llorar. Yo quería que Hannah regresara a Leeds, donde vivía en una casa compartida, una hija no tenía por qué ver a su madre perdiendo a un hijo. Pero insistió en quedarse a mi lado. Y varios años más tarde fui yo la que estuvo procurando no llorar cada vez que ella tenía un aborto espontáneo.

Sentí una mano sobre mi hombro. Al volverme vi a Duncan plantado a mi espalda. Tiró de mí con suavidad para que me levantara y me rodeó con sus brazos. Nos quedamos abrazados en silencio en medio del jardín nevado.

3

Los ladridos frenéticos de *Monty* anunciaron la llegada de Hannah y Marcos. Entraron ruidosamente en casa cargados de bolsas, mochilas, pañales y toda la parafernalia para el cuidado de un bebé. Hannah estaba muy demacrada. Marcos entró en la cocina llevando en brazos a Toby, que dormía sujeto aún a la sillita del coche, y lo dejó sobre la mesa. El bebé, sobresaltándose, se movió y abrió los ojos, pero los cerró de nuevo enseguida. Duncan recibió a Hannah con un fuerte abrazo y luego le estrechó la mano a Marcos. Me alegraba de que Duncan y Marcos se llevaran bien. Mi familia era tan pequeña que de vez en cuando me daba pavor que algo la destruyera. Contemplé la carita enrojecida y contraída de Toby y me maravillé de lo lista que había sido Hannah por tener a ese niño. Mi nieto.

—¿Os apetece tomar algo en Navidad? —sugirió Duncan frotándose las manos sonriendo.

—Pues sí —dijo Hannah—. Hay una botella de vino en esa bolsa, en alguna parte, pero supongo que es mejor que no tome. ¿Hay café?

—¿Puedes tomar café? —preguntó Marcos.

—¡Por el amor de Dios, es Navidad!

—Pero ¿no le…?

—Solo tomaré una taza, Marcos —replicó con voz cortante, algo inusual en ella.

Marcos levantó las manos en broma, fingiendo protegerse por si acaso.

—Vale, vale —repuso sonriendo burlonamente—. Lo siento. La señora quiere tomar café y así será.

Preparé el café añadiéndole leche caliente, como a Hannah le gustaba.

—¿Cómo te sientes? —pregunté cuando Duncan y Marcos ya se habían ido al comedor.

—Hecha polvo —respondió con un suspiro.

Apartando la sillita del coche, se sentó y apoyó los codos sobre la mesa, con la cabeza entre las manos.

—Dentro de un tiempo te sentirás mejor. Las primeras semanas son las peores. ¿Te echa una mano Marcos?

—Para serte sincera, se está desviviendo por mí —admitió rodeando la taza con las manos y soplando un poco el café para que se enfriara—. Es muy buen padre —añadió con una cierta tristeza en la voz.

De pronto Toby se despertó y empezó a llorar.

—Ya me ocupo yo de él, tú tómate tranquilamente el café —le sugerí intentando liberarlo del arnés que lo mantenía sujeto a la sillita.

Parecía mucho más complicado de desabrochar que los de antes.

—Ya está —dijo Hannah inclinándose sobre su hijo para liberarle del arnés en un visto y no visto.

Se volvió a sentar, y al ver que Toby se echaba a llorar con más fuerza, lanzó un suspiro.

—¿Cómo es posible que vuelva a tener hambre? Solo hace un par de horas que le he dado de mamar.

—Ven, cariño —le susurré mientras lo levantaba de la sillita y pegaba su pequeño cuerpo a mi pecho.

Qué gracioso estaba con su mono navideño rojo y la chaqueta de punto de color azul marino que Hannah le había tejido durante el embarazo. Nos llevó lo nuestro encontrar esos botones en forma de mariquita, pero Hannah sabía exactamente lo que quería. Mi hija tenía muy buen gusto para la ropa.

—Tiene un cuerpecito perfecto. Qué diminuto y compacto es.

Estuve a punto de comentarle que era clavado a Marcos, pero algo me hizo cambiar de opinión.

—Shhh, duérmete, cariño —le susurré meciéndole y caminando por la cocina para que se calmara—. Duérmete, pajarito, deja que tu pobre mamá se tome el café. Shhh-shhh.

—¡Oh, mierda, me están goteando de nuevo! —exclamó Hannah mirándose el pecho.

Agarró una toallita húmeda de la bolsa acolchada que había dejado a su lado para limpiarse los dos manchurrones que le acababan de salir en el jersey.

—Ahora me pasa siempre que se pone a llorar —observó alargando las manos—. Es mejor que me lo des.

Levantándose el jersey, se arrimó la carita de Toby al pecho para que oliera la leche. El bebé agarró el pezón con la boca ávidamente. Después de varios intentos, se puso a mamar y Hannah hizo una mueca de dolor.

—¿Te duelen?

Ella asintió con la cabeza, mordiéndose el labio inferior.

—La enfermera me dijo que acabaría acostumbrándome, que era como cuando estrenas unos zapatos y al principio te duelen. Pero yo creo que o no ha tenido nunca un hijo o sus pies están cubiertos de callos.

La actitud de la enfermera me irritó mucho.

—Eso no te sirve de mucha ayuda. ¿Y no te pueden recetar alguna crema para que no te duelan tanto?

Ella asintió con la cabeza.

—Pero apenas le da tiempo a hacer efecto. Es un problema sin solución, porque Toby o está agarrado a mi pezón o está llorando y haciendo que me goteen, así que por más que quiera no me libro del dolor.

—¿Qué te...?

Hannah sacudió la cabeza.

—No es que quiera perderlo de vista, solo es... que aunque Toby tenga menos de dos semanas me siento como si llevara ocupándome de él toda la vida. No sé cómo explicarlo, se ve tan *decidido*, es como si supiera lo que quiere y el modo de obtenerlo, ¡tanto si me gusta como si no!

Alzando la cabeza, sonrió vagamente.

—Ya sé que parezco una desagradecida, ¿verdad? —admitió contemplando a su hijo, que ahora mamaba embelesado con los ojos cerrados, abriendo y cerrando su manita apoyada en el pecho de su madre—. Le quiero mucho —añadió en voz baja—. Y deseaba tenerlo con locura. Lo que pasa es que ya ni me acuerdo de cuando salía a pasear sin que los brazos me dolieran por haberlo estado sosteniendo, o de cuando me iba a la cama sin aguantar la respiración para que no se echara a llorar.

Volví a mirarla. Pobre Hannah, estaba pálida y tenía unas profundas ojeras. Y, sin embargo, durante el embarazo se veía radiante.

Como Toby no dejó de llorar durante la comida a pesar de haberle dado el pecho hacía poco, Marcos, Duncan y yo nos fuimos turnando sosteniéndolo en brazos y meciéndolo para que Hannah pudiera comer tranquila. Al terminar el plato principal, me levanté para llevarme los platos sucios y ella me siguió a la cocina. Metió la vajilla en el lavaplatos y luego se sentó ante la mesa mientras yo buscaba las cerillas para flamear el pudín navideño. Agarrando la botella de coñac, lanzó un suspiro.

—En este momento me la tomaría de un trago. Así a lo mejor podría dormir más.

Me dio la impresión de que no lo decía del todo en broma.

—¿Qué te parece si me quedo unos días con vosotros para echarte una mano? Solo para que te relajes un poco. No tengo que trabajar en el Proyecto para Familias Jóvenes hasta después de Año Nuevo y puedo fácilmente...

—Gracias, mamá, pero ya me has ayudado bastante. A Marcos todavía le queda una semana libre por la baja de paternidad y de todos modos en algún momento tendré que acostumbrarme a esta nueva vida.

—Sí, pero no te iría mal que te echara un cable, hija. Tu cuerpo ha sufrido un gran trauma, tu organismo está inundado de hormonas y tu vida ha dado un giro de ciento ochenta grados. Y lleva su tiempo acostumbrarse a esta clase de cambios.

Hannah se lo pensó un minuto y luego sacudió la cabeza.

—No, tengo que... todo irá bien, mamá. Supongo que aún estamos familiarizándonos el uno con el otro. Venga, vayamos al comedor a flamear el pudín.

Cuando conseguimos por fin que Toby se quedara dormido en el moisés, de pronto sonó el teléfono. Advertí la mirada casi temerosa que Hannah le echó, pero por suerte el pequeño no se despertó,

—Debe de ser mi madre —señaló Duncan—. Seguro que es ella —añadió echando un vistazo al reloj de pulsera—. Ha llamado más temprano de lo que creía.

Sonreí.

—Dale recuerdos de mi parte —dije.

Estelle siempre llamaba el día de San Esteban. Cada año pasaba la Navidad en casa de su hermana, que se había quedado viuda, y al volver a su hogar nos llamaba para contarnos que Gina había estado hablando durante horas de sus nietos, que el tinte que había elegido para el cabello no le sentaba bien, y que había estado bebiendo como una esponja toda la velada.

—¡Hola, Feliz Navidad! —exclamó Duncan alegremente al descolgar el teléfono—. ¿Hola? —repitió—. ¿Hola? ¿Hola? —volvió a decir mirando el auricular—. Y luego colgó encogiéndose de hombros. —Debe de ser alguien que se ha equivocado de número.

—Marca el uno cuatro siete uno para ver quién ha llamado —le sugerí. Hannah levantó de pronto la vista y me di cuenta de lo nerviosa que sonaba mi voz—. Es que es la segunda vez que pasa, ¿verdad?

Duncan marcó los números.

—Es un número oculto —repuso metiendo el teléfono inalámbrico en el cargador—. Llamaré a mi madre por si acaso ha sido ella.

Nadie dijo una palabra hasta que le oímos hablar con Estelle explicándole por qué la llamaba en lugar de esperar a que lo hiciera ella como de costumbre.

Después de comer le propuse a Hannah que fuéramos a dar un paseo mientras Duncan y Marcos se quedaban en casa metiendo la vajilla en el lavaplatos y limpiando la cocina para que no pareciera que había estallado una bomba. Tras ponerse el abrigo, el gorro de lana, la bufanda y los mitones, Hannah me esperó plantada junto a la puerta con las manos en los bolsillos mientras yo me ponía las botas. Afuera todo estaba en silencio, cubierto por un manto de nieve. Toby empezó a moverse, le oí gimotear un poco.

—¿No te lo llevas contigo? —pregunté agarrando las llaves del cuenco amarillo de cerámica que Hannah había hecho en el colegio.

Mi hija lo llamaba su «cuenco soleado».

—¿Qué? ¡Oh, sí!, no me queda más remedio —asintió quitándose el abrigo.

Sacó a Toby del moisés y lo dejó sobre el cambiador. Luego agarró su abriguito de la bolsa de mano e intentó meterle el brazo por la manga, pero no había manera. Hannah se mordió el labio frustrada.

Dudé un momento, no quería que mi hija pensara que quería entrometerme, pero al verla perder los nervios, le pregunté si quería que le echara una mano.

—Gracias —repuso suspirando aliviada y se apartó para que me ocupara yo de ello.

—¿Cómo voy a ponerle el abrigo si no para de moverse? ¡Es imposible!

—Procura tirar de la manga desde el otro extremo en lugar de intentar que meta el brazo por ella. Así —le aconsejé plegando la manga con las dos manos para meterle el bracito guiando su mano.

Estaba a punto de saltársele las lágrimas.

—¿Por qué no se me habrá ocurrido a mí? No valgo como madre.

—¡No, no es cierto! —exclamé abrazándola—. Lo estás haciendo muy bien. Y es lógico que no se te ocurriera, porque nadie te lo ha enseñado. Una mujer italiana con la que trabajaba me lo enseñó cuando tú eras muy pequeña y lo más probable es que alguien se lo enseñara también a *ella*.

Hannah volvió a suspirar.

—Venga, cariño. No puedes saberlo todo de golpe, lo irás aprendiendo con el tiempo.

Ella asintió, pero sin mirarme. Y tampoco hizo el ademán de ir a coger a Toby en brazos.

—Ojalá me dejaras que te ayudara más.

—Si quieres puedes llevarlo tú con el portabebés.

Hannah sabía que no era a eso a lo que me refería, pero lo hice de todos modos.

—Ven conmigo, cielo —dije sacándolo del moisés para arrimármelo al pecho mientras Hannah me lo sujetaba al cuerpo con el complicado arnés portabebés. Luego le pusimos la correa a *Monty* y salimos a la calle.

Había oscurecido y caminamos en cordial silencio, rompiéndolo solo de vez en cuando para hacer un comentario sobre el precioso árbol de Navidad que asomaba por la ventana de una casa o sobre la espectacular profusión de luces. *Monty* se paraba cada dos por tres para olfatear algo interesante debajo de la nieve o levantar la pata en un árbol. Giramos por el estrecho sendero que discurría a lo largo de las aguas del Porter Brook hasta el Cementerio General, un muro alto de piedra a un lado, y al otro la ladera nevada que daba al río. La tenue luz anaranjada de las farolas se esparcía sobre la nieve creando un ligero ambiente dickensiano. Empezó a nevar de nuevo mientras cruzábamos el cementerio para dirigirnos a la iglesia en ruinas. Al llegar nos detuvimos un momento a contemplar cómo caían los copos de nieve, con las lápidas antiguas y los acebos con bayas rojas como telón de fondo. Noté el cálido cuerpecito de Toby pegado a mi pecho. Todo estaba tan silencioso que lo único que se oía era a *Monty* olfateando la nieve.

—Qué escena más hermosa, ¿verdad? —dije.

Pero mientras contemplábamos los silenciosos copos de nieve formando un manto blanco a nuestro alrededor, me asaltó de pronto una sensación tremenda de desolación. Aquí estaba yo, con mi hija y mi primer nieto, a punto de volver a mi acogedor hogar donde me esperaba un marido que me quería y, sin embargo, me sentía como si me envolviera una niebla negruzca y fría; era una sensación horrenda de inseguridad. ¿Y si lo perdía todo? ¿Y si me lo arrebataban? Volviendo la cabeza, miré atrás y luego de nuevo hacia la iglesia, pero nada había cambiado. ¿Por qué me sentía entonces tan angustiada?

4

Mientras Hannah y yo paseábamos con Toby, a Duncan y Marcos se les ocurrió organizar una pequeña fiesta en Nochevieja. Yo no era aficionada a las fiestas, pero me descubrí pasándomelo de maravilla, y al estar rodeada de amigos y de familiares, me sentí como si por fin estuviera celebrando mi verdadero cumpleaños. Al cumplir los cincuenta en mi falso aniversario, Duncan me había llevado a Edimburgo, a un hotel boutique con una cama enorme y unos cuartos de baño de infarto equipados con albornoces blancos y mullidos. Hicimos lo típico de los turistas: catar distintas clases de whisky, hacer un *tour* literario guiado, viajar en la parte descubierta de un autobús, y almorzar en un restaurante donde los platos estaban presentados con tanto primor que no sabíamos si comérnoslos o simplemente admirarlos. Me dijo que estaba guapísima y que apenas podía creer que tuviera cincuenta años. Después me regaló unos pendientes de perlas y me contó que haberse casado conmigo era lo mejor que había hecho en su vida. En ese momento tuve que mirar a otro lado, me sentí como una traidora. Duncan era un buen hombre y aunque yo estuviera intentando ser mejor persona, sabía que no me merecía a alguien como él.

Hannah estaba charlando con Marina y Paul, nuestros viejos amigos. Seguía teniendo ojeras, pero se veía mucho más guapa al llevar un poco de maquillaje y haberse puesto un jersey lila de lana, una minifalda verde, medias moradas y botas negras de ante. Marina alargó los brazos para sostener al bebé y Hannah, tras dárselo, se acercó a nosotros.

—¡Caramba! —susurró—. Si otra persona más me dice que Toby es clavado a su padre, me pondré a chillar.

—Es que tienen razón —afirmó Duncan.

Le fulminé con la mirada.

—Esperaba que mis hijos se parecieran a mí, al menos un poco.

Duncan se dio cuenta de que había metido la pata.

—Lo siento, Han —se disculpó dándole unas palmaditas en el hombro—. ¡Qué insensible he sido!

—No pasa nada —repuso Hannah encogiéndose de hombros.

—¿Te encuentras bien? —le pregunté.

Hannah asintió con la cabeza y esbozó una leve sonrisa, pero tenía la cara tensa y preocupada, como un par de años atrás, cuando los médicos estaban intentando averiguar qué le pasaba y su rostro joven y bonito se había ensombrecido por la preocupación y el miedo. Me llamó por teléfono en cuanto salieron de la consulta y lloraba con tanta desesperación que apenas la entendía.

—Me han dicho… me han dicho que tengo…

Por un horrible momento creí que le habían dicho que tenía una enfermedad terminal. Presa del pánico, me sentí como si me hubieran clavado en seco con un clavo de acero.

—Cariño, cálmate te lo ruego. ¿Qué te han dicho?

Marcos se puso al teléfono. Tenía la voz agitada.

—Creen que tiene algo llamado fallo ovárico prematuro. Significa que sus óvulos se están…

Oí a Hannah ponerse al teléfono de nuevo.

—Mamá, ya me ha venido la maldita menopausia. Y solo tengo treinta y un años, joder. Y mis óvulos… se están muriendo.

Sentí que se me saltaban las lágrimas.

—¡Oh, Hanna! ¡Oh, cariño, no sé qué decir!

La oí intentando no echarse a llorar.

—Me han dicho que puede ser hereditario, pero tú te quedaste embarazada a los cuarenta y tres. Espera un momento.

La oí sonarse y luego suspirar.

—Lo siento, no quería… No he debido recordártelo.

Procuré calmarme. Todavía estaba intentando asimilar la noticia.

—No, no, no pasa nada.

—Mamá, ¿podemos ir a veros?

Se sentaron en la cocina, pálidos y con los ojos enrojecidos de haber estado llorando. *Monty* se tumbó a los pies de Hannah con la cabeza apoyada en su regazo mientras ella con expresión ausente jugueteaba con sus orejas. Preparé una taza de té, recordando que debía añadirle una buena cantidad de azúcar. Una vez, cuando Hannah tenía cinco años se cayó rodando de la mesa del estudio en el que vivíamos y se rompió la clavícula. La casera nos llevó en coche al hospital, se quedó con nosotros hasta que atendieron a nuestra hija y luego nos condujo de vuelta a casa. Y mientras yo acostaba a Hannah, me preparó una taza de té. «Aquí tienes, cariño, está caliente y dulce», me dijo. Con voz temblorosa aún, le di las gracias, pero le respondí que no lo tomaba con azúcar. «Hoy es mejor que te lo tomes así», me aconsejó.

Y de pronto me vino a la memoria aquel día de más de treinta años atrás, cuando Scott preparó un té con azúcar para los dos que nos ayudó a tranquilizarnos.

—¿Qué edad tenía tu madre cuando murió? —me preguntó Hannah, haciendo una mueca al tomarse a sorbos el té de lo dulce que estaba.

—Cuarenta y uno.

—¿Y a ella le venía todavía…? ¿Era…?

—Lo siento, cariño —repuse suspirando—. En aquellos tiempos las madres y las hijas no hablaban de estos temas. Y mi madre tenía además otros problemas, como ya sabes, así que era difícil hablar de cualquier cosa.

Sintiéndome de pronto algo mareada, aparté una silla de la mesa y me senté. Como la situación ya no tenía remedio, no valía la pena hablar de las historias familiares.

—Me alegro de que nosotras podamos hablar sin tapujos —afirmó Hannah—. La mayoría de mis amigas se quejan de sus madres.

—Yo también me alegro —asentí tomando un sorbo de té, me quemé un poco la boca de lo caliente que estaba—. ¿Hay… algo que podamos hacer? Me refiero a si te podemos ayudar de alguna manera para que tengas un bebé.

Había deseado que Hannah no quisiera ser madre, por más que me encantara la idea de tener nietos, pues cada vez que me la imaginaba dando a luz me invadía una terrible ansiedad. Mi mayor miedo había sido siempre perder a Hannah, a mi preciosa hija única. No podía soportar verla así. Recordé lo desgraciada que yo era cada mes que tenía la regla, y cuando no me venía me sentía loca de alegría, pero al volver los dolores a las pocas semanas me embargaba una profunda desesperación.

—Por lo visto tenemos dos opciones —señaló—. Adoptar a un niño, aunque hay una larga lista de espera, o intentar encontrar una donante de óvulos.

—Pero…

—En el caso de la fecundación in vitro, usaríamos el esperma de Marcos, ya que por lo visto mis óvulos no están en buenas condiciones, por eso necesitamos una donante.

—Este método sale muy caro y además no sabemos si funcionará —terció Marcos.

Estaba sentado con el cuerpo inclinado hacia delante y la vista clavada en el suelo, haciendo girar una y otra vez las llaves del coche en sus manos. Tenía la misma edad que Hannah, pero en ese momento parecía muy joven y vulnerable.

Permanecimos sentados en silencio mientras yo asimilaba la noticia. Hannah había dejado de llorar, pero de vez en cuando se enjugaba la cara al caerle otra lágrima.

—No te preocupes, te ayudaremos económicamente —le aseguré—. ¿Estás dispuesta a hacerlo?

Ella asintió con la cabeza, agarrándole la mano a Marcos.

—Sí, queremos hacerlo —afirmó—. De verdad.

Saltándosele las lágrimas de nuevo y sonriendo a la vez, se levantó para abrazarme.

—Gracias, mamá.

Duncan, por supuesto, estaba de acuerdo. Acababa de abrir una consulta como veterinario en las afueras de Sheffield, y se ocupaba de los animales de las granjas y de los caballos de los centros de equitación, aparte de los gatos, perros y hámsteres habituales, de modo que ahora ganaba mucho más dinero que antes y estaba encantado de poder darle un buen uso. Y cuando, tras un primer intento fallido, el segundo acabó en un embarazo simple que siguió progresando de maravilla a los cuatro meses, la felicidad de Hannah fue la mayor recompensa de todas. Además, el embarazo le sentaba de maravilla, sobre todo en la última etapa, en la que se veía rebosante de salud. Durante las últimas semanas tenía un aspecto y un aire casi majestuosos.

Al mirarla ahora me costaba creer que fuera la misma que aquella joven sonriente y llena de energía del pasado.

Alguien llamó a Duncan y él fue a ocuparse del invitado.

—Marina dice que todos los bebés se parecen a su padre —prosiguió Hannah—. Afirma que es una táctica de la naturaleza para protegerlos.

—Yo también lo he leído en alguna parte. Si un hijo se parece a su padre, al tener este ante sus ojos la prueba de su paternidad, tenderá más a quedarse con la madre para protegerlo, en lugar de tontear con otras mujeres y abandonarla.

Hannah asintió con la cabeza, pensativa.

—¿Me parezco a mi padre?

Me quedé helada por un segundo; hacía años que no mencionaba a su padre. De repente me vino a la cabeza la imagen del otro día de aquel hombre en Marks & Spencer. Me recordó tanto a Scott que durante los últimos días había estado pensando en el pasado más de lo habitual. Miré a Hannah, su cabello…, había decidido cortárselo antes de tener a Toby y ahora lo llevaba liso a lo *garçon,* aunque era menos oscuro que el cabello negro como el carbón de Scott en aquellos tiempos. Pero era alta y esbelta como su padre, y había heredado sus ojos almendrados color azul aciano en lugar de tenerlos marrones, como era habitual en las personas de pelo oscuro.

Tragué saliva.

—Sí, te pareces un poco a él.

Me preparé esperando que me hiciera más preguntas, pero simplemente asintió con la cabeza y, poniendo los ojos en blanco al oír a Toby llorar de nuevo, fue a ocuparse de él.

5

A veces casi me olvidaba de que Duncan no era el padre biológico de Hannah. Supongo que en parte quería que fuera así, lo *deseaba* con toda mi alma, quería olvidarme de la existencia de Scott. Hannah empezó a llamarle «papá» a partir de los ocho o nueve años. Llevábamos casados más de un año, pero acabábamos de mudarnos a nuestro primer y verdadero hogar. Estábamos los tres en el salón, rodeados aún de cajas llenas de libros, cedés y vídeos, comiendo la pizza que habíamos pedido por teléfono. Al servirle una porción, Hannah arrugó la nariz.

—¡Tiene champiñones! —protestó haciendo una mueca de asco—. No me gustan los champiñones.

—Cuando yo era una niña pequeña como tú, tampoco me gustaban —observó Duncan con una cara muy seria.

Hannah le escuchó con gran atención.

—¡Bobo, me estás tomando el pelo! —exclamó ella de pronto sonriendo burlonamente.

—Venga, renacuajo. Te cambio los champiñones por las alcaparras —le sugirió él ofreciéndole su plato—. Las alcaparras te gustan, ¿verdad?

Hannah, con cara de asombro, sacudió la cabeza.

—¡Parecen bichos! —se quejó arrugando de nuevo la nariz.

—¡Qué ricas están! —dijo Duncan llevándose una alcaparra a la boca—. Por eso me gustan tanto.

—¡Qué asco! —exclamó ella soltando unas risitas.

Más tarde, cuando Duncan y yo estábamos vaciando las cajas de la mudanza, Hannah vino con el pijama a darnos las buenas noches. Normalmente le daba un beso a Duncan y luego yo iba a su habitación a leerle un cuento y arroparla. Pero aquella noche tras entrar en el salón arrastrando los pies y con el dedo en la boca, se acercó al lugar donde yo estaba arrodillada sacando los libros de una caja.

—Mamá —me susurró al oído, dejando de chuparse el dedo.

—Dime —le respondí en voz baja.

—¿Puede Duncan ir a arroparme esta noche?

—¿Qué? —susurré fingiendo estar horrorizada—. ¿En mi lugar?

Ella sacudió la cabeza con energía.

—No. *Contigo.*

Le sonreí.

—Estaba bromeando. Sí, claro que lo hará. Vete a la cama, iremos a tu habitación enseguida.

Hannah asintió con la cabeza.

—Vale. Y mamá... —dijo susurrando todavía, haciendo un poco de teatro.

—Dime, cariño.

—Ahora que estáis casados, Duncan es mi papá, ¿no?

—Sí. Es tu padrastro.

Se lo había explicado antes de la boda, con la ayuda de algunos cuentos infantiles que me habían ido de perlas. Y el año anterior, cuando la madre de su amiga Ámbar había tenido otro hijo, mientras yo le explicaba a Hannah un poco de dónde venían los niños, le conté que su padre biológico vivía muy lejos y que la última vez que lo habíamos visto ella no era más que un bebé. No estaba segura de si entendería por qué vivía tan lejos, pero lo que sí entendió es que Duncan hacía todo lo que un padre debía hacer y que la quería mucho.

—Es mi padrastro —asintió vigorosamente con la cabeza de nuevo—. ¿Puedo llamarle *papá*?

—¡Oh, cariño, claro! ¿Quieres llamarle así?

Asintió con la cabeza.

—Creo que a Duncan le encantará que le llames *papá* —convine con una sonrisa, echándole una miradita a Duncan, que nos contemplaba lleno de curiosidad, preguntándose qué estábamos conspirando al otro lado del salón.

—Vale —susurró.

Y luego fue adonde estaba Duncan.

—Papa, ¿puedes ir a arroparme?

Vi cómo Duncan tragaba saliva y tosía para ocultar lo emocionado que estaba.

—¡Claro, renacuajo! —le contestó alborotándole el pelo—. Iré enseguida.

—¡Vaya, no me lo esperaba! —exclamó él en cuanto Hannah subió trotando las escaleras radiante de felicidad, chupándose el dedo.

—Creo que te la has metido en el bolsillo —afirmé abrazándole.

Él, estrechándome entre sus brazos, me dio un beso en la cabeza.

—Venga, venid todos —gritó Duncan—, vayamos al jardín. ¡Es la hora de los petardos!

No habíamos reservado los fuegos artificiales para la medianoche porque habría sido demasiado tarde para los niños y, además, Estelle siempre se acostaba antes que ellos. Tenía casi noventa años, pero seguía siendo casi tan alta como Duncan y nunca se mostraba en público sin maquillarse antes cuidadosamente y ponerse el collar de perlas. La gente se quedaba de una pieza al enterarse de que era su madre. Estelle siempre decía que Duncan había sido un *bebé tardío: inesperado pero muy bienvenido.* Todos salimos afuera arrastrando los pies. Todavía quedaban parches de nieve en algunas partes, pero ya no hacía un frío tan glacial como el de los días anteriores. Duncan y Marcos se dirigieron al fondo del jardín, junto al cobertizo, y el resto nos apiñamos en la terraza con nuestras bebidas en la mano, esperando a que empezaran los fuegos artificiales. A mi espalda oí un chirrido de arañazos y al girarme vi a *Monty* pegado al otro lado de la puerta corredera de cristal en su postura de «soy un buen perro».

—¡No! —le grité a través del cristal—. Los fuegos artificiales no te van a gustar, ve a echarte a tu cama.

Me miró con sus ojos marrones como si escuchara con gran atención lo que le decía, luego dio media vuelta y, regresando sin hacer ruido a su cama, se tumbó apoyando la cabeza sobre las patas con cara de resignación. Hacía todo lo que yo le pedía porque confiaba en mí incondicionalmente. A veces hasta el perro me hacía sentir que no me lo merecía de lo bueno que era.

—¡Ya empiezan, chicos! —gritó Marcos, y regresó corriendo a donde estábamos. Al contemplar los fuegos artificiales silbando y chisporroteando todos exclamamos muchos «¡oohs!» y «¡aahs!» embelesados. Hubo silbidos y estallidos. De una Candela Romana brotó una llama roja que luego se volvió verde, naranja y morada, y a pocos metros de distancia una Fuente Plateada derramó sobre el césped millones de estrellas parpadeantes. Todos sonreímos y aplaudimos y por un momento me imaginé que estábamos celebrando mi cincuenta aniversario y que ya no necesitaba contar más mentiras.

—¡Salud! —exclamó Duncan apareciendo a mis espaldas para entrechocar su copa con la mía—. Qué fiesta de Año Nuevo más fabulosa, ¿verdad? Deberíamos repetirla en el futuro. Esperemos que este año sea bueno para todos.

A pesar de mi grueso abrigo y la bufanda de lana, de pronto me puse a temblar con tanta fuerza que derramé el champán.

—¿Estás bien? —me preguntó Duncan, y arrimándose a mi espalda, abrió su parka y me rodeó con ella para que entrara en calor—. ¿Qué te parece? ¿Te sientes mejor ahora? —me susurró rozándome el pelo con los labios.

Asentí con la cabeza y me acurruqué contra su cálido cuerpo.

Los fuegos artificiales tuvieron un gran éxito. A las once de la noche Estelle anunció que estaba un poco achispada y echándonos besos a todos desde la puerta corredera de la terraza se fue a su habitación. Yo quería mucho a Estelle. Muchísimo. Había tenido varios novios antes de salir con Duncan, pero aunque congeniaran con Hannah, sus madres no se llevaban bien con ella. Estelle en cambio había adorado a mi hija enseguida insistiendo en que la llamara *abuela* desde el primer día. Me sentía tan orgullosa de contarle los progresos y logros de Hannah como si se los estuviera contando a mi propia madre de seguir esta con vida. Cuando yo era pequeña mis padres llamaban a sus suegras «mamá» porque en aquella época era lo correcto, y a mí me encantaba hacer lo mismo con Estelle.

Como el resto de invitados estaban charlardo y riendo en la cocina, me escabullí al salón, ahuequé los cojines del sofá, y puse más leña en la estufa. En la sala estaba sonando un cedé de jazz blues, pero pronto pondríamos la radio para oír las doce campanadas. Consulté mi reloj de pulsera y mientras descubría que solo faltaban diez minutos para la medianoche, sonó de pronto el teléfono. El corazón me dio un vuelco, una llamada a esas horas solo podía significar problemas. Pero me dije que todos los seres queridos estaban en casa conmigo, sanos y salvos. Eché un vistazo por el salón buscando el teléfono inalámbrico, pero de pronto dejó de sonar. Después oí a Duncan salir al pasillo para alejarse del barullo de la gente que charlaba animadamente en la cocina.

—¿Diga? —dijo todavía riendo un poco por la conversación que acababa de interrumpir.

Su voz era optimista, alegre, como si estuviera charlando aún con sus amigos.

—¿Diiiigaaa? ¿Quién llama? Vale, es un silencioso. Como todavía no es medianoche, si nos has llamado para desearnos feliz Año Nuevo, vuelve a llamar, por favor. Adiós —dijo alegremente.

Tras colgar el teléfono soltando unas risitas, regresó con los demás. Debía de ser alguien que se había equivocado de número. Supuse que a esa hora habría mucha gente llamando a su familia en Nochevieja y que al oír una voz desconocida había colgado sin más en lugar de perder el tiempo dando explicaciones. Duncan había dejado el teléfono inalámbrico en la escalera. Lo cogí y marqué el uno cuatro siete uno para saber quién había llamado. Mientras esperaba la respuesta conteniendo el aliento, oí mi corazón martilleando en el pecho. *Hoy ha recibido una llamada a las once cuarenta y nueve. De un número oculto.*

Aquella noche soñé que Hannah había muerto. Estaba hecha pedacitos y yo sin perder la calma los recogí, los metí en una caja de zapatos y los llevé al hospital, convencida de que los unirían y mi hija volvería a la vida. Cuando las enfermeras miraron dentro de la caja y sacudieron la cabeza, me di cuenta de la terrible realidad: mi Hannah estaba muerta, ya *no había nada que hacer.* Aunque en mi sueño supiera que no la había matado, también sabía que era responsable de ello y que nunca podría cambiar lo ocurrido ni volver a ser todo como antes. Me desperté sobresaltada, abriendo los ojos de par en par. Sentía una opresión en el pecho como si tuviera el aliento atrapado en los pulmones y el corazón me latía como si me fuera a salir por la boca. Solo después de bajar a por un vaso de agua me empecé a librar de esa sensación tan horrible y a sentirme más tranquila.

—¡Eh! ¿Qué te pasa? —me susurró Duncan todavía con los ojos cerrados mientras yo me metía sigilosamente en la cama de nuevo.

—He tenido una pesadilla —respondí en voz baja arrimándome a él para sentirme mejor; la calidez y el olor de su cuerpo daban seguridad.

Al cabo de poco volvió a respirar cadenciosamente y yo me quedé sola, intentando averiguar por qué me sentía con los nervios a flor de piel. Era aquel silencioso y atemporal momento antes de clarear la aurora, cuando la realidad y los sueños se fundían como el mar y el cielo en una mañana neblinosa. Intenté vaciar la mente, pero en cuanto empecé a dormirme, mis pensamientos se convirtieron en imágenes y por alguna razón me descubrí de nuevo en aquella casa de Hastings. Por un instante en lugar de estar en la cómoda cama de una habitación enmoquetada con calefacción central, volví a encontrarme tumbada en el colchón maltrecho que Eva y yo habíamos encontrado en un contenedor de basura, contemplando el atrapasueños colgado del techo frente a la ventana. Pero ahora en lugar de cortinas gruesas que te aislaban de la luz, no había más que una tela roja de algodón hindú bordada con hilo dorado tiñendo de carmesí la luz del sol que inundaba la habitación, calentando el suelo de madera y llenando el ambiente del olor a madera vieja.

Al mirar en la oscuridad, percibí la forma conocida de mi salto de cama colgando de la puerta, el armario con el antiguo osito de peluche de Hannah encima y la cómoda con la raqueta de squash de Duncan apoyada contra uno de los lados. *Estoy en la cama con mi marido,* me dije, *en una casa perfecta con una hipoteca y unos vecinos respetables. Hannah y su pequeña familia están durmiendo sanos y salvos en la habitación de al lado; todo va bien.* Me di la vuelta para intentar dormir, pero mi mente no se calmaba. Era como si en mi cabeza estuvieran dando varias películas a la vez, todas en color y a todo volumen. Me quedé hecha un ovillo en mi extremo de la cama, aparté las mantas, pero entonces sentí frío y volví a taparme. Notaba que me estaba quedando dormida, pero seguí en un estado de duermevela. Oí el repiqueteo del aguanieve cayendo sobre la ventana y la cadenciosa respiración de Duncan durmiendo a mi lado. Suspiré y cambié de postura otra vez y entonces fue cuando lo vi. Al principio era un cuervo gigantesco plantado sobre mí, alto, negro y siniestro. Luego se movió un poco y se convirtió en Scott. Llevaba un sombrero de copa negro y una capa oscura alrededor del cuerpo como si fueran alas.

—¡Vete! —dije, aunque ningún sonido salió de mi boca.

Y de pronto me di cuenta de que seguía con los ojos cerrados. Sabía que si los abría, la imagen se desvanecería.

6

Regresé al Proyecto para Familias Jóvenes a principios de enero, este año iría solo por las mañanas porque quería asegurarme de estar disponible por si Hannah me necesitaba. El primer día de trabajo fue muy deprimente. La Navidad había hecho que muchas familias contrajeran grandes deudas y se sentían tan agobiadas por las preocupaciones económicas que la rutina de ocuparse de sus hijos se había vuelto más difícil y agotadora aún. Podíamos ayudarles a mantener a raya a los acreedores y a sortear el hostil sistema de los subsidios familiares, pero apenas podíamos hacer gran cosa para ayudarles a la larga de forma significativa. Lo que la mayoría de ellas necesitaba como agua de mayo era a alguien que se ofreciera a ayudarles en las tareas de la vida cotidiana, un par de manos extra, alguien que se hiciera cargo de algunas de sus obligaciones. A veces quería preguntarles dónde estaban sus madres.

Algunos compañeros de trabajo decían que las familias de las que se ocupaban tenían envidia de ellos o al menos de la cómoda vida que su condición de clase media les permitía llevar. Pero yo les podía decir con el corazón en la mano a las familias que tenía a mi cargo que sabía lo que era pasar estrecheces por haberlas vivido en propia carne, la angustia de no saber cómo ibas a pagar el alquiler la semana entrante sin tener nadie a tu lado que te apoyara. Pero también les podía decir que no tenía por qué ser siempre así, que las cosas podían cambiar en un momento dado y su vida mejorar. Al ver mi ropa y mi coche suponían que el dinero nunca había sido un problema para mí, por eso les conté que cuando Hannah era un bebé vivíamos en un piso de mala muerte encima de una zapatería en la que trabajé cuando Scott no lo hacía, y que él se había largado sin dejarnos un céntimo el día antes de pagar el alquiler. En aquella época yo tenía diecisiete años. Pagábamos diez libras a la semana por ese piso de dos habitaciones y un baño compartido. Me pasé las tres semanas siguientes evitando al casero, hasta que conseguí encontrar un trabajo en el que me dejaban llevarme a Hannah conmigo. En aquellos tiempos eso era más fácil que ahora, porque no había la obsesión por las cuestiones sanitarias ni las medidas de seguridad actuales. Me llevé a Hannah en el cochecito mientras recorría la calle principal buscando trabajo en una tienda tras otra, hasta que me contrataron en la cafetería Continental. Los propietarios, una pareja italiana, los señores Sartori, se enamoraron de Hannah y me dijeron que pondrían un parque infantil en la trastienda para que pudiera estar pendiente de mi hija y ella también pudiera jugar en un lugar seguro cuando estuviéramos ajetreados atendiendo a los clientes. Hoy día nadie te ofrecería algo parecido. La señora Sartori era un encanto de mujer. Adoraba a Hannah y la trataba como si fuera su propia hija. En realidad fue ella la que me enseñó a cocinar. Todavía sigo preparando la sopa minestrone y los panecillos crujientes con sabor a romero y aceite de oliva con los que se acompaña. Pero lo mejor de la señora Sartori fue que me ayudó a cuidar de Hannah y que siempre sabía lo que debía hacer. Me enseñó a refrescar a mi hija con una esponja para que la fiebre le bajara y a aliviarle el dolor cuando pillaba una infección en el oído. Y cuando yo estaba rendida por haber pasado la noche en vela por Hannah, ella se la llevaba en el cochecito para que yo pudiera dormir un poco, ya que decía: *Una mamá cansada no es una mamá feliz, y una bambina no es feliz si la mamá tampoco lo es.*

Aquella mañana me encontré a Lauren, una madre joven que había traído a su segundo hijo al mundo unos días antes de tener Hannah a Toby, llorando a lágrima viva porque su bebé tenía una dermatitis del pañal y ella creía ser la responsable. Estaba tan agotada que al levantarse por la noche para cambiarle el pañal no se había dado cuenta de que su bebé tenía la piel irritada y no le había puesto crema, y ahora creía que él sufría por su culpa. Lauren estaba aprendiendo a ocuparse de sus hijos sola, el padre los había abandonado a los tres días de nacer el bebé. La pobre chica no se tenía en pie y estaba angustiada por sus problemas económicos. Yo me preguntaba dónde se había metido su madre. Se supone que no debemos investigar demasiado en la vida de las familias de las que nos ocupamos, pero al parecer la madre de Lauren se había jubilado y no vivía más que a media hora de distancia del lugar. ¿Por qué no echaba una mano a su hija? Mientras regresaba en coche a casa, seguí dándole vueltas al asunto y se me hizo un nudo en el estómago de rabia, probablemente porque Lauren me recordaba un poco a Hannah. De pronto sentí el apremiante deseo de ver a mi hija. Puse el intermitente y me detuve en la cuneta para llamarla por el móvil.

—¿Estás en casa? —pregunté cuando Hannah contestó—. Voy a casa y me preguntaba si necesitas que te traiga algo del supermercado o cualquier otra cosa.

Mi hija parecía estar un poco harta. Dijo que no sabía lo que necesitaba del súper. En ese momento ni siquiera podía pensar con claridad, porque había pasado la mitad de la noche en vela por Toby. Su hijo tenía un cólico. Estaba muerta de cansancio.

—Escucha —le sugerí convencida de que me diría que no—. Sé que a una madre primeriza no le gusta separarse de su hijo en las primeras semanas. Hoy he quedado para comer con la abuela. ¿Qué te parece si me llevo a Toby conmigo? Papá dice que puedo poner la sillita en mi coche sin ningún problema. La abuela estará loca de contento y tú dispondrás de un par de horas para dormir.

Para mi sorpresa Hannah aceptó la sugerencia casi con avidez. Le daría el pecho ahora y se extraería un poco de leche por si Toby volvía a tener hambre antes de la hora.

A Estelle se le iluminó la cara al verme llegar con Toby. Le di un beso en la mejilla y, como siempre, el olor a Nivea me hizo añorar la presencia de mi madre. Como era habitual se había maquillado y acicalado como si fuéramos a comer a un restaurante. Siempre me sentía halagada por el esfuerzo que ponía y yo también intentaba ir de punta en blanco para corresponderle. Hoy Estelle llevaba una falda de estampado floral con una chaqueta verde que resaltaba y un pañuelo rosa de seda escogido cuidadosamente. Irradiaba una serena belleza.

Hannah me había dicho que Toby volvería a tener hambre al cabo de poco, pero como por el momento estaba tranquilo, puse el agua a hervir para el café mientras Estelle preparaba la comida.

—Comeremos algo ligero, pan y queso —anunció.

Nos sentamos a la mesa de la cocina, y ella cortó una baguette crujiente y colocó las rebanadas en una cestita. Después dispuso sobre una tabla para cortar una selección de quesos de excelente calidad que había comprado en el supermercado Waitrose, e incluso añadió varios puñados de uva negra para que pareciera la comida de un restaurante de primera. Toby se estaba quedando dormido apaciblemente en su sillita, que había dejado en el otro extremo de la mesa para poder vigilarlo.

—¡Vaya! —exclamó Estelle inclinándose hacia él—. Qué pestañas más largas. Seguro que las chicas se morirán de envidia.

Sonreí y mientras lo estábamos mirando parpadeó agitando las pestañas en sueños. Cuando Hannah era pequeña yo pasaba mucho tiempo contemplándola mientras dormía.

—Me pregunto qué sueñan los bebés —dije.

En su boquita color frambuesa se dibujó una fugaz sonrisa y luego se le volvió a relajar la cara. En el labio inferior tenía una ampolla blanca diminuta.

—Es leche, seguramente —repuso Estelle con aire resignado—. Si mal no recuerdo, cuidar de un bebé consiste sobre todo en introducir comida por un extremo y en limpiar lo que sale por el otro. ¡Dios mío! No sé cómo las mujeres nos las apañamos —añadió estremeciéndose exageradamente—. No es fácil, ¿verdad? Ver a tu hija atareada con su propio bebé te recuerda viejos tiempos —observó ladeando la cabeza al mirarme.

—Sí, un poco —admití con un suspiro—. Ya sé que es un tópico, pero qué deprisa crecen, ¿no?

Me dirigí al armario y saqué las tazas y los platillos amarillos con los que a Estelle le gustaba tomar el café.

—Tengo que dejar de decirle a Hannah lo que debe hacer. Todavía la sigo viendo como si tuviera ocho años.

Estelle asintió con la cabeza.

—Sobre todo nos pasa con las hijas —afirmó cortando varias porciones de mantequilla de un bloque de doscientos cincuenta gramos para ponerlas en un platito—. Julie tuvo su primer hijo a los veinte, como ya sabes. —Yo me llevaba bien con mi cuñada y creo que se imaginó que compartiríamos confidencias—. Pero se le dio muy bien, es como si lo hubiera estado haciendo toda su vida. Fue una buena madre pese a ser tan joven, como tú lo fuiste.

—¡Eh!, ¿como yo lo fui? ¡Que todavía pienso dar mucha guerra! —bromeé.

—En cambio los hijos son harina de otro costal —dijo sacudiendo la cabeza al tiempo que soltaba unas risitas—. Para serte sincera, creo que John y Duncan a esa edad habrían dejado que les siguiera atando los zapatos de habérselo yo permitido.

Sonreí.

—Hannah era todo lo contrario. A los dos años ya quería vestirse sola y si yo intentaba ayudarla se enfadaba mucho conmigo.

Llevé la cafetera de émbolo a la mesa y aparté una silla para sentarme. Me encantaban esos momentos de camaradería femenina que tenía con mi suegra.

—¿Sabes? No me imaginé que seguiría preocupándome por ella incluso ahora. Creo que en cierto modo supuse…

—¡Oh, una no se zafa tan fácilmente del papel de madre! —afirmó soltando unas risitas—. Yo todavía sigo preocupándome por mis tres hijos, y eso que Duncan ya tiene un nieto.

—Y John y Alice van a ser abuelos en verano, ¿verdad? —le recordé.

Estelle hizo otro de sus famosos estremecimientos.

—¡Lo que me faltaba! Dos hijos que son abuelos ¡Con lo vieja que ya me sentía!

De pronto se sumió en sus propios pensamientos y con expresión ausente hizo girar los anillos en sus dedos, que pese a bailarle ahora se mantenían sujetos por sus hinchados nudillos. En el dedo anular llevaba el anillo de compromiso y un aro de oro tan desgastado que parecía que iba a partirse en cualquier momento, y en el dedo corazón, tres anillos de brillantes; el padre de Duncan se los había regalado por el nacimiento de cada hijo. Serví el café y se lo ofrecí empujando la taza hacia ella, junto con el azucarero. Estelle se puso una cucharadita de azúcar y lo removió varias veces antes de dar dos golpecitos con la cucharita en el lado de la taza; luego la dejó cuidadosamente en el platillo. Estaba pensativa.

Toby se movió en la sillita haciendo una mueca, pero no abrió los ojos. Las dos le miramos por si acaso se despertaba, pero de pronto se le relajó la cara e hizo varios movimientos de succión antes de volverse a dormir.

—¿Sabes, querida? A veces pienso que la maternidad es lo mejor y lo peor que le puede ocurrir a una mujer.

—¿A qué te refieres?

—La vida es muy corta, incluso a una edad tan avanzada como la mía.

Se llevó la taza con mano temblorosa a los labios cuidadosamente pintados y tomó un sorbo de café. Esperé a que siguiera hablando, pero por un momento pareció estar inmersa en algún recuerdo inesperado.

—Estelle, ¿a qué te refieres?

Volvió a posar sus ojos en mí.

—¿Perdona, querida?

—¿Por qué me has dicho que la maternidad es lo peor que le puede ocurrir a una mujer?

—¡Ah, sí! Me refiero a la dicha que te da, es muy fugaz. En un instante eres una madre primeriza con un bebé recién nacido que has estado llevando en tu seno, ambos sois el centro del mundo del otro, y sabes que harías cualquier cosa por él. Es la clase de amor más completo y perfecto que existe. Y al instante siguiente…

De súbito volvió a tener esa expresión ausente. Había visto fotografías de Estelle de cuando era una madre joven, y también de cuando fue madre de mayor, después de nacer Duncan. Siempre había sido una mujer de buen ver, no lo que se dice un bellezón, pero sí atractiva. Y en todas las fotografías, tanto si estaba posando en un estudio fotográfico perfectamente ataviada, con guantes y sombrero y con un niño recién lavado y peinado en el regazo, como si aparecía en la playa con una falda vieja y el pelo recogido en la nuca mientras sus hijos hacían castillos en la arena, sin duda brillaba de amor y orgullo al mirarlos. *Un amor completo y perfecto.* Este pensamiento me trajo a la memoria el momento exacto en que vi lo importante que era Hannah para mí. Mientras le daba el biberón y ella me agarraba el meñique con su manita, contemplé esos ojos azul aciano y de pronto supe que si fuera necesario sería capaz de matar a alguien con mis propias manos para protegerla.

—Tus hijos cuentan con tu amor y tu devoción para siempre, hasta que mueres. Pero tú solo tendrás el suyo por un tiempo limitado. No es que dejes de importarles, pero he aprendido que es así, y tú también lo harás. En cuanto tus hijos tengan a sus propios hijos —me advirtió mirándome casi con dureza por encima de las gafas—, la cosa cambiará. Y es lo más normal del mundo.

—Sí claro, pero Hannah todavía me pide que la aconseje.

Sabía que Estelle tenía razón, pero aún no estaba preparada para aceptarlo, al menos no del todo.

Ella sonrió sacudiendo la cabeza.

—¿Lo ves? Por eso digo que es lo mejor y lo peor. ¡Por Dios! Aún me sigo preocupando por mis hijos y dos de ellos ya son abuelos. Pero aunque me cuiden —añadió poniendo su mano seca y fría en mi brazo—, todos lo hacéis, sois un encanto, ya no me piden mi opinión ni mis consejos si algo va mal. En lugar de preguntarme qué deberían hacer, no me cuentan nada para que no me preocupe.

Estelle chasqueó la lengua en señal de desaprobación y, al tomar otro sorbo, derramó un poco de café y le resbaló por la barbilla, pero no se dio cuenta.

—Lo hacemos porque te queremos. Para que no te preocupes.

Sin embargo, ella tenía razón. Le ocultábamos cosas que quizá no deberíamos haberle ocultado.

—Claro, querida, sé *por qué* lo hacéis, es ley de vida. Por eso digo que las cosas cambian. Cuando somos jóvenes nos preocupamos por los hijos, los protegemos y les transmitimos nuestra sabiduría. Ellos a cambio nos admiran y adoran, somos el centro de su mundo. Pero poco a poco la situación cambia, nuestros hijos empiezan a cuidar de nosotros, asumiendo responsabilidades y protegiéndonos. Y advertimos que ya no nos queda más sabiduría para darles porque el mundo ha cambiado y nuestros conocimientos se han quedado desfasados. Y entonces se convierten en padres y descubrimos que son nuestros hijos los que ahora transmitirán su sabiduría a los suyos y los que serán admirados y adorados, y que por desgracia vamos poco a poco desapareciendo del escenario, haciendo lugar para la siguiente generación. —Estelle lanzó un suspiro algo tembloroso—. ¡Santo Dios!, ¿qué diablos me pasa? Me estoy poniendo sensiblera y ni siquiera nos hemos tomado una copita de jerez aún.

Cuando regresé a casa, Duncan estaba plantado en el pasillo con el teléfono inalámbrico en la mano y la cara un tanto agitada. Me sonrió al verme, señalándome el auricular con la cabeza.

—Ha habido otra. Una nueva llamada extraña. No tendrás por casualidad un amante, ¿verdad? —me preguntó afablemente—. Ya sabes a lo que me refiero, «si se pone un hombre al teléfono, cuelga».

—¿Has marcado el uno cuatro siete uno? —repuse fingiendo no estar preocupada, aunque percibí una cierta tensión en mi voz.

Él se encogió de hombros y agarrando el teléfono volvió a marcar los números.

—Mmm..., es un número oculto.

Se me heló la sangre en las venas.

7

El domingo por la tarde, mientras nos preparábamos para dar un paseo por el bosque con *Monty*, intenté convencer a Hannah para que nos acompañara, pero Marcos se había llevado a Toby y prefirió volver a la cama un rato. Tenía la voz apagada y cansada; desde que había traído a Toby al mundo no parecía la misma. Siempre había supuesto que se tomaría la maternidad con calma. Y creo que así era, mi pobre Hannah. Había visto un sinnúmero de madres primerizas hechas polvo, pero me empezaba a preguntar si le pasaría alguna otra cosa.

Cuando estaba intentando atarme los cordones de las botas de senderismo sentí náuseas de golpe. Me senté pesadamente en la escalera, con los ojos haciéndome chiribitas.

—Cariño, ¿te encuentras bien? Te has puesto lívida de repente —me preguntó Duncan acercándose al instante.

Tardé un momento en contestar porque estaba intentando no vomitar.

—No es nada. Creo que tengo migraña. ¿Podrías traerme las pastillas, por favor?

Me puso la mano en la frente como hacía yo con Hannah cuando era pequeña para ver si tenía fiebre.

—No sabía que aún las tuvieras.

—Hacía siglos que no me dolía la cabeza. No sé por qué me han vuelto ahora.

Duncan me dio una pastilla rosa y un vaso de agua. Normalmente al tomármela la migraña se iba, pero si no me funcionaba tendría que tomarme otra amarilla.

Monty no cesaba de dar vueltas describiendo círculos, repiqueteando con las patas en el suelo de madera. Duncan todavía no se había puesto las botas y estaba plantado en calcetines con cara de preocupación.

—Es mejor que me quede en casa. Sal tú a pasear. Necesito echarme un poco en la cama.

Duncan me miró un momento.

—¿Seguro que estás bien? Volvió a ponerme la mano en la frente y me sentí tan aliviada que deseé que no la retirara.

—Sí, no te preocupes. No creo que dure demasiado. Seguro que desaparecerá si me quedo en la cama un par de horas con la habitación a oscuras.

Monty empezó a gimotear impaciente.

—¡De acuerdo, chico! —exclamó Duncan agarrando la correa.

El perro, dando brincos, intentó atraparla con la boca. Después se puso a saltar eufórico en círculos hasta que Duncan le gritó con firmeza: «¡Siéntate!» El can obedeció al instante, golpeteando el suelo con la cola, con la boca abierta de par en par sonriendo excitado mientras nos miraba a uno y a otro. Duncan, después de agarrarlo por el collar, le puso la correa, y en ese instante *Monty* casi lo arrastra de lo ansioso que estaba por salir a la calle.

Me quedé sentada en la escalera hasta que la puerta se cerró tras ellos y se hizo el silencio a mi alrededor. Entonces me di la vuelta y subí lentamente las escaleras a gatas. No podía moverme con demasiada rapidez porque percibía, en lugar de sentirlo, el dolor de cabeza agazapado como un depredador esperando abalanzarse sobre mí en cualquier instante. Era como si me hubiera acorralado. Me dije que si lograba ir a gatas hasta la cama sin hacer ningún movimiento brusco tal vez me libraría de su cólera, pero si lo provocaba me atacaría sin piedad acuchillándome la cabeza.

En cuanto llegué al dormitorio, aparté el edredón, bajé poco a poco la cabeza hasta apoyarla en la almohada y cerré los ojos. Aunque no los tuviera abiertos, vi chispas movedizas parpadeando a mi alrededor mientras las náuseas volvían y se iban, volvían y se iban. Me quedé echada en la cama, sin moverme, agradeciendo las gruesas cortinas aislándome de la luz y la quietud de la tarde, esperando que las pastillas me hicieran efecto. De momento la cabeza no me dolía, pero sentía los tentáculos de la migraña intentando rodearme sigilosamente y procuré no pensar en la posibilidad de no poder levantarme de la cama en tres días.

No sé cuánto tiempo llevaba acostada, pero de pronto sonó el teléfono, era como si cada timbre me horadara mis pobres sesos. Me quedé quieta y crispada, esperando a que dejara de sonar, intentando recordar cuántas veces sonaría antes de que saltara el contestador. Al dejar de sonar, se hizo el silencio por un momento y noté que mi cuerpo se relajaba de golpe. Pero volvió a sonar casi de inmediato. Mi cuerpo se volvió a tensar y me dieron ganas de vomitar de nuevo. Conteniendo el aliento, conté los timbres del teléfono: seis, siete, ocho. De súbito escuché un delicioso silencio, pero solo duró varios segundos. Volvió a sonar y, acodándome en la cama, me incorporé lentamente. La habitación estaba más oscura que antes, pero afuera todavía no era de noche y deduje que Duncan no hacía mucho que había salido. Tal vez le había pasado algo. El teléfono dejó de sonar, pero esta vez me preparé para cuando volviera a hacerlo, soltando una ristra de maldiciones para mis adentros por no haberme llevado el inalámbrico conmigo para dejarlo en la mesilla de noche. Una serie de imágenes desfilaron por mi mente. Hannah había sufrido un colapso por una enfermedad desconocida; Toby había dejado de respirar; Duncan había tenido un infarto o se había roto una pierna al resbalar en el hielo. A *Monty* le había atropellado un coche mientras cruzaba la carretera persiguiendo a una ardilla. Como era de esperar, el teléfono sonó otra vez. Moviéndome lentamente, me levanté de la cama y crucé la habitación.

—¿Diga?

Estaba segura de que había un deje de nerviosismo en mi voz. Duncan siempre me lo decía. Afirmaba que cuando me ponía al teléfono parecía que esperara recibir siempre malas noticias.

—¿Jo?

Me quedé helada. Hacía más de treinta años que nadie me llamaba así. Sentí otra vez náuseas y mis dedos se aferraron al teléfono. Quería colgar, pero estaba paralizada. No sabía si iba a vomitar o a desmayarme, pero en ese momento me sentía fatal, como si me fuera a morir. Noté que me fallaban las piernas y, apoyándome contra la pared, doblé las rodillas hasta quedarme sentada en la moqueta.

—¿Jo? —repitió—. Sé que estás ahí.

Reconocí su voz, a pesar de ser más suave y débil de como la recordaba. De modo que *era* él a quien había visto en Marks & Spencer.

—Escucha, no tengas miedo. Sé que tu marido ha salido…

Pulsé el botón de *finalizar la llamada* y colgué, metiendo con violencia el teléfono en la horquilla. El movimiento brusco me envió un misil de dolor que me taladró el cráneo. Seguramente está vigilando la casa. ¡Dios mío! ¿Por qué? ¿Qué es lo que quiere? Me quedé sentada en el rellano, reconfortada por la cálida y gruesa moqueta debajo de mí, y extendí los brazos para recuperar el equilibrio como si estuviera en un bote que pudiera volcarse en cualquier instante arrojándome al agua helada. El corazón me martilleaba en el pecho y sentí una oleada de pánico ascendiendo por la garganta. El teléfono volvió a sonar. Me lo quedé mirando hasta que dejó de hacerlo, ocho timbres. Pero de repente volvió a sonar una vez, dos veces. Podía haber desconectado la unidad principal de la planta baja, pero tenía el presentimiento de que Scott no iba a dejar de insistir y además sabía dónde vivía yo… Cuando volvió a sonar, lo cogí.

—No cuelgues. Te lo ruego, Jo. Tenemos que hablar —me pidió con voz desesperada.

—No podemos hablar. Nunca más —le espeté.

—¡Jo, por el amor de Dios, escúchame! —me suplicó cuando yo estaba a punto de colgar.

—No me llamo así. Y lo sabes perfectamente.

—Pues tendrás que volver a acostumbrarte.

—¡Qué…!

—Oye, tengo que verte. Debo decirte algo en persona. ¿Dónde podemos quedar?

—Scott, no podemos. Cuando te fuiste acordamos que no nos veríamos más. Tengo un marido y una vida completamente nueva. Y creía que tú también la tenías. Que estabas en Nueva Zelanda.

—Y así era, estaba allí. Pero hace varios años volví al Reino Unido. Estuve viviendo en Londres una temporada… Jo, me estoy muriendo.

Medio me reí. Era la clase de cosas que decía cuando quería que una de nosotras le hiciéramos un porro o una taza de té.

—No bromeo. Estoy enfermo, de cáncer. Tengo un tumor en el estómago y ya no pueden hacer nada por mí. Me quedan varios meses de vida o quizá menos.

Ahora le estaba escuchando, claro que lo hacía. No me iba a mentir en un asunto tan serio, ¿verdad? Sentí unas punzadas de dolor detrás de los ojos al intentar adivinar qué significaba aquello. Me había jurado que nunca…, pero ahora se estaba muriendo…

—¿Jo? ¿Sigues ahí todavía?

—Scott, lo siento, pero quedamos en que no nos pondríamos en contacto, pasara lo que pasara…

—Sé que eso fue lo que acordamos, pero las cosas han cambiado, Jo, y de todos modos…

—¡No me sigas llamando así!

—Y de todos modos no quiero verte por ese asunto. Oye, él volverá pronto, tu marido.

Sentí un ramalazo de cólera subiéndome por la garganta. Hubiera querido chillarle, pero si lo hacía me estallaría la cabeza, por lo que intenté controlar mi voz.

—¿Me has estado siguiendo por la ciudad y ahora te dedicas a vigilar mi casa? ¿Me estás *acosando*? Oye, Scott. Lo siento, no has tenido suerte en la vida…

—Aún no me he muerto.

—No me refería a eso. He creado una buena vida para Hannah, Duncan ha sido un buen padre con ella, y tú… tú dijiste… —Noté que estaba empezando a alzar la voz e hice un esfuerzo para no ponerme a gritar, chillar y llorar—. Dijiste que no harías esto. Me prometiste que nunca volverías a contactar con nosotras. *Dile que estoy muerto*, me soltaste. La única razón por la que no lo he hecho es porque ella seguramente habría querido ver tu tumba.

Una piedra gigantesca de dolor rodó a la parte frontal de mi cabeza emitiendo un golpe seco.

—Lo sé —repuso en voz baja, con calma—. Pero las cosas ahora han cambiado. ¿Dónde podemos vernos? ¿Tienes un día libre esta semana? ¿O una tarde?

—No. No pienso verte. Vete, déjame en paz.

—¿O si no qué? ¿Llamarás a la policía?

Hubo un silencio cargado de algo, como de nubarrones negros hinchados anunciando una tormenta.

—Jo —dijo ahora con voz suave, casi tierna—. Lo siento, pero no pienso ceder.

Seguía agarrada a la moqueta del rellano como si me fuera a caer al vacío. Ninguno de los dos dijo nada, pero yo sabía que él estaba al otro lado de la línea, esperando. Después de unos pocos segundos más de silencio, comprendí por qué estaba esperando tan pacientemente: porque sabía que yo no podía hacer nada, que no tenía escapatoria.

—De acuerdo —repuse, y al hablar noté una punzada repentina de vulnerabilidad, como si acabara de desatar algo destructivo y ahora tuviera que prepararme para las consecuencias. Respiré hondo, intentando que no me temblara la voz—. Supongo que podemos vernos a la hora de comer el miércoles o a cualquier hora el viernes. Ese día no trabajo.

—El viernes me parece bien. Mientras no tengas nada que hacer por la tarde, porque creo que después de vernos necesitarás un buen rato. Para reflexionar.

—Scott, lamento que estés enfermo.

Hice una pausa. Él era varios años mayor que yo, tenía como máximo cincuenta y pico. Y la última vez que le había visto —bueno, sin contar con cuando le vi en la ciudad antes de Navidad—, tenía un aspecto fuerte y *vital.*

—Me refiero a que lo siento mucho —dije bajando la voz—. Pero ¿podrías decirme por qué quieres verme?

—No puedo decírtelo por teléfono, y menos cuando tu marido está a punto de llegar. Confía en mí.

—¡Oh, vaya! De acuerdo. ¿Te parece bien el viernes por la mañana?

—Vale. Y oye, es mejor que nos demos el número del móvil. Supongo que querrás mantener en secreto lo nuestro, al menos por el momento.

Mi instinto me decía que me negara, pero como no quería que volviera a llamarme a casa, se lo di. Escribí el suyo en un pósit y luego me lo metí en el bolsillo.

—Genial. Hasta el viernes. Hay una iglesia a la que voy a veces…

—¿Una iglesia? ¿Qué…?

—Te mandaré la dirección en un mensaje de texto. Hasta la vista y Jo, si no apareces, no voy a parar hasta que nos veamos. Es muy importante para ti oír lo que tengo que decirte. Hasta el viernes.

Y después colgó.

8

Me quedé mirando el teléfono como si la respuesta estuviera escondida en alguna parte del aparato. Al final lo dejé en la horquilla de nuevo y me dirigí arrastrando los pies a mi habitación. Ahora la migraña estaba haciendo de las suyas e incluso creaba luces brillantes a mi alrededor. Dejé caer la cabeza contra la fresca almohada y cerré los ojos. Si pensaba aún me dolía más, pero mi mente no se calmaba. ¿Qué diablos tenía que comunicarme que no me lo pudiera decir por teléfono? ¡Dios mío!, susurré, pero como el esfuerzo de hablar me hizo ver las estrellas de nuevo, me dije a mí misma: *¡Oh, Dios mío! ¡Oh, Dios mío!* Me alcé acodándome en la cama para darme la vuelta y sepultar la cara en la almohada, pero volví a sentir una punzada de dolor detrás de los ojos. En ese instante oí a Duncan abrir con la llave la puerta y colgar la correa en la entrada, y a *Monty* ir correteando a la cocina hacia su bol de agua. Luego oí a mi marido subir las escaleras sin hacer ruido. Se detuvo en la puerta del dormitorio. Me di cuenta de estar conteniendo el aliento.

—¿Estas despierta? —me susurró a los pocos segundos.

Por un momento consideré fingir que estaba dormida, pero levanté la mano agitándola lentamente. Duncan se acercó y, sentándose en la cama, me apartó con suavidad el edredón para verme la cara.

—¿Cómo te encuentras? Todavía no tienes buen aspecto.

—Fatal. Es una migraña de caballo —susurré.

—Vale, quédate en la cama. ¿Quieres que te traiga algo? ¿Pastillas? ¿Té? ¿Agua?

—Agua, por favor, y también las pastillas amarillas.

—¡Oh, cariño! ¿Tan mala es? —dijo besándome en la cabeza.

Volvió a cubrirme con el edredón y se dirigió a la planta baja. De pronto me entraron unas ganas horribles de ver a mi madre. No en la última etapa de su vida, sino cuando yo era pequeña y tenía paperas, el sarampión o alguna otra cosa parecida, y ella se sentaba a mi lado en la cama arropándome, acariciándome el pelo y asegurándose de que me sintiera a gusto. Lanzando un suspiro, volví a cerrar los ojos. Intenté sacarme de la cabeza la imagen de Scott imaginándome que la bloqueaba con una cortina de terciopelo negro para que me envolviera la oscuridad. Pero de pronto recordé que había sido Eva la que me había enseñado a hacerlo, de modo que volví a pensar en él de nuevo.

El jueves por la noche no podía dormirme. Ya no estaba tan impactada por la llamada de Scott, pero ahora, al saber que al día siguiente sería viernes, no dejaba de darle vueltas al asunto. Había estado nerviosa todo el día. Por la mañana al sacar las tostadas de la tostadora, las había metido en el lavavajillas en lugar de dejarlas en el plato, y en el trabajo estuve tan distraída que la pobre mujer con la que hablaba me preguntó si me encontraba bien cuando era ella la que tenía un hijo al que le acababan de diagnosticar una leucemia. Por la noche Duncan me pilló mirando por la ventana para ver si Scott nos espiaba.

—¿Qué estás mirando? —me preguntó agarrándome por la cintura arrimado a mi espalda—. ¿Es que somos unos vecinos fisgones?

Pero no vi a Scott por ningún lado y, aparte de enviarme la dirección de la iglesia en un mensaje de texto, ya no habíamos vuelto a hablar. Miré la hora que era en el reloj digital, casi las dos de la madrugada, y la alarma del despertador se dispararía a las siete. Aunque consiguiera dormir en la siguiente media hora… ¡Oh, deja de preocuparte!, me dije mirando el reloj como si al hacerlo mi insomnio solo estuviera empeorando más aún.

No dejé de preguntarme qué pasaría si no iba, pero entonces recordé lo desesperado que Scott parecía y lo mucho que me había recalcado que no pensaba ceder, fuera lo que fuera. Tumbada en la cama en medio de la oscuridad, no podía dejar de darle vueltas al asunto. Lo primero que se me ocurrió es que me pediría ver a Hannah, pero si era eso lo que quería, ¿por qué no me lo había dicho? Y, además, si quisiera lo habría hecho de todos modos sin pedirme permiso. Si me había encontrado con tanta facilidad, podía hacer lo mismo con Hannah, estaba segura. A lo mejor solo quería saber lo que yo le había dicho sobre él. Duncan estaba roncando suavemente a mi lado y me di la vuelta para quedar de cara. Intentando sacarme a Scott de la cabeza, me arrimé a su cálido cuerpo. Duncan siempre me hacía sentir segura. Me rodeó con su brazo sin despertarse y, sorprendentemente, me quedé dormida.

Por la mañana me sentía más tranquila. De algún modo me convencí de que le había entendido mal, o malinterpretado, y que Scott simplemente querría dejarle algo a Hannah en su testamento. Tal vez ni siquiera pensaba verla. Quizá no quería presentarse de pronto en mi vida y destruirlo todo. La clara luz del sol de invierno bañaba la cocina y me senté a la mesa, todavía en salto de cama, a tomarme un café, mientras Duncan se preparaba para ir a trabajar.

—¿Qué vas a hacer hoy en tu día libre? —me preguntó después de darme un beso al despedirse.

—Había pensado ir a la ciudad a dar una vuelta por las tiendas —respondí. De todos modos, no le estaba mintiendo porque pensaba hacerlo un rato—. Y como hace un día tan bonito, si el suelo no está helado me llevaré a *Monty* en el coche y daremos un paseo por los páramos.

—¡Qué buena idea! —asintió Duncan.

Vi que estaba pensando lo mismo que yo; algo que siempre decíamos: que debíamos ir en coche más a menudo a los páramos, a las colinas. Que a pesar de vivir tan cerca del Parque Nacional del Distrito Peak, nunca lo aprovechábamos. Hacía meses que no íbamos juntos a ese lugar. A decir verdad, la última vez había sido en primavera, porque recuerdo que los páramos estaban cubiertos con brezos de distintas tonalidades rosadas, lilas y moradas. Cogidos de la mano, nos detuvimos a contemplar la vista que se extendía a lo largo del valle. *Monty* estuvo olfateando, dando vueltas por el sotobosque, y el sol se empezó a poner, tiñendo los campos con una luz dorada.

—Sé que siempre decimos lo mismo… —admitió Duncan—, pero ¡deberíamos hacerlo más a menudo! —exclamamos los dos a coro.

Nos echamos a reír y de pronto me puse a pensar en una compañera de trabajo cuyo marido se había muerto de un infarto a los cuarenta y dos años.

—Sí, deberíamos hacerlo más a menudo, ¿verdad? —afirmé—. Nunca se sabe lo que puede pasar; la vida puede dar un vuelco cuando menos te lo esperas.

Y ahora al pensar en ello sentí una oleada de aprensión. Era la misma sensación que me había embargado tras la muerte de mi madre, la sensación de no poder controlar lo que estaba a punto de pasar, de estar indefensa, como si el agua, derribándome de la orilla de un bandazo, me estuviera arrastrando mar adentro.

9

Newquay, Cornualles, marzo de 1976

Jo se limpió los ojos con el pañuelo perfumado que la enfermera le había dado.

—¿Hay alguien a quien podamos llamar de tu parte, Joanna? ¿A tu abuela, quizá? ¿O a tu tía o tu tío?

Jo sacudió la cabeza. No se le había ocurrido hasta ahora lo pequeña que era su familia. Su tía Margaret había fallecido de apendicitis una semana antes de nacer ella, y la abuela Pawley, la madre de su madre, había sufrido un infarto masivo después de Navidad el año anterior. No veía a su padre desde que tenía diez años, y de todos modos se había mudado con su novia a la otra punta del mundo.

—A tu edad no es una situación fácil —le recordó la enfermera dándole unas palmaditas en el hombro—. Yo perdí a mis padres cuando era algo mayor que tú. No te preocupes, al cabo de un tiempo ya no te dolerá tanto.

Jo asintió con la cabeza y le dio las gracias por lo que ella y las otras enfermeras habían hecho, y luego agarró la pequeña bolsa con las pertenencias de su madre y cruzó correteando la puerta de doble hoja y los pasillos hasta salir a la tenue luz del sol. La gente estaba aparcando en el aparcamiento del hospital. ¿Cuántos volverían a su coche habiendo perdido a un ser querido, recordando el confiado «hasta mañana» con el que se habían despedido de él?

Al subir al autobús para volver a casa, como tenía los ojos enrojecidos e hinchados por haber estado llorando, cogió el periódico que alguien había dejado en un asiento y pagó el billete sin mirar siquiera al conductor. *Wilson dimite*, anunciaba el titular. Se quedó mirando las fotografías del primer ministro Harold Wilson de la portada, pero a pesar de leer dos veces el primer párrafo de la noticia, como tenía la cabeza en otra parte no se enteró de nada, era como si estuviera escrito en chino. Arrojó el periódico al asiento de al lado y, apoyando la frente contra el frío cristal de la ventanilla, permaneció con los ojos cerrados el resto del trayecto.

No soportaba la idea de ir directa a casa y decidió pasear antes por la playa. Sabía que el rumor de las olas rompiendo en la orilla la calmaría. Se quedó plantada en la arena, contemplando el mar de color pizarra. El sol se había escondido tras él, el cielo era del mismo tono que el agua y las nubes estaban hinchadas y cargadas de lluvia. Jo no se movió hasta que empezó a llover; al principio no cayeron más que algunos goterones, pero enseguida se puso a llover con furia, como un millón de agujas atravesando la superficie del agua oscura. Desplegó el certificado de defunción. *Insuficiencia hepática crónica y hepatitis inducida por el alcohol*, ponía. Se moría de ganas de hacerlo trizas, arrojarlo a la arena y pisotearlo. Pero como su lado sensible sabía que lo necesitaría para encargar el funeral, volvió a doblarlo y se lo metió de nuevo en el bolsillo de la parka antes de que se le mojara demasiado.

Antes de enfermar, su madre y ella habían estado hablando de irse no solo de Newquay, sino también de Cornualles. Era agradable vivir cerca del mar, pero en ese lugar no había gran cosa más; en invierno estaba muerto, y en verano lleno de turistas que te hablaban como si fueras una mierda. Unas pocas gaviotas estaban plantadas bajo la lluvia, como si no supieran qué hacer. ¿Por qué no se largaban volando si tenían alas? ¡Qué pájaros más estúpidos!

Mientras las observaba, se le ocurrió que debía hacer planes, pensar en el futuro. Se podía quedar en Newquay o hacer las maletas, sacar sus ahorros de Correos, y mudarse a otro lugar que fuera distinto. De ella dependía. Quizá debía ir a Londres; había oído decir que allí era más fácil encontrar trabajo y que los sueldos eran mejores, además, así descubriría cómo era vivir en otra parte. De golpe le vinieron a la cabeza un montón de posibilidades, pero no era capaz de analizarlas ni de pensar con claridad. ¿Tal vez debería hablarlo con su madre? Pero de súbito se acordó de la cruda realidad.

Eran las últimas horas de la tarde y estaba empezando a oscurecer. La lluvia le corría por la nuca y se cubrió la cabeza con la capucha de la parka. Las piernas le pesaban mientras avanzaba penosamente por la arena llena de hoyuelos por el aguacero, sorteando marañas de algas negras mezcladas con restos de maderas, botellas de plástico y otras clases de desechos. Siguió andando hacia unas escaleras de madera que daban a la carretera. Se detuvo al pie de los escalones y respiró hondo varias veces para llenarse los pulmones del fresco aire marino, percibiendo su sabor salado y su intenso aroma. Luego se volvió hacia el mar, envuelta y cubierta ahora por un manto gris de lluvia. Se secó los ojos con la manga y empezó a subir las escaleras para regresar a su casa cruzando la ciudad.

Caía con tanta furia que no se oía más que la lluvia repiqueteando en la acera. La abuela Pawley habría dicho que estaban cayendo chuzos de punta. La gente al salir del trabajo correteaba por la calle para llegar a casa sin mojarse demasiado. Pero Jo no apretó el paso y además ya estaba calada hasta los huesos. Se dedicó a observar las formas de los charcos, los círculos apareciendo y desapareciendo en el agua, y las burbujas formándose y estallando. Caminaba con la cabeza agachada, no quería que ningún vecino la viera y le preguntara por su madre. Aunque con el tiempo que hacía nadie iba a ponerse a charlar en medio de la calle, y además en aquellos días la gente no solía hacer preguntas de todos modos. Su madre había pedido dinero prestado y no había podido devolverlo en demasiadas ocasiones. La lluvia era tan violenta que rebotaba al caer sobre la acera, cubriendo el asfalto alquitranado de una capa de niebla. El agua bajaba ruidosamente a raudales por las alcantarillas. Era la escena perfecta para la ocasión. Parecía el fin de algo.

Durante los últimos años habían estado viviendo en una de las calles más pobres de Newquay y hoy parecía más horrible que nunca. Por lo visto había tantos muebles fuera como dentro de las casas. Pasó por delante del colchón de una cama de matrimonio apoyado contra la pared, y de un sillón desgarrado con una grabadora de carrete antigua sobre el asiento empapados por la lluvia. A veces intentaba recordar cómo había sido su vida en el pasado, cuando vivía con sus padres en una bonita casa de una calle bonita, donde la gente cortaba el césped del jardín los sábados y lavaba el coche los domingos. Ahora ni siquiera se podía imaginar su habitación en aquella casa.

Cuando por fin entró en el piso se sintió como si en lugar de diez horas hiciera diez años que se hubiera ido. En los hospitales la noción del tiempo se alteraba. Su casa le pareció más fría y húmeda que de costumbre. Se detuvo para coger el correo y luego se dirigió a la cocina, le dio al interruptor, y esperó a que los fluorescentes se encendieran. Puso la radio —un acto reflejo— justo a tiempo para oír al grupo Abba cantar alegremente el estribillo de «Mamma Mia». Después la apagó, arrojó el correo sobre la mesa y se acercó a la pileta. En una palangana llena de agua jabonosa anaranjada y grasienta seguía en remojo la sartén con la que había cocinado los espaguetis a la boloñesa la noche anterior. Como aparte del té con galletas que le habían dado en el hospital por la mañana no había comido nada desde la última noche, abrió la nevera sin quitarse siquiera la parka y comió con los dedos un poco de carne de buey en conserva. Luego se sirvió un vaso de leche y se la tomó de un trago. En el bolsillo de la parka tenía la bolita de hachís que Rob Trelawney le había dado el día anterior. Se sentó ante la mesa para liarse un porro. No lo hacía con tanta soltura como Rob, pero en aquella época él se pasaba el día fumando marihuana. Para Rob eran como pitillos. Encendió el delgado canuto hecho con poca maña y le dio una buena calada, dejando que la calma la envolviera. Te ayudaba a desconectar. Eso era lo que su madre decía del alcohol.

—Solo es una copita de jerez, Jo-Jo, para tranquilizarme.

La mitad del correo era para ella y la otra para su madre. Se encontró una nota de la biblioteca recordándole que devolviera los libros, y un sobre rosa escrito a mano de Sheena Smith. Sheena era una de las pocas amigas del instituto con las que seguía en contacto. Abrió el sobre. Contenía una tarjeta de agradecimiento por las medias y las sales de baño que le había regalado en su cumpleaños. También había una factura del gas y una carta del hospital, ambas dirigidas a su madre. La factura del gas era un aviso por falta de pago. Jo la deslizó entre el salero y el pimentero para acordarse de llamar a la compañía al día siguiente. Y también tenía que llamar al señor Rundle —el casero—, a la Seguridad Social, y a un montón de personas más. Era mejor que hiciera una lista. La carta del hospital parecía ser un rapapolvo por no haber ido su madre a hacerse el análisis de sangre quincenal. Le habían reservado hora para otro día y tenía que notificarles si iría. En la carta también ponía que les estaba haciendo perder el tiempo y que otro paciente podría haber aprovechado su cita de haberlo ellos sabido, y blablablá. Jo agarró un rotulador verde que había en el frutero, encima de varias manzanas arrugadas, y dándole la vuelta a la carta garabateó en el dorso: *No me presenté a la cita del día 26 porque como ustedes deberían saber, pandilla de tarados, he estado seis semanas en su estúpido hospital y de todos modos me acabo de morir esta mañana. Espero que esta sea una buena excusa para no presentarme a la siguiente cita. Atentamente, Marie Casey (fallecida).*

Leyó lo que había escrito y luego rompió la carta en pedazos y los arrojó a la pileta. ¿Cómo era posible que la noche anterior estuviera sentada en el salón viendo por la tele *Top of the Pops* y ahora, veinticuatro horas más tarde, ya no tuviera una madre? Le dio otra calada al porro e ignoró las lágrimas rodándole por las mejillas. Se había sentido casi aliviada de que admitieran a su madre en el hospital, al menos las enfermeras sabrían qué hacer con ella. También significaba que podía fingir por una temporada que no era alcohólica y que estaba en el hospital por alguna otra razón de lo más normal, como por cálculos biliares, almorranas o una histerectomía. Jo había ido a visitarla la mayoría de las noches, pero su madre estaba tan grogui por los medicamentos que a duras penas era consciente de nada. La noche anterior parecía haber mejorado un poco, aunque tenía la piel amarillenta y unas profundas ojeras. Incluso le había hablado de ir de vacaciones a España.

—Ahorraremos —le aseguró su madre con una voz más entera de la que tenía hacía semanas—. Encontraré un trabajo a tiempo parcial cuando me ponga bien. Antes de conocer a tu padre fui cajera, de modo que algún trabajo me saldrá.

Después le tomo la mano con ojos llorosos.

—Tú no deberías haber sido la que iba a trabajar, al menos no a esa edad, siendo una chica tan lista. Tenías que haber seguido los estudios hasta terminar el instituto. ¡Oh, Jo-Jo, qué clase de madre has tenido! —exclamó alzando la cabeza de la almohada.

Por un instante quiso soltarle: *Una madre pésima,* si *quieres saber la verdad. Una mierda de madre.* Pero sabía que no estaba siendo del todo justa. Cuando era pequeña creía que su madre era maravillosa, la mejor del mundo, y eso le creaba un dilema, porque aunque sabía que quería tener hijos en cuanto creciera, no se imaginaba viviendo en otra casa separada de su madre. Por eso, cuando fue lo bastante mayor decidió que compraría una casa rosa enorme para compartirla con sus hijos y su madre. No se preocupó demasiado en encontrar marido, no creía necesitar uno.

Se dio cuenta de que su madre estaba llorando.

—No pasa nada, mamá —dijo, y apartándole la mano se levantó—. Oye, mañana volveré, ¿vale?

La besó en la húmeda frente y salió de la sala del hospital a toda prisa para no perderse el programa *Top of the Pops.*

Sin embargo, en mitad de la noche la enfermera la llamó para decirle que su madre había empeorado. El taxi le costó casi dos libras, pero la llevó al hospital en un santiamén. Estuvo sentada al lado de la cama casi tres horas, oyéndola respirar con dificultad, inclinándose sobre ella cada vez que movía los párpados. Pero justo después de las cinco de la mañana su madre le sonrió por primera vez desde hacía semanas. Fue una sonrisa cálida y beatífica que le salió más de los ojos que de la boca y, cerrando por última vez aquellos ojos verdes que habían sido tan bonitos en el pasado, murió.

Recogió todos los sobres y, pisando el pedal para abrir la tapa, los echó a la basura, incluyendo la tarjeta de agradecimiento. Después metiendo la mano en el agua jabonosa, fría y grasienta, buscó los trozos de la carta del hospital y los tiró también. Apuró el porro y cruzó el pasillo para dirigirse a la habitación de su madre. La última vez que había estado en ella fue el día que vino la ambulancia. Abrió la puerta lentamente. En la habitación hacía frío y olía mal, como a ropa sucia. Vio la cesta de la colada llena en un rincón y le invadió un sentimiento de culpa. Podía haber llevado la ropa sucia a la lavandería, ¿no? Seis semanas. Al menos podía haber cambiado las sábanas. En la mesita de noche había un vaso pegajoso y una taza de copos de maíz Kellogg's, una mezcla de varias pastillas, una caja de pañuelos de papel y un bote de crema Nivea para la cara. Abrió el cajón de arriba: más pastillas, más cremas y pomadas. Cogió uno de los tubos y sonrió al leer la etiqueta. Recordó, sin podérselo creer aún, la voz de su madre exclamando: «¡Te he pedido *Anusol*! ¿Por qué no le ponen a la pomada *Ojetesol* y sanseacabó?»

Cuando era pequeña y vivían en Padstow, le encantaba ir a la habitación de su madre porque olía bien y había frascos bonitos en el tocador, y collares colgando sobre el espejo. Y a veces ella le dejaba ponerse sus zapatos de tacón y andar repiqueteando por la casa como una mujer adulta. Aunque en esta habitación ya no quedaba ni rastro de esa madre. Todavía había un frasco de perfume en el tocador, pero estaba cubierto de polvo, pues hacía años que su madre no se ponía perfume ni joyas. Debajo de la cama vio dos bolsas de plástico llenas de botellas, la mayoría de jerez o de vermut, lo que su madre bebía por la noche. Durante el día a veces se echaba vodka al té cuando creía que ella no la veía. ¡Malditas botellas! Recordaba haberse preguntado por qué su madre se llevaba siempre una bolsa de plástico que tintineaba al ir a la tienda de la esquina, y un día la vio por la ventana deteniéndose ante la papelera. Echó un vistazo a su alrededor, levantó la bolsa e, inclinándola, tiró las botellas. El viernes, cuando Jo vio al basurero vaciando las papeleras de la calle, lo entendió todo. En aquellos días a su madre todavía le importaba lo que la gente pensaba de ella.

Entonces intentó pensar en la madre de cuando era pequeña, la que sabía tantas canciones que si decías cualquier palabra que se te ocurriera te cantaba una en la que salía. También solía doblar hojas de papel, cortarlas o romperlas por varios sitios, y luego pedirle a ella que le diera unos golpecitos con el dedo gritando *Abracadabra.* Y entonces desplegaba la hoja y, como por arte de magia, aparecía una hilera de muñecas de papel agarradas de la mano, o un hermoso pavo real con la cola desplegada en abanico, o un cisne con las alas extendidas. Por un instante el recuerdo se volvió tan vívido que sintió la presencia de su madre —la que era divertida, feliz y risueña—, como si estuviera allí de verdad, pero de pronto se desvaneció, dejando una huella en el aire, como cuando apagas una vela. Por primera vez desde que dejó de ser una niña pequeña trepó a la cama de su madre y lloró a lágrima viva hasta quedarse dormida.

El señor Rundle se llevó un gran disgusto al enterarse de que su madre había muerto. Le dijo que podía quedarse en el piso hasta finales de marzo y que no se preocupara por los dos meses de alquiler que le debía.

—Ya tienes bastantes cosas en las que pensar, señorita —afirmó frunciendo la frente surcada de arrugas mientras encendía su pipa—. No me voy a arruinar por prescindir de unos pocos chelines y tu madre casi siempre fue una buena inquilina.

Le preguntó sobre el funeral y ella admitió que no tenía ni idea de qué hacer, así que él y la señora Rundle se ocuparon de organizarlo, para gran alivio de Jo. Una semana más tarde, los tres, junto con Rob Trelawney y sus padres, su amiga Sheena y Jackie, una enfermera del hospital, y la señorita Bradwell, la trabajadora social que se ocupaba de su madre, se sentaron en círculo en sillas y en las cajas de la mudanza tomando té ligero en vasos de papel. Jo no había caído en que después del funeral tenías que ofrecerle a la gente té y pasteles, y además había regalado la mayor parte de la vajilla. No había mucho de lo que desprenderse. El Womans Royal Voluntary Service y el Ejército de Salvación se habían llevado la mayor parte de los enseres domésticos, y la señora Rundle la había ayudado a meter en bolsas las cosas de su madre para venderlas en el mercadillo benéfico que organizaba la iglesia. Las pertenencias de toda una vida cupieron en cuatro bolsas de basura. Aparte de la ropa, su madre apenas poseía gran cosa. Hacía años que había vendido la mayoría de sus joyas, salvo el camafeo victoriano que había pertenecido a su propia madre. Era lo único que ella quería conservar; le recordaría a su madre y a la abuela Pawley a la vez. Llenó dos bolsas y un par de cajas más con sus objetos personales, que no se iba a llevar: la grabadora antigua, el reproductor de vídeo, los libros, los casetes y vídeos, y algunos viejos juguetes con los que se había encariñado. En cuanto tomó la decisión de desprenderse de sus cosas, le resultó más fácil de lo que se imaginaba. Se había aferrado demasiado a ellas; esos objetos pertenecían a su infancia y ahora había dejado de ser una niña.

La exigua comida del funeral consistió en bocadillos de jamón dulce con rodajas de tomate, volovanes de setas y magdalenas que la madre de Rob y la señora Rundle habían preparado por la mañana. Nadie dijo gran cosa ni se quedó más tiempo del necesario.

Se despidió de la cooperativa avisándoles una semana antes y les dijo a Carol y a Geoff, los propietarios del pub donde trabajaba tres noches a la semana, que no volvería. Después escribió una nota a Sheena y a Jackie prometiéndoles que se mantendría en contacto con ellas. Al ver a Rob y a su madre al terminar el funeral, les prometió que pasaría por su casa para despedirse, pero sabía que no lo haría. Detestaba las despedidas, sobre todo porque Rob le seguía gustando bastante. Les dijo a todos que se iba a quedar en Londres con la prima de su madre. Nadie cuestionó su decisión, ni siquiera la señorita Bradwell. Solo el señor Rundle tuvo sus dudas al respecto. Era un tipo tozudo de Cornualles y desconfiaba de los londinenses. Afirmaba que no tenían ninguna consideración por los demás.

—La gente de Londres no son más que una panda de ruidosos mendigos —gruñó al ir a recoger las llaves del piso—. Llegan en verano con sus coches y motos, ponen la radio a todo trapo en la playa, y cuando se largan lo dejan todo hecho un asco. Y en invierno no se les ve ni el pelo —añadió sacudiendo la cabeza.

Y, además, le contó que Londres era una pocilga llena de gente de la que no te podías fiar.

—¡Las calles están repletas de ladrones y canallas! —exclamó dando una furiosa calada a su pipa—. Los londinenses son capaces hasta de robarle la pata de palo a un tullido.

Cuando la llevó a la estación de tren de Newquay, cargada con la bolsa de lona y la única maleta en buenas condiciones de su madre, le puso un billete de cinco libras en la mano.

—Cuídate, querida, no está bien que una jovencita como tú viaje sola a ese lugar.

10

Jo metió la maleta en la rejilla para el equipaje y se sentó en el tren con la bolsa de lona en el regazo. Era un largo viaje de más de seis horas y la noche pasada apenas había dormido. La última vez que había ido a Londres en tren fue cuando tenía nueve años y en aquella ocasión tampoco había dormido la noche antes del viaje. Su padre trabajaba en Londres y había alquilado un estudio en Green Park, porque así no tenía que desplazarse tanto. Iba a casa los viernes y se volvía a ir los domingos por la noche para tomar el tren de vuelta. Justo antes de Navidad, su madre había decidido ir a Londres en tren para darle una sorpresa a su marido.

—Viajaremos el jueves —le anunció a su hija—, y luego saldremos a cenar con papá por la noche, nos levantaremos temprano el viernes por la mañana para ir a la calle Oxford, haremos algunas compras, comeremos, y luego volveremos con papá en el tren de las cuatro de la tarde. Así que cuando llame esta noche —me advirtió llevándose un dedo a los labios— no se lo digas, ¿vale?

Jo asintió con la cabeza entusiasmada, contenta, pues su madre le había confiado un secreto.

La noche anterior había estado tan excitada que no había podido pegar ojo durante horas, y por la mañana ya se había levantado y vestido mucho antes que su madre. Se puso un pichi de pana azul marino nuevo con un jersey blanco debajo, calcetines blancos y zapatos negros de charol. Sabía que en Londres tenías que vestir con elegancia. Dentro del bolso beige de ante que la abuela Pawley le había regalado, metió *El león, la bruja y el armario* para leerlo en el tren, un paquetito de pañuelos de papel, un bloc y un lápiz, una bolsa de caramelos Spangles y el monedero con dieciocho chelines para sus compras navideñas. Apenas podía estarse quieta cuando se sentó en la cama de cabecera alta de hierro forjado de sus padres, mientras su madre se pintaba los labios de cereza, el mismo color del traje pantalón que llevaba.

—¡Ya verás cuando veas las luces de la calle Regent, Jo-Jo! Son las mejores luces navideñas que has visto en tu vida.

Giró la barra de labios para meterla en el estuche, la cubrió con la tapa, unió los labios repartiendo el carmín y, por último, besó un pañuelo de papel para eliminar los restos. A continuación, se acercó al espejo y giró primero la cara a un lado, y luego al otro. Satisfecha por lo visto con su aspecto, sacó del armario su nuevo abrigo de piel sintética.

—¡Venga, Jo-Jo! —exclamó sonriendo, fingiendo estar impaciente—. ¿Vas a estar ganduleando todo el santo día o quieres que vayamos a Londres?

Ella se bajó de la cama de un salto y corrió a buscar su mejor abrigo, el de color ciruela, con botones dorados y cuello negro de terciopelo.

—Espero que también veamos algunos coros auténticos —apuntó su madre mientras se apresuraban a ir a la estación cogidas de la mano—. Los coros de verdad cantan villancicos de los buenos y el público se puede unir a ellos. Y si te portas bien —añadió mirándola—, mañana iremos a ver a Papá Noel en los grandes almacenes de Selfridges. ¿Qué te parece? —dijo sonriendo.

Demasiado emocionada como para hablar, Jo asintió con la cabeza entusiasmada y recorrió dando saltitos el resto de la estación. En el tren jugaron a veo-veo un rato, se comieron los bocadillos de salchicha de hígado y las magdalenas con una capa de crema de mantequilla que llevaban, y después se puso a leer su libro. Al cabo de poco, al cerrársele los ojos de sueño, apoyó la cabeza en el regazo de su madre y se durmió. Como al llegar todavía estaba soñolienta, fueron en taxi al apartamento de su padre. Eran las cinco de la tarde y seguramente acababa de regresar del trabajo, pero abrió la puerta cubierto con un salto de cama de mujer, una fascinante prenda ligera de seda de color rosa y gris perla. Ella nunca se había sentido tan violenta en toda su vida. Lo único que podía pensar era en las piernas peludas de su padre asomando por debajo de la tela de seda de color gris perla. El salto de cama pertenecía a Elena, su guapa secretaria española, que le estaba esperando entre las sábanas al fondo de la habitación.

Su madre se quedó plantada en la entrada sin decir una palabra al principio. Jo la agarró de la mano, pero le produjo una sensación extraña, como si ella quisiera soltársela, pero no sabía si se lo permitiría. Recordaba que su padre no sabía dónde meterse y que se pasó los dedos por entre el cabello, aunque no recordaba lo que dijo en ese momento; solo se le quedó grabada la respuesta de su madre, la recordaba claramente, palabra por palabra, pues, perdiendo la cabeza, le soltó la mano con violencia.

—¿Es que no me ofreces una copa? —le gritó a su marido golpeándole en el pecho—. ¿Es que no me ofreces una copa? ¿La tomaremos los dos o tu zorra va a levantar el culo de la cama para unirse a nosotros? ¡Por Dios Santo!, no sé qué es peor, que me hayas puesto los cuernos o el... *puto* cliché.

Ella dio un grito ahogado. Nunca había oído a sus padres decir palabrotas, pero de algún modo sabía que su madre acababa de decir una muy fuerte. No recordaba qué fue exactamente lo que ocurrió el resto del día, pero nunca fueron de compras navideñas a la calle Oxford, ni tampoco vieron al Papá Noel en Selfridges.

Y ahora ella volvía a viajar, al cabo de más de siete años, en el tren que la acababa de llevar a la estación de Paddington. Eran las seis y media de la tarde y afuera ya había anochecido. Bostezó al levantarse del asiento. Tenía las piernas agarrotadas y el cuello dolorido, y cuando agarró la bolsa de lona de la rejilla, siguió pesándole, aunque se hubiera tomado los bocadillos, las galletas Wagon Wheel y las dos latas de Coca-Cola que llevaba. La maleta también pesaba lo suyo, y se dijo que ojalá no tuviera que ir cargada con el equipaje demasiado lejos. Al salir a la calle vio que estaba diluviando, pero como tenía que buscar una habitación barata, echó a andar por la acera mojada. Con las cinco libras que el señor Rundle le había dado y las veintidós que sacó de su cuenta en Correos, tenía bastante para pasar al menos varias noches en la ciudad, y para entonces ya habría encontrado un trabajo.

Las tiendas ya estaban cerradas, pero aún había mucha gente en la calle; todos se dirigían apresuradamente con la vista clavada en el suelo hacia distintas direcciones, decididos a llegar a su destino a toda costa, sin mirar a nadie. Era como el primer día que había ido al instituto de Hartfield, cuando todas las otras chicas parecían saber adónde tenían que ir y por dónde se iba, y ninguna pareció fijarse en ella al pasar por su lado. Se sintió como una intrusa, como una invasora con la que nadie quería hablar. Ahora se sentía igual en cierto modo, como una forastera que no debería estar allí. Le sorprendió lo distinto que era todo en la ciudad, no solo era distinto sino que el olor que despedía y el sonido de fondo eran diferentes. Ahora se daba cuenta de que no había sabido apreciar muchas cosas del lugar donde vivía, como el olor a mar y los graznidos de las gaviotas volando en lo alto.

Deambuló por las calles de los alrededores de la estación sin saber adónde iba, notando cada vez más el peso de la maleta y la bolsa de lona, pero en aquella zona no había más que hoteles de aspecto caro. En Newquay, en cambio, había pensiones u hostales con desayuno incluido en prácticamente cada calle. Llovía con más fuerza y se quedó calada hasta los huesos y agotada de tanto andar. Estaban a punto de saltársele las lágrimas. Se hacía tarde y los sin techo empezaban a instalarse en las entradas de los comercios. La idea de dormir en la calle le daba pavor. Observó la mugrienta fachada de otro hotel; al menos ese no tenía pinta de ser tan lujoso como los otros. Decidió entrar.

El recepcionista consultó la lista de las tarifas con cara de aburrimiento. La habitación más barata costaba siete libras y media por noche, el doble de lo que había esperado pagar, y encima no incluía el desayuno. Pero estaba empapada, muerta de frío y exhausta.

—De acuerdo —repuso flojeándole la voz por el cansancio.

Entonces le entregó la llave de la habitación y luego salió de detrás del mostrador para llevarle el equipaje.

—No, no hace falta, gracias, ya lo llevaré yo —afirmó ella.

Era la primera vez que estaba en un buen hotel y lo único que sabía acerca de cómo comportarse lo había aprendido en la tele. En la película *Amigas para siempre,* cuando David Hunter le llevaba las maletas a alguien le daban una propina, y ella no quería verse obligada a darla. El recepcionista, mirándola como si fuera un bicho raro, se encogió de hombros y volvió a meterse detrás del mostrador.

—Como quiera. Está en la tercera planta, es la quinta habitación girando por la derecha, junto al rellano.

Cuando por fin logró subir los seis tramos de las estrechas y crujientes escaleras cargada consigo misma y con el equipaje, usó el baño común antes de instalarse en la habitación. Era cara y encima no tenía demasiado encanto que digamos, pero se había salido con la suya, había encontrado un lugar donde alojarse pagándolo de su propio bolsillo. Por un instante se le ocurrió contárselo a su madre para demostrarle que ya era toda una mujer. Era algo que todavía le seguía ocurriendo: se imaginaba yendo a todo correr a casa para contarle algo a su madre y de súbito se acordaba de la cruda realidad. Lanzando un suspiro, colgó la parka empapada de agua en el respaldo de la silla, trepó a la cama sin desvestirse siquiera y, en cuanto apoyó la cabeza en la almohada, se quedó dormida en el acto, vencida por la fatiga.

11

A la mañana siguiente se zampó la comida que le quedaba en la bolsa de lona: una salchicha envuelta en hojaldre y un par de porciones de tarta de dátiles, pasas y nueces. Bebió unos tragos de agua directamente del grifo del baño, se puso la parka, que aún no se había acabado de secar del todo, y salió a la calle en busca de un hotel más barato. Hacía un día frío y lluvioso de nuevo, pero al menos no caía un chaparrón y además se sentía mucho mejor después de haber dormido a pierna suelta. A la luz del día las cosas parecían mucho más fáciles, aunque la luz fuera un tanto grisácea, y mientras buscaba un quiosco para comprar un periódico, divisó un cartel en un edificio al otro lado de la calle: *Albergue juvenil: solo para mujeres.* ¿Cómo era posible que no lo hubiera visto anoche? Cruzó la calle y llamó al timbre.

Solo costaba una libra y veinte peniques por noche. En cada dormitorio había ocho camas, pero el albergue estaba limpio, era relativamente silencioso, y podía tomar un desayuno casero por quince peniques y una cena por treinta y cinco. Lo único que tenía que hacer era ayudar a los cocineros dos horas al día a lavar los platos en la cocina.

La encargada del albergue le mostró su dormitorio, situado en la primera planta. El color azul verdoso tirando a oscuro de las paredes le daba a la habitación un aire un tanto deprimente, pero por otro lado aquel color le recordaba un poco al mar. Algunas de las fotografías que colgaban en ellas la transportaron a su hogar, sobre todo la de dos niños jugando en una playa arenosa, con el mar a sus espaldas centelleando bajo el sol.

—De momento solo hay tres chicas más en el dormitorio —le explicó la encargada—, pero podría llenarse en cualquier momento. Bárbara —dijo dirigiéndose a una chica flacucha de pelo negro con cara huraña que estaba sentada en su cama pintándose las uñas—, te presento a Jo; se quedará con nosotras unos días.

Bárbara la saludó con la cabeza, pero no le sonrió ni le dijo hola. Después la encargada le presentó a Karen, una pelirroja con una maraña de pelo encrespado y rebelde que parecía estar en la treintena, de modo que ya no era una jovencita, y a Hilary, que probablemente era de la misma edad que ella, pero que estaba algo gorda y tenía la cara llorosa. Después de saludarla, Hilary trepó de nuevo a su cama, se giró hacia la pared y se cubrió la cabeza con las mantas. Karen charló con ella mientras sacaba sus cosas de la bolsa de lona. Como había supuesto, Karen tenía poco más de treinta años —treinta y tres para ser exactos—, era una de las primeras cosas que le dijo antes de preguntarle su edad, si tenía hermanos y hermanas, cuál era su programa de la tele preferido y muchas cosas más. Hablaba atropelladamente y pasaba de un tema a otro como una niña pequeña; hasta tenía una voz algo infantil. Jo sonreía y asentía con la cabeza, pero al final Karen perdió interés en ella y regresó a su cama.

Aquella misma tarde le tocó su primer turno en la cocina, ayudando a preparar la cena. Tuvo que poner las salchichas en una bandeja para que las hornearan, pincharles la piel tres veces con un tenedor y rallar un bloque enorme de queso. A continuación tuvo que pelar patatas con dos muchachas más. Disfrutó trabajando en la cocina. Algunas chicas llevaban ya un tiempo en el albergue, pero ella solo iba a quedarse uno o dos días, les dijo, hasta que encontrara trabajo. Aspiraba a un empleo en una oficina, pero si no le quedaba más remedio, no se le caerían los anillos por trabajar en un bar.

Tras estar cuatro días en el albergue empezó a renunciar a sus aspiraciones. Estaba dispuesta a trabajar en lo que fuera: en un bar, de camarera, de limpiadora... en cualquier cosa que le permitiera alquilar una habitación en condiciones, y luego ya pensaría en lo que haría a la larga.

—Un día me formaré para ser niñera —le aseguró a Tina, que acababa de llegar y le habían dado la cama contigua a la suya. Jo estaba con los pies apoyados en la cama, hojeando la página de las ofertas de trabajo del periódico—. Me encantan los niños. En cuanto me case quiero tener uno, pero por el momento si es posible me gustaría trabajar cuidándolos.

—A mí me quitaron a mis hijos —admitió Tina recogiéndose su grasiento pelo rubio detrás de la oreja—. ¡Cabrones! Dame uno —añadió señalando con la cabeza el paquete de cigarrillos No 6 de Jo abierto sobre la cama—. Fumémonos un pitillo.

Ella cogió el paquete y contó rápidamente los cigarrillos. Le quedaban nueve. Se dijo que podía darse el lujo de desprenderse de uno.

—Ten —repuso, arrojándole un pitillo, y luego se inclinó para pasarle el mechero—. ¿Cuántos hijos tienes?

—Tres —afirmó Tina lanzándoselo de vuelta tras encender el cigarrillo—. Louise tiene cinco años, Darren tres, y Dean uno. Pero desde antes de Navidad que no los veo. Malditos trabajadores sociales. ¡No me lo permiten!

Jo no hizo ningún comentario. ¿Habría pegado a sus hijos? ¿Los habría matado de hambre? Pero no se atrevió a preguntárselo.

—¡Venga, suéltalo de una vez! —le espetó Tina desafiante con la barbilla en alto y el ceño fruncido, exhalando una columna de humo de color gris claro—. Pregúntame por qué me los quitaron.

Ella sacudió la cabeza.

—No, no me parece bien, no tienes por qué…

—Por el chocolate —admitió fingiendo liar un canuto—. Y un poco de ácido. Nada del otro mundo. Ni siquiera me metía heroína ni nada por el estilo. Pero me dijeron que no estaba preparada para cuidar de mis hijos y luego me echaron del piso, y se quedaron sin un hogar —aclaró dando otra profunda calada al cigarrillo—. ¿Tienes algo de eso? —le preguntó susurrándole al oído—. ¿Marihuana? ¿Un poco de hachís?

—No, me fumé el último que tenía antes de venir a Londres. No tengo dinero para comprar más.

—¡Venga ya! —exclamó Tina sonriendo, pero no era una sonrisa cordial—. Una chica tan elegante como tú debe de poder darse el lujo de fumarse un porro.

—¿Elegante? —repitió Jo riendo—. No soy elegante. Y apenas me queda dinero, por eso estoy buscando un trabajo y me alojo en este sitio.

—¡Sí, claro! —repuso Tina irónicamente poniendo los ojos en blanco—. ¡Qué pena me das!

Jo se levantó de la cama, agarró la bolsa de lona y los cigarrillos y se despidió de Tina con un «hasta luego». Al principio la chica había sido amable, pero ahora parecía que quería armar camorra y no tenía energía para esa clase de sandeces.

Por la noche, Tina quiso hacer las paces con ella. Aunque no eran más que las nueve y diez, Hilary ya había vuelto a la habitación y Karen estaba absorta intentando leer su arrugada revista *Jackie* moviendo los labios constantemente y resiguiendo con el dedo el texto de las páginas mientras seguía las palabras.

—¡Psst! ¡Jo! —cuchicheó Tina—. ¿Quieres un poco? —añadió señalándole con la cabeza su mochila abierta, yaciendo en el suelo entre las dos camas. Al bajar la vista vio dentro una bolsa de plástico con dos botellas en el interior—. Es sidra —le aseguró Tina—. ¿Quieres un poco? Te lo debo por todos los cigarrillos que te he gorroneado. ¡Ándate con ojo al tomártela!

Ella miró por encima del hombro. Estaba permitido fumar en la habitación, pero si te pillaban bebiendo alcohol te echaban del hostal.

—No pasa nada. Esas no se chivarán. Joder, en este agujero tienes que distraerte con algo para no deprimirte.

Jo echó un vistazo a su alrededor de nuevo. Hilary dormía y Karen estaba demasiado ensimismada en su revista como para advertir lo que las otras chicas hacían.

—Vale, gracias —repuso sacando la botella de Tina.

Tomó un trago furtivamente.

—¡Joder, qué fuerte es!

—Y que lo digas —asintió Tina sonriendo.

Al despertarse al día siguiente, Jo no recordaba gran cosa de lo que había ocurrido la noche anterior, solo que Tina no había dejado de pasarle la botella hasta ser incapaz de hablar sin reírse tontamente. Cuando se dio cuenta de que Tina apenas estaba bebiendo ya era demasiado tarde: se sintió mareada, como si la habitación estuviera dando vueltas a su alrededor y se le pasaron las ganas de reír de golpe, se sentía fatal. Recordaba vagamente ver la cara de Tina pegada a la suya en un momento dado de la noche y también creía haberla visto levantarse para ir al baño.

En cuanto abrió los ojos se dio cuenta de que se sentía muy mal y muerta de sed, pero al incorporarse fue cuando notó que el dolor de detrás de los ojos aumentaba y que la cabeza parecía que le fuera a estallar.

Miró con cuidado a la izquierda, pero la cama de Tina estaba vacía y la mochila había desaparecido. Solo quedaban las botellas vacías de sidra. La supervisora del dormitorio, que se presentaba temprano por la mañana para hacerlas levantar de la cama y asegurarse de que nadie hubiera dejado a un hombre colarse dentro por la noche, pareció encantada de descubrir que Tina se había largado sin pagar y que Jo había estado consumiendo alcohol en el albergue. No le quedaba más remedio que comunicárselo a la encargada, afirmó, y salió disparada para hacerlo cuanto antes. La encargada fue más comprensiva. La creyó cuando le aseguró que había sido Tina la que había llevado la sidra, pero le respondió que aun así debía pedirle que se fuera, después de todo las normas eran las normas. Sin embargo, le dio la dirección de otro albergue que quedaba cerca de Trafalgar Square y también le dijo que no se apresurara en irse; podía desayunar antes e incluso darse un baño si quería.

—Gracias —repuso Jo en voz baja, intentando no llorar.

No era justo, ahora que empezaba a sentirse un poco más estable, tenía que irse. Aceptó el ofrecimiento del baño esperando que la ayudara a sentirse mejor, sobre todo después de haber dormido vestida. Pero no fue así, porque cuando estaba desnuda sobre las frías baldosas del cuarto de baño a punto de vestirse, le invadió el apremiante deseo de sentir la presencia de su madre. La cruda realidad le relampagueó en la cabeza una y otra vez: su madre había muerto, no iba a volver. Ahora estaba sola en el mundo, completamente sola.

Al volver al dormitorio se encontró con la supervisora y la encargada del albergue; la estaban esperando para acompañarla a la salida. Apenas se atrevió a mirarlas, solo quería pagar la noche que debía y largarse del lugar cuanto antes. Buscó el monedero.

—¡Oh, Dios mío! —exclamó rebuscando dentro de la bolsa de lona—. No encuentro el monedero. Había más de nueve libras en él —añadió con un deje de pánico en la voz—. Tiene que estar en alguna parte.

Vio a la encargada del albergue y a la supervisora intercambiarse unas miradas.

—No estoy intentando irme sin pagar, de verdad —les aseguró sacando todas sus cosas de la bolsa y volviéndolas a meter—. He pagado el resto de las noches; es que no encuentro el monedero.

Sacó la maleta de debajo de la cama. Tal vez lo había metido en el bolsillo interior. Pero no, estaba vacío y de todos modos sabía que llevaba el monedero en la bolsa. Vació la bolsa, le dio la vuelta y la agitó encima de la cama por si acaso. Las manos le temblaban mientras revisaba cada una de sus pertenencias con más calma para asegurarse de que el pequeño monedero marrón no se había quedado enredado entre ninguno de sus jerséis.

Oyó a la encargada del albergue soltar un hondo suspiro y luego sintió la mano de la mujer posándose con suavidad en su brazo.

—Sé que no estás tratando de largarte sin pagar. Me imagino qué es lo que ha ocurrido —concluyó clavando los ojos en la cama deshecha y vacía de Tina—. Me huelo que te han robado. Es otra razón por la que no permitimos las bebidas alcohólicas en el recinto. No es la primera vez que pasa. Es una forma fácil de ganar dinero. Vienen buscando a una pardilla como tú, alguien nuevo en este tipo de situaciones —añadió señalando con la mano el dormitorio—. Te ofrecen un trago para encandilarte, te hacen beber más de la cuenta, y en cuanto pierdes el sentido te escamotean el dinero —señaló cogiendo una de las botellas de sidra y oliéndola—. ¡Lo que me temía! —exclamó pasándosela a la supervisora del dormitorio, que también la olió, asintiendo luego con la cabeza—. ¡No me extraña que te sientas tan mal!, la ha mezclado con metanfetaminas.

Jo, sentándose en la cama, se mordió el labio. ¿Cómo podía haber sido tan estúpida? Pero fue al revisar todas sus cosas una vez más cuando no pudo evitar que se le saltaran las lágrimas. Tina no solo le había robado el monedero, sino también el camafeo de su madre.

12

La encargada del albergue fue comprensiva y le dijo que podía quedarse una noche más si quería, pero ella estaba deseando largarse de aquel lugar. Todavía le quedaban casi cinco libras: los tres billetes de una libra que llevaba en el bolsillo de los tejanos —no se los había sacado por estar demasiado borracha como para desvestirse—, y casi una libra más en calderilla que llevaba en la parka. Se había quedado dormida sobre ella y al despertar se la había encontrado arrugada bajo el hombro. Era todo el dinero que tenía. Le dijeron que podía dejar el equipaje en el albergue mientras buscaba trabajo, pero a pesar de haberse dedicado durante horas a ir de tienda en tienda, y llamar a las puertas de los hoteles, todavía no había encontrado nada. Ninguno de los hoteles necesitaba personal por el momento, aunque en un par de ellos le dijeron que volviera la siguiente semana por si acaso. Cuando regresó al albergue a recoger el equipaje era casi de noche y, aunque ya no tenía resaca, le dolían los pies y le estaba saliendo una ampolla en el talón. Esperaba que la encargada del albergue siguiera aún en el despacho, se moría de ganas de tomarse un té y estaba segura de que le ofrecería uno. Pero fue la supervisora del dormitorio la que le abrió la puerta y la hizo esperar en la entrada mientras iba a buscarle la maleta.

El otro albergue quedaba a unos cuatro kilómetros del lugar y, como no quería gastar más dinero, haciendo de tripas corazón decidió ir a pie, por más que le doliera la ampolla del talón. Solo le quedaba dinero para alojarse dos o tres noches como máximo. ¿Y si no le salía un trabajo al día siguiente? Supuso que como último recurso podía registrarse como si estuviera en el paro, pero no quería hacerlo. No solo equivaldría a admitir que había fracasado sin haber durado ni una semana en Londres, sino que probablemente no le serviría de nada. Rob le había dicho que solo podías cobrar el paro si habías pagado la tasa correspondiente, y que no obtenías las prestaciones complementarias a no ser que tuvieras una dirección. Rob conocía todos los detalles porque se había largado de casa tras pelearse con su madre y había acabado durmiendo en la playa. Entonces había intentado inscribirse en el paro hasta que le saliera un trabajo, pero le dijeron que no era posible por carecer de «domicilio fijo». Se mordió el labio al pensar en la playa del lugar donde vivía. De algún modo la idea de dormir en ella no le parecía tan mala de momento. Intentó recordar los sonidos a los que estaba acostumbrada: las olas lamiendo cadenciosamente la arena, los graznidos de las gaviotas. Sus chillidos solían sacarla de quicio. ¡Quién iba a decir que acabaría echándolos de menos! Sobre todo ahora, que no oía más que el murmullo de los coches, los autobuses y los camiones de las concurridas calles de Londres.

Cuando por fin llegó a Trafalgar Square, después de perderse pese al mapa que la encargada del albergue le había dibujado, cojeaba y estaba hambrienta. Faltaba poco para las siete de la tarde y como no había comido nada desde el desayuno, se gastó quince peniques en una bolsa de patatas fritas que se zampó sentada en un banco cerca de la estación de Charing Cross, y después se tomó un té para entrar en calor mientras contaba lo que le quedaba. Tenía cuatro libras y sesenta y siete pequines, y el albergue costaba una libra y cuarenta pequines por noche. ¿Cómo diablos sobreviviría? Echó a andar por la calle Strand sin pensar adónde iba. La gente de los teatros estaba empezando a llegar. Las mujeres luciendo abrigos de piel y zapatos de tacón alto dejaban a su paso el aroma a laca y perfume, y en las entradas de las tiendas los sin techo se preparaban para pasar la noche. Aminoró el paso contemplando cómo extendían sus pertenencias a su alrededor, marcando el territorio, estableciendo un hogar temporal. Advirtió que no todos eran viejos vagabundos de aspecto intimidatorio. Divisó a una chica que parecía de su misma edad sentada en un saco de dormir sobre un plástico extendido, leyendo un libro pequeño y cochambroso.

—Hola —la saludó, intentando parecer lo más cordial y educada posible—. ¿Te importa si me siento a tu lado?

Al alzar la cabeza hacia ella, se dio cuenta de que no tendría más de quince años o incluso menos aún.

—¡Sí! —le espetó acercándose de un manotazo la bolsa de viaje para que no se la robara—. ¡Vete a la mierda!

Jo se quedó tan sorprendida que tardó un poco en reaccionar.

—¡Venga! Píratelas de una vez si no quieres que te eche a patadas.

—Vale, ya me voy —repuso ella.

Se alejó a toda prisa con las piernas temblándole. En Cornualles también había vagabundos, pero no eran… tan hostiles. Decidió no arriesgarse a hablar con nadie más, pero como la idea de gastar casi todo el dinero que le quedaba en un albergue donde le podían escamotear sus cosas le convencía cada vez menos, cuando descubrió un diminuto portal libre en la calle Neal, en la esquina que daba a la Avenida Shaftesbury, se embutió en él, aunque apenas cupiera sentada. Estaba empezando a llover y se sentía muerta de frío y de cansancio. Tendría que pasar la noche en la calle. Se acurrucó en el portal mirando la lluvia precipitándose con furia sobre la oscura calzada, sintiéndose demasiado nerviosa como para cerrar los ojos. De pronto, vio a dos policías uniformados un poco más abajo de la calle. Por lo visto solo estaban hablando con la gente instalada en los portales, pero como no le hacía gracia explicarles por qué estaba allí, recogió sus bártulos y, saliendo a la calle bajo la lluvia, volvió sobre sus pasos para encontrar otro lugar donde refugiarse.

Aquella noche cambió cuatro veces de sitio y al final se instaló detrás de unos coches aparcados en la parte trasera de un edificio, donde salía aire caliente del sistema de calefacción. Se moría por una taza de té. Pero no tenía ni idea de adónde ir a buscarlo y, aunque lo supiera, sería una estupidez perder ese hueco.

La ciudad empezó a volver a la vida alrededor de las cinco y media de la mañana, y por fin ya no llovía. No estaba segura de haber podido dormir siquiera un poco, pero levantándose con el cuerpo agarrotado se dirigió a un lavabo público. Joder, se estaba meando encima. Por la noche se había aguantado durante horas por miedo a perder aquel lugar caliente. En la calle Berwick encontró un lavabo público equipado con jabón y agua caliente, y se lavó «a lo gato» sin mojarse apenas, como su madre decía cuando ella lo hacía a toda prisa, y después se encaminó a Trafalgar Square, probablemente la única plaza de Londres que sabía encontrar.

Cuando estaba sentada en las escaleras de la Columna de Nelson, comiendo un sándwich de Wimpy reblandecido por la humedad, soñando con unos guantes, se dio cuenta de que había alguien plantado ante ella. De pronto se acordó de su experiencia con Tina y de las advertencias del señor Rundle sobre que los londinenses eran capaces de robarle hasta la pata de palo a un tullido, y al alzar la cabeza se acercó la maleta y la bolsa de viaje para no perderlas de vista. La mujer llevaba un abrigo largo de terciopelo granate y una bufanda gruesa de lana de color verde botella que le llegaba casi hasta los pies. Esta clase de bufandas tan largas habían hecho furor en el instituto un par de años atrás. Se tejían con agujas gruesas usando dos hebras de lana a la vez. Jo se había hecho también una, aunque con menos maña, porque le había salido más ancha y larga, y uno de los extremos casi le doblaba en anchura al otro. La mujer llevaba el cabello medio cubierto por un gorro de ganchillo, aunque por debajo de la lana color mostaza asomaban unos mechones negros, y su bolso de bandolera a rayas, adornado con una borla verde y otra amarilla, hacía juego con el gorro y la bufanda.

—Me llamo Eva —le dijo agachándose—. ¿Estás bien? Tienes aspecto de… —Arrugando el ceño, le apartó un mechón de la frente; llevaba mitones de piel de carnero para protegerse del frío—, estar muy perdida.

Parece una mujer muy fina, pero no tiene pinta de ser rica, se dijo Jo.

—No, no me he perdido. Me refiero… —Matizó mirando alrededor de la plaza—. Me refiero a que sé dónde estoy.

—Pero no sabes realmente quién eres, ¿verdad? ¿Cuántos años tienes? —preguntó la mujer con una voz de sé-lo-que-te-conviene que le recordó a la trabajadora social que se ocupaba de su madre.

Al mirarla con más atención, advirtió que Eva era más joven de lo que se había imaginado, probablemente solo era tres o cuatro años mayor que ella. Tenía la piel de color melocotón y el cutis terso. No iba maquillada, pero sus mejillas estaban ligeramente sonrosadas, como si llevara colorete.

—Diecinueve —afirmó ella.

Cuando empezó a trabajar en el pub de Carol y Geoff les había tenido que mentir sobre su edad y ahora ya lo hacía de manera automática. De todos modos, la gente solía echarle más años de los que tenía. Sheena decía que era por su manera de hablar y comportarse, sobre todo desde que se había estado ocupando de la casa y de su madre. En el último boletín escolar, la describían como *una alumna sensible y responsable sorprendentemente madura para su edad.* La abuela Pawley decía que era así porque era un «alma vieja».

—Me da la impresión —concluyó Eva observándola cejijunta— que las has pasado moradas y que necesitas un tiempo para sanar.

Desabrochó el botón alargado de madera de la tapa de su bolso y lo abrió. El primer impulso de Jo fue levantarse y salir disparada. Su madre habría dicho de Eva que era *una de esas hippies fantasiosas con la cabeza llena de pájaros.* Y pensándolo bien, sí que parecía un poco rara la chica, y después de la semana que acababa de tener se le habían pasado las ganas de más rarezas. Pero como Eva tenía algo que le hacía sentir segura, siguió sentada en las frías escaleras mientras la chica, mascullando para sus adentros, hurgaba en su bolso.

—¡Ah! —exclamó con una amplia sonrisa—. Lo he encontrado. Cuarzo rosa —dijo poniéndole una piedrecita rosa en la mano—. Es perfecta para ti. El cuarzo rosa curará tu corazón roto y hará que no te sientas tan sola. Y, además, te ayudará a encontrar paz interior. —De repente dejó de sonreír, arrugando el ceño—. No te preocupes. Te la regalo. Sé cuándo alguien necesita desesperadamente curarse y si esa persona está tan asustada como tú, bueno… —añadió desviando la mirada mientras jugueteaba con la pulsera de cuero trenzado que llevaba en la muñeca—. Supongo que me recuerdas a mí no hace mucho.

Jo no supo qué decir y se la quedó mirando. Y entonces Eva empezó a contarle no solo cómo había descubierto los sorprendentes poderes curativos de los cristales, sino también los de los aceites esenciales de la aromaterapia, los de la meditación y, cómo no, los de una dieta sana y nutritiva. Le contó que se dedicaba a estudiar las propiedades curativas de los cristales y que ganaba un poco de dinero vendiendo cristales por sus poderes curativos y también bisutería.

—Ahora que lo pienso, quizá necesites además lapislázuli, sobre todo si te estás planteando empezar una nueva vida. ¿Es así? —le preguntó mirándole a los ojos. Le apartó otro mechón de la cara. Esta vez se había quitado el mitón y su mano era agradable y cálida—. ¿Estás intentando empezar una nueva vida?

Jo asintió con la cabeza unos segundos enmudecida, como uno de esos perros estúpidos que la gente lleva en la ventanilla trasera del coche, y de pronto se echó a llorar como una boba. Notó a Eva abrazándola y meciéndola, y se sintió como si regresara a los años en que era pequeña, cuando se despertaba con dolor de barriga o por una pesadilla y su madre la acunaba y le acariciaba el cabello hasta que se sentía mejor y se dormía. Notó el tacto sedoso del abrigo de terciopelo de Eva y las fibras un tanto frías y húmedas contra su oído, pero también había una calidez, casi palpable, que parecía emanar a través de su ropa. La hacía sentir —intentó definir la sensación— aliviada.

—¡Vamos! Te invito a una taza de té —le propuso Eva.

Se sentaron en un café de los alrededores de la estación de tren de Charing Cross. Jo admitió haber ido a Londres sin pensar demasiado en lo que iba a hacer ni en dónde se alojaría. Le contó que no había encontrado trabajo, que Tina le había robado el dinero y el camafeo, y que la noche pasada había acabado durmiendo en un portal.

Eva la escuchó atentamente, asintiendo comprensiva.

—Sé que parece una estupidez —prosiguió Jo— y no quiero volver a donde vivía ni por asomo, pero el ruido y la contaminación del tráfico están haciendo que eche de menos el mar.

Eva sonrió.

—A mí el mar me encanta —asintió—. Sobre todo los días de viento y tormenta, cuando hay unas olas gigantescas. Crecí aquí, en Londres, pero como ahora lo detesto, vivo con mi novio en un lugar cerca del mar. Solo vengo a la ciudad de vez en cuando para comprar el material para la bisutería que hago. Los cristales, las cuentas y otra clase de cosas parecidas los compro en la zona donde vivo, pero los cierres y los engastes solo los encuentro en la ciudad. Vivimos en Hastings, en la costa sur. ¿Conoces el lugar?

Jo sacudió la cabeza.

—Yo soy de Cornualles, de Newquay.

—¡Vaya, qué suerte! —exclamó Eva—. Fui a Cornualles de niña con mis padres. Ahora ya están muertos —añadió ensombreciéndosele la cara—. ¿Siguen tus padres viviendo allí?

—También han muerto —repuso Jo. No le pareció estar mintiendo, porque no quería saber nada de su padre, y de todos modos se sentía como una huérfana—. Mi madre... —Se le hizo un nudo en la garganta y se le humedecieron los ojos. Era la primera vez que se lo contaba a alguien. Aspiró una profunda bocanada de aire—. Mi madre murió hace tres semanas. Tenía... el hígado mal.

—¡Solo hace tres semanas! —repitió Eva sorprendida con los ojos abiertos de par en par—. ¡Oh, vaya, pobrecita!, lo siento mucho. Perder a tu madre es terrible. Quedarte sin padre también lo es, claro, pero.... —Suspiró—. Yo tenía diez años cuando murió mi madre. Fue muy... —apartó la cara un instante para esconder su dolor— injusto. Y un año más tarde mi padre... —sacudió la cabeza—. Lo siento. No debería estar hablando de mí. Estábamos hablando de ti.

—No hay gran cosa más que contar, de verdad —afirmó Jo—. Mi padre hace siglos que murió. Pero mi madre... aún no me lo puedo creer.

Eva se la quedó mirando, como si esperara que dijera algo más, pero Jo ya no quería hablar más por el momento. Eva tenía unos ojos de color violeta oscuro muy grandes, tan grandes que cuando parpadeaba los párpados tardaban mucho en cubrir la superficie del ojo y en descubrirla. A ella le hubiera encantado tener unos ojos como los suyos.

—¿Tienes un lugar donde pasar la noche? —preguntó Eva.

Jo clavó la vista en el té. Una parte suya quería que Eva creyera que era capaz de valerse por sí misma, de organizarse, pero la otra estaba desesperada por admitir que se sentía bastante asustada. Al final ni siquiera tuvo que responder.

—Oye, ¿por qué no te vienes conmigo a Hastings? —le propuso entonces—. A Scott no le importará. Aunque seamos okupas, somos gente muy civilizada. Quédate unos días con nosotros. Y luego si te sientes a gusto te puedes quedar más tiempo, y si no te vas y punto. ¿Qué te parece?

Llena de agradecimiento y alivio, Jo asintió con la cabeza mordiéndose el labio, no quería hablar por si acaso se deshacía en lágrimas de nuevo.

13

Hicieron autoestop hasta Crowhurst y luego tomaron el tren. Pero al llegar a la estación tuvieron que ir andando hasta la casa. Jo sentía que la maleta le pesaba más a cada segundo que pasaba y que la correa de la bolsa de lona se le estaba clavando en el hombro. El viento que soplaba del mar era violento y le abofeteó la cara. Antes de subir la colina descansaron al pasar por delante de un cartel que ponía *Camino no oficial*, y Jo, al verlo, le pareció triste y dejado de la mano de Dios, otro huérfano más.

—¿Queda muy lejos tu casa? —le preguntó sin aliento.

Eva sacudió la cabeza y señaló un tramo de escaleras de cemento que llevaba a otras escaleras y, por último, a otra calle.

—Está allí arriba. Venga —la animó con una sonrisa burlona—. Valdrá la pena; simplemente visualiza que descansas tomándote un delicioso té caliente.

Cuando llegaron a la cima, a ella le martilleaba el corazón.

—Ya casi hemos llegado —le anunció Eva torciendo por una calle ancha arbolada con mansiones desperdigadas por la zona. En el camino de entrada de la mayoría había coches aparcados y las ventanas estaban cubiertas con gruesas cortinas. Jo se giró para mirar atrás, por lo visto se encontraban a una considerable altura. Vio el mar a lo lejos, una franja verde gris extendiéndose entre los tejados como una hamaca en un hueco. Nada más verlo ya se sintió mejor.

—¡Es esta! —exclamó Eva señalando una mansión victoriana con unas escaleras que daban a la puerta desconchada de la entrada. La casa, blanca en el pasado, estaba ahora manchada de verde en los lugares húmedos cubiertos de musgo. Era la última de la calle, la más grande de todas, pero la que en peores condiciones se encontraba. El estucado de la fachada se estaba cayendo a pedazos, los marcos de las ventanas se veían medio podridos y el gigantesco jardín se hallaba en un estado asilvestrado. Dejada a la buena de Dios, parecía «La casa construida por Jack» de la popular canción infantil. En una esquina se alzaba una torrecilla redonda con ventanas. El tejado principal estaba inclinado por aquí y por allá, con varias chimeneas asomándose en medio y un murete alrededor del borde. ¿Eran gárgolas esas cosas de las esquinas que miraban hacia abajo? ¡Qué horribles!, aunque como la mayoría estaban rotas ahora ya no eran tan espantosas.

—¿Sois okupas? —le preguntó a Eva.

Ella sonrió.

—Llevamos viviendo en esta casa desde otoño. Es preciosa, ¿no? Es como si fuera nuestro castillo. Ven. Entraremos por la parte de atrás.

El portón roto de madera emitió un chirrido cuando entraron en un jardín enorme cercado por un muro y lleno de maleza. Una antigua pila para pájaros desportillada asomaba por debajo de la hiedra que cubría uno de los muros y que había empezado a invadir el suelo, y en medio de la hierba encharcada llena de fango se alzaba un reloj de sol sobre un pedestal de piedra que, pese a estar ahora desportillado y estropeado como la pila para pájaros, era testimonio de un glorioso pasado. Jo intentó imaginarse el aspecto del jardín ornamental antes de que la casa perdiera su grandeza.

Pasaron por delante de unos sacos llenos de cascotes apilados contra otro muro que se extendía junto a dos sillas rotas de madera alabeada, un viejo sillón, y un carrito del súper con una palangana de plástico y una muñeca sin cabeza en el interior.

—Estamos intentando limpiar el lugar un poco —le contó Eva señalando con el brazo extendido un área con la tierra recién cavada—. Vamos a plantar tomates, cebollas, patatas, coliflores y guisantes. Y a lo mejor algunas judías verdes al pie del muro. Calle arriba hay huertos que el ayuntamiento alquila a particulares, pero nosotros ya tenemos nuestro futuro huerto en nuestra propia casa.

Jo asintió con la cabeza. Su padre había cultivado judías verdes. De pronto le vino a la cabeza la imagen de su madre construyéndole un tipi en el jardín con las cañas de las judías. Siguió a Eva por unas pasaderas de piedra que llevaban a una puerta de madera. Apartando la yedra, abrió la puerta con una llave que por su aspecto parecía nueva.

—La primera regla de los okupas es «cambia las cerraduras» —declaró sonriendo.

La puerta daba a una habitación húmeda y oscura de techo bajo con un agujero en el suelo de madera de unos seis palmos de diámetro.

—¡Ten cuidado!, el suelo está en muy mal estado.

Eva encendió al interruptor de la luz y, cogiéndola de la mano, tiró de ella para que entrara. Una bombilla desnuda que colgaba oscilando del techo proyectó una luz mortecina.

—¿Tenéis electricidad?

—¡Oh, es perfectamente legal! Teníamos un contador e hicimos que nos lo activaran. Las compañías eléctricas tienen la obligación de instalártelo si lo solicitas, aunque seas un okupa. Algunas personas hacen un empalme y roban la electricidad, pero a nosotros no nos parece bien a no ser que no te quede más remedio. Aunque dimos un nombre falso para las facturas —admitió soltando unas risitas—, por si las moscas. Aquí lo tienes. ¡Hogar, dulce, hogar! —exclamó señalando el interior con el brazo extendido.

Jo sintió una corriente de aire frío en la cara mientras avanzaba por el suelo de madera medio podrido. El olor a humedad era agobiante. En las paredes crecían hongos anaranjados y en una esquina había un boquete en el techo por el que asomaban las vigas de madera y justo debajo en el suelo se veía una pila de escombros. De repente se puso a temblar, ¡madre mía, qué frío hacía! La entrada de la tienda donde había dormido la noche pasada parecía más acogedora comparada con este lugar enmohecido. ¿Por qué se le habría ocurrido irse con Eva? La chica no tenía aspecto de vivir en un lugar tan horrendo. Pero luego subieron por unas escaleras que daban a otra puerta y, al cruzarla, entraron en un luminoso recibidor. Las pocas baldosas blanquinegras que quedaban en esta parte de la casa estaban resquebrajadas y partidas, pero era evidente que en el pasado había sido impresionante; le recordó al vestíbulo del hotel Eaton Place en *Las pícaras doncellas*. Habían arrimado un armario ropero enorme a la puerta de la entrada, que de todos modos estaba tapiada con tablas de madera. Eva se quitó el abrigo, revelando una falda larga verde esmeralda y una camisa masculina blanca ceñida con un cinturón. Una gargantilla negra de terciopelo completaba su romántico aspecto agitanado. También llevaba zapatos de la marca DM. Jo se alegraba de haberse puesto sus DM en lugar de las botas rojas de plataforma con una raya negra en el costado de la caña que había estado a punto de llevarse, pero como ocupaban demasiado espacio y le hacían daño, habían acabado en el mercadillo benéfico con el resto de su ropa.

—Este es el salón —dijo Eva descorriendo lo que parecía a simple vista una cortina de abalorios, pero al observarla mejor descubrió que estaba hecha de conchas menudas.

Jo agarró una de las tiras de la cortina y deslizó sus dedos a lo largo de la protuberante textura.

—Parece estar hecha de centenares de conchas. Seguro que ha llevado años ensartarlas.

Eva asintió con la cabeza.

—Así es, pero ha quedado muy bonita, ¿no crees? Sin duda el esfuerzo ha valido la pena.

—¿La has hecho tú?

—Sí, con mis propias manos.

Había ido pintando cada concha por separado en tonos amarillos de mayor intensidad hasta llegar a cobrar un color naranja tirando a rojo, y luego las había ensartado, parecían las llamas de una hoguera.

—Es fabulosa. ¡Qué pasada poder hacer objetos tan bonitos! Tus propias *creaciones*.

Eva sonrió.

—Hago muchas cosas a mano: bisutería, bolsas, pañuelos, velas. En los mercadillos se venden muy bien, sobre todo en verano. Desde pequeña siempre me ha gustado la artesanía. Solía hacer *todas* las manualidades que salían en el programa infantil *Blue Peter*. Volvía loca a mi madre.

Sonriendo, Jo entró en el salón. El suelo era también de madera, pero estaba seco y en buenas condiciones, y con las pequeñas alfombras cuadradas esparcidas aquí y allí era casi acogedor. Se acercó a la chimenea y se miró en un espejo apoyado contra el marco que la guarnecía. ¡Qué pinta más horrible! Tenía el pelo grasiento y manchas negras debajo de los ojos. Durante las dos últimas semanas apenas había cuidado su aspecto, pero Eva era tan guapa que se sintió vulgar en comparación.

En la rejilla negra de hierro de la chimenea reposaban los restos de una hoguera: carbón, madera chamuscada y un montón de cenizas. A un lado de la chimenea había una caja grande de madera antigua llena de leña y periódicos y una guitarra apoyada en ella, y al otro, una estufa de gas butano, que Eva logró encender al tercer intento llenando la sala de olor a gas. Entonces se dejó caer en el sofá desfondado colocado frente al enorme ventanal saledizo con postigos antiguos de madera. Una de las vidrieras estaba rota y la habían sujetado con cinta adhesiva negra en forma de aspa. Jo siempre había querido vivir en una casa con postigos, desde que su madre le leía el poema «La vigilia de Navidad» en susurros y con voz excitada: *...Subiendo el cristal y abriendo los postigos de par en par, por la ventana me escapé como una centella...*

—No esperaba... encontrarme con este ambiente. Es una casa de okupas.

—No hay ninguna necesidad de vivir en la sordidez a no ser que no tengas más remedio —precisó Eva arreglando los pañuelos y los mantones de vivos colores que cubrían el respaldo del sofá para ocultar la tapicería desgastada—. Los drogatas que vivían en la puerta de al lado cuando estábamos en Saint Leonards estaban en la miseria, pero supongo que si estás grogui la mayor parte del tiempo...

Jo asintió. Su madre también había estado «grogui cada dos por tres». No vivían en la miseria, pero las cosas habían cambiado. De hecho, había seguido limpiando la mesa de la cocina, pasando la aspiradora por el salón y limpiando el baño, pero los dos últimos años había sido ella la que ordenaba y limpiaba la casa. Su madre seguía cocinando, pero normalmente eran hamburguesas o salchichas con judías o patatas fritas. De vez en cuando, si estaba de buen humor, llenaba el congelador de salsa boloñesa y estofado de pollo. Pero el día que cocinaba como Dios manda siempre significaba que había empezado a beber más temprano de lo habitual porque creía merecerse una «recompensa», y a la hora que daban *Calle de la Coronación* por la tele ya arrastraba las palabras al hablar. Era una vida totalmente distinta de cuando vivían en una casa bonita y sus padres invitaban a los amigos a cenar, ponían a enfriar el vino blanco en la nevera y tomaban *gin-tonic* antes de cenar y coñacs en la sobremesa. A Jo le gustaba el olor a alcohol del aliento de sus padres cuando iban a su habitación para arroparla. Significaba cosas bonitas, hombres enfundados en chaquetas elegantes, mujeres perfumadas y con pulseras, flores adornando la mesa del comedor y las sobras del pudín en la nevera al día siguiente. Cuando su padre se largó, su madre siguió tomando *gin-tonic* antes de cenar y los domingos compraba una botella de vino Blue Nun, y ese día hasta ella tomaba medio vaso durante la comida. Más adelante, cuando ya tenía catorce años, su madre la dejaba tomar un vaso de jerez o de vermut con limonada los viernes por la noche, que acabó convirtiéndose en la noche de la pizza. Compraban pizzas de queso y tomate en el Bejam, la tienda de productos congelados, y le añadían aceitunas, alcaparras y pedacitos de jamón dulce para que fueran más deliciosas. Los viernes por la noche no ponían la tele, su madre decía que era la noche para charlar y pasar un rato juntas. Se sentaban en la cocina con el reproductor de casetes entre ellas encima de la mesa, y cantaban las canciones de Bonnie Raitt o Joni Mitchell que ponían. Se lo pasaban en grande, hasta que algo cambió de repente, como si su madre se hubiera convertido en otra persona. Una noche su madre había estado llorando e intentando cantar a la vez, deshecha en lágrimas y con una extraña mueca en la boca. Jo no quiso verla en ese estado y le dijo que se iba a la cama.

—No, quédate un poco más. No te vayas aún —le pidió agarrándola de la muñeca.

Tenía los ojos vidriosos y el pelo enmarañado por haber estado revolviéndoselo con las manos.

—Escúchame, Jo-Jo —añadió arrastrando las palabras.

Se secó las lágrimas con el dorso de la mano, manchándose la cara de chorretes de rímel, pero de repente se olvidó de lo que quería decir. Al intentar ponerse más jerez de una botella vacía, se tambaleó.

—Mierda, mierda, mierda. ¿Dónde he puesto la otra botella? Seguro que tenía otra.

—Ya te la has bebido, mamá.

Su madre arrugó el ceño.

—No digas estupideces. Me estás intentando decir que estoy bebiendo demasiado, ¿verdad? Y no me hace ninguna gracia, Joanna, te lo digo en serio.

Agarró otra vez la botella vacía y vertió en su vaso las últimas gotas que quedaban.

—Creo que es hora de irte a la cama, jovencita.

—Ya lo sé, pero cuando te dije que me iba a acostar tú…

Su madre dio un violento porrazo en la mesa, haciendo que los vasos oscilaran tintineando.

—No te pases de lista conmigo, señorita…

—Yo no, yo…

Se calló de golpe al echarse su madre a llorar otra vez.

—¿Jo? —la llamó Eva rescatándola de pronto de ese horrible recuerdo.

—Lo siento, estaba pensando en otra cosa.

14

Siguió a Eva por dos tramos más de escaleras y por un sombrío corredor donde el enlucido de la pared estaba abombado en algunas partes y desconchado en otras. La mayoría de las habitaciones del último piso permanecían sin usar. En una no había más que un maniquí de costurera y un mugriento sillón marrón con un agujero en el asiento por donde asomaban manojos de paja. En otra, un par de maletas vacías y varias cajas de juguetes antiguos.

—¡Oh, vaya! —exclamó Jo cruzando la habitación—. El Espirógrafo, el Monopoly, el Construye un escarabajo… yo también tenía todos estos juegos —añadió hurgando en la caja—. ¡Oh, mira, una muñeca Tressy!

Sacó la muñeca, pulsó el botón de la espalda y tiró de una parte del pelo, y de pronto se alargó, como si «creciera» por arte de magia. Recordaba el anuncio de la tele: *Tressy de Ideal, ¡su pelo crece!* La abuela Pawley le había regalado una por Navidad después de que su padre se largara, cuando su madre a duras penas dejaba de llorar. Jo estaba contentísima con la muñeca, sobre todo porque también incluía un cepillo, un peine y rulos. Pero cuando le mostró a su madre cómo el cabello corto a lo *garçon* de la muñeca se transformaba en trenzas solo con pulsar un botón, ella arrugó la nariz.

—¡Puf! Llévatela, Jo-Jo, es horripilante.

—Esta es mi habitación de trabajo —dijo Eva abriendo la puerta que daba a una espaciosa sala con dos ventanales altos sin cortinas por donde entraba la luz a raudales—. Es donde hago la bisutería y otras cosas parecidas para venderlas en los mercadillos y las ferias de verano, así gano un poco de dinero.

Pegadas a la pared, junto a las ventanas, descansaban dos mesas a modo de banco de trabajo y un taburete salpicado de pintura. Era como haber dado con un tesoro: había distintas clases de cristales, conchas, abalorios de colores de cristal, cuentas, plumas, recortes cuadrados de cuero, pinturas, colorantes, pegamentos... Ella nunca había visto nada igual. Cogió un cristal claro y lo sostuvo a contraluz. Al ver varias plumas coloreadas, cogió una y deslizó los suaves filamentos por su mejilla.

—¿Para qué son?

—Estoy haciendo un atrapasueños —le aclaró Eva—. Está casi terminado. Mira.

Era precioso, un aro del tamaño de un platillo con una compleja red de hilos morados en su interior como una telaraña, adornado con cuentas plateadas menudas que reflejaban la luz. De él colgaban cordones plateados con plumas de gaviota rojas y púrpuras, y la punta estaba rematada por más cuentas plateadas para darle peso.

—Si quieres, cuando lo termine, te lo puedes quedar.

—¿De verdad? ¡Vaya, gracias!

La siguió de nuevo por el corredor y cruzaron un tramo diminuto con cinco escalones que llevaba a una puerta cuadrada pequeña, que a su vez daba a un trastero. En el siguiente piso de abajo, Eva señaló con el dedo varias puertas.

—El baño queda a la izquierda. Es un poco anticuado, pero funciona. Usamos un calentador para obtener agua caliente, pero como sale caro, intentamos no usarlo demasiado. Aquella habitación es la mía y de Scott, y la del final de la derecha, la que está junto a las escaleras, es la habitación de pensar; está rodeada de ventanas y desde ella se ve el mar. Y esta de aquí —anunció abriendo de golpe la puerta que daba a una habitación enorme de techo alto y ventanas saledizas—, es la tuya.

Jo se llevó un chasco. El suelo estaba cubierto de latas de cerveza vacías y de periódicos, sobre todo el *Hastings Observer* y el *Sun.* Un mugriento saco de dormir naranja lanzado de cualquier manera yacía sobre un par de palés de madera. Al lado, había el cenicero de un pub lleno hasta el borde de colillas. La habitación olía un poco a pies.

—¡Recórcholis! —exclamó Eva—. Lo había olvidado. Hace poco se quedó otro amigo en nuestra casa y yo no había entrado en la habitación desde que se fue. Es Elliot, un actor. Un encanto de chico, aunque le gusta vivir en una pocilga. Le dieron un papel en la serie *Z Cars*.

La forma de hablar de Eva le hizo sonreír. No había oído a nadie exclamar «¡Recórcholis!» desde que la abuela Pawley la había pillado intentando esconder al gato debajo de las sábanas. Eva también sonrió, aunque burlonamente, como si esperara a que le explicara por qué ponía esa cara. Eva era simplemente… graciosa. Sin embargo, la habitación estaba hecha un asco. ¿Soportaría vivir en un espacio tan apestoso que rezumaba a macho? Pero había algo en la manera de Eva de decir *otro* amigo que le hizo sentirse a gusto, como si ya perteneciera a este lugar.

—Es una buena casa —afirmó Eva trajinando por la habitación, metiendo diarios y latas vacías de cerveza en una bolsa negra de basura—. Pero como los vecinos son un poco carcas, llamaron a la policía al ver que nos mudábamos, y ahora mantenemos las distancias. La policía se puso en contacto con el propietario y él sabe que vivimos aquí. Dijo que mientras nos ocupáramos de la casa y no creásemos problemas, nos podíamos quedar hasta que la vendiera.

—¿Cuándo crees que la venderá? —preguntó ella preocupada por si acaso se tenía que ir pronto.

—No lo sé. Creo que tiene varias casas más y ahora de todos modos vive en el extranjero, de modo que hay para largo. Tendrá que reformarla y acabar con la humedad del sótano, y como todo esto cuesta una fortuna, lo más probable es que pasen siglos antes de que lo haga. Y, además, mientras vivimos en ella la calentamos y evitamos que alguien entre y cause estropicios.

Oír hablar a Eva, dijera lo que dijera, era estupendo. Tenía una voz tan cristalina que oías cada palabra con gran claridad. Jo se acordó de pronto de su madre en la época en que todavía reía y cantaba, sentada ante el piano con un suéter de color limón claro y un cárdigan a juego echado sobre los hombros. Habían ido al cine a ver *Sonrisas y lágrimas* y no dejaba de cantar las canciones del filme.

—Venga, Joanna-Pianna —dijo posando la yema de sus dedos rosa perla en el teclado—. Veamos si nos salen. *Empecemos desde el principio* —Se puso a cantar imitando a Julie Andrews—. *Un buen lugar para comenzar...*

De nuevo la golpeó la dolorosa realidad de que nunca, nunca más volvería a oír la voz de su madre. ¿*Cómo* era eso posible?

—Ahora ya es otra cosa, ¿verdad? —concluyó Eva atando la bolsa de la basura que acababa de llenar, y luego echó un último vistazo para comprobar que todo estuviera en orden—. Si no te importa... —añadió agarrando el saco de dormir con el pulgar y el índice manteniéndolo alejado como si estuviera lleno de caca de perro—. No puedes dormir en esto de ninguna manera. En nuestra habitación hay otro limpio y también más mantas. Estarás muy cómoda

Jo sonrió. Cada vez que Eva hablaba le recordaba a su madre o a la abuela Pawley.

—Aunque en algún momento tendremos que hablar de cuestiones prácticas, claro está.

—No me queda demasiado dinero, pero estoy segura de que pronto me saldrá un trabajo y...

—Dejémoslo para mañana —atajó Eva agitando las manos para espantar las palabras de Jo hacia la ventana—. Ya hablaremos de este rollo mañana. Scott volverá más tarde. De momento trabaja de mozo de cocina. Empezó los estudios de magisterio, pero como tiene vocación de músico, ahora está concentrado en ello. Toca en las calles y los fines de semana tiene un par de actuaciones. En verano se saca lo suyo como músico callejero, y además hay también las ferias de verano, como ves hay muchas maneras de sacarte unas pocas libras —declaró dirigiéndose hacia la puerta—. Ven y cuéntame algo de ti mientras preparo la cena.

La cocina, con una mesa desvencijada de madera en medio, era enorme. En un hueco había un armario que llegaba hasta el techo de color marrón tirando a amarillo, como el de la mostaza francesa que Rob había dicho que parecía caca de gato. Los azulejos de la pileta también eran del mismo tono y la mayoría estaban agrietados o partidos, al igual que los del gigantesco hueco de la campana de la chimenea.

—¿Era esto antes una chimenea? —preguntó Jo levantando la cabeza para observar la pared de ladrillos—. ¡Es más grande que yo!

—Probablemente. Es enorme, ¿verdad? Un lugar maravilloso para cocinar.

A un lado, embutida en el hueco de la chimenea, había una mesa de fórmica con la superficie roja con una cocina Baby Belling de dos quemadores de aspecto oxidado; y al otro, una mesa esmaltada para preparar la comida. Junto a la chimenea reposaba un viejo sillón de cuero sintético y en la pared de enfrente un par de sillas bajas, al lado de otra estufa de gas butano. El lugar le recordó al pequeño comedor cocina de su abuela Pawley. Se acomodó en el sillón mientras contemplaba a Eva sacar tomates, cebollas y champiñones de una caja de cartón de debajo de una de las mesas para cortarlos en rodajas y trozos. La observó fascinada pelar con maña las cebollas y luego picarlas en un santiamén antes de hacer lo mismo con los champiñones y por último los tomates. Era como si lo hiciera como si nada; a ella le habría llevado siglos, pero Eva preparó la cena con garbo y soltura en un visto y no visto. Abrió la ventana.

—Ten —dijo arrojándole un paquete de queso Cheddar que había cogido del alféizar de la ventana—. Rállalo y abre una lata de alubias si quieres. Aún no tenemos nevera, pero en esta época del año no importa. Seguro que encontramos una cuando llegue el calor.

Mientras Jo rallaba el queso, observó a Eva freír las cebollas, los champiñones y los tomates y verterlos luego en un molde de tarta. A continuación batió los huevos y también los echó a la mezcla y, por último, esparció el queso rallado por encima y metió el molde en el horno.

—Ya está lista la cena. Tortilla al horno. Echa las alubias en una sartén y a relajarnos se ha dicho.

Jo las echó y cuando iba a arrojar la lata a la basura, Eva se la quitó de las manos.

—¡Espera! —gritó mirando dentro—. Ah, vale —añadió asintiendo con la cabeza—. Hay que dejar al menos tres alubias en la lata, ¿lo sabías? Si dejas solo una se sentirá sola, y dos se pelearán. Por eso dejas tres —precisó sonriéndole burlonamente—. Siempre deben ser tres.

15

Después de comer Jo le pidió a Eva la llave de la casa y salió disparada a por cigarrillos. El aire olía a mar y a pesar de ser casi de noche, al venirle de golpe el apremiante deseo de ver y oír las olas, dio un rodeo por la carretera de la costa donde el viento que soplaba del Canal le hizo sentir más frío aún. Cayeron gotas de lluvia y le azotaron la cara. Hastings era muy distinto de Newquay. Para empezar tenía una playa de guijarros y descendía al mar por etapas, como plataformas. En Newquay la playa era arenosa, plana y ancha, en cambio la de Hastings estaba dividida con regularidad hasta el muelle por espolones de madera, como si fueran muchas playas más pequeñas.

Sin la línea del horizonte dividiendo la colosal extensión gris, la inmensidad del mar y del cielo se magnificaba, y mientras contemplaba el muelle a lo lejos se sintió invadida por la tristeza de nuevo. Las luces del muelle deberían haberla animado, pero pese a tener pinta de festivas, lo que atrajo su mirada no fueron las luces brillando y la perspectiva de pasar un rato divertido y agradable, sino la parte inferior más oscura de la estructura que estaba envejeciendo, debajo de los tablones chirriantes, donde los pilares herrumbrados cubiertos de percebes se alzaban con firmeza en el agua fría, olvidados e ignorados.

Consultó su reloj de pulsera. Hacía casi tres horas que no pensaba en su madre ni en su hogar. Su hogar… tenía que dejar de pensar de ese modo. Dándose cuenta de su fuerte necesidad de estar en un lugar donde hubiera alguien a quien conociera, se dirigió al quiosco, compró una cajetilla de No 6 y luego, volviendo sobre sus pasos, subió la colina para regresar a la casa.

Vio una luz en el salón y en cuanto entró percibió el olor a gas butano. Un hombre estaba de pie ante la estufa de espaldas. Llevaba un sombrero de copa negro y una larga capa del mismo color que le recordó a las películas de Drácula. Su cabello, también negro, estaba recogido en una coleta con una tira de cuero trenzado.

—Soy Scott —la saludó al darse la vuelta, quitándose el sombrero con una flor roja de seda sujeta con una pinza al borde, y después la capa—. Discúlpame por recibirte con estas pintas. Es la ropa con la que toco en la calle para ponerle un poco de ambiente.

Debajo de la capa llevaba unos tejanos negros y una camiseta de Bob Dylan con una camisa vaquera azul claro abierta hasta el pecho.

—Supongo que eres Jo.

Scott se sentó en el sofá, estiró sus largas piernas ante él y se puso a liar un canuto. Alzando la vista, le sonrió. Tenía la piel pálida, aunque con un tinte aceitunado que sugería que en verano se le volvería tostada, y su nariz era demasiado larga y algo torcida, pero su aire poético y de *hippie* le daba un cierto encanto. En medio de la barbilla asomaba una diminuta perilla negra y sus brillantes ojos azules, del color de las flores de aciano, resaltaban más aún por su pelo negro como ala de cuervo que, como le contó más tarde, le venía de sus antepasados. Su padre era medio chino por parte de madre, y su madre una belleza típicamente inglesa.

Lamió el borde engomado del papel de liar Rizla, lo unió cuidadosamente, y luego sostuvo el porro ante su rostro como si lo estuviera admirando.

—Me lo merezco —afirmó sosteniéndolo entre los dientes mientras se metía la mano en los bolsillos delanteros de los vaqueros y luego se palpaba los traseros.

—Toma —dijo Jo, ofreciéndole un mechero.

—¡Gracias! —exclamó él inclinándose, y en lugar de tomarlo se la quedó mirando, hasta que ella le encendió el pitillo. Cuando Scott le sostuvo la mano para mantenerla firme, ella se fijó en el vello negro de sus dedos, que olían a tabaco y a limones.

—¿Quieres tomar café, Jo? —gritó Eva desde la cocina.

—Preferiría un té, si es posible —repuso ella.

Scott sonrió.

—¡Vaya, qué educada! Me gusta —terció asintiendo con la cabeza.

Scott apartó del sofá el periódico *Guardián* de varios días atrás, la petaca de Old Holborn y el paquete de Rizlas, y dio unas palmaditas en el cojín a su lado.

—Ven, siéntate.

¿Estaba flirteando con ella? Un mechón de pelo grasiento le cayó sobre el ojo y se lo recogió enseguida detrás de la oreja. Este chico tenía algo que la hacía sentir turbada, boba y cohibida. Pero era el novio de Eva.

Cuando esta entró en la sala, Scott se centró en ella de lleno y la cara se le relajó y suavizó de golpe mientras miraba a su chica. Tal vez no había estado flirteando. Le sonrió y le dio las gracias cuando le ofreció la cena: la ración fría de tortilla que quedaba, acompañada de ensalada. Eva se dirigió a la chimenea para encenderla.

—Déjalo Evita —dijo él deteniéndola. Estás cansada, ya lo haré yo cuando acabe de comer.

Y cuando ella le sonrió agradecida, Jo advirtió que hasta parecía más guapa. Se dio cuenta de que era una pareja de enamorados. Entre sus padres nunca había surgido esa clase de amor, ni siquiera de pequeña, y al verlo ahora le invadió una dulce tristeza. Por un lado, era extrañamente agradable contemplar ese intercambio de miradas, asentimientos y sonrisas mientras charlaban, y le encantó lo orgullosos que estaban el uno del otro. *Scott es un gran guitarrista, cuando escuches las canciones que compone vas a flipar. Eva tiene tanto talento que es capaz de crear objetos preciosos de la nada, incluso de material viejo desechado…* Pero por otro lado, la compenetración que había entre ambos le hizo sentir una tremenda soledad que no había advertido hasta ahora.

—Mientras vivamos aquí queremos ser lo más autosuficientes posible —le contó Scott liando otro porro.

Habían estado hablando sobre sus planes en cuanto al huerto. Haciendo una pausa, señaló con la cabeza su plato, que ahora reposaba en el suelo a su lado.

—Ya sabes a lo que me refiero, si tuviéramos gallinas y elaborásemos nuestro propio queso, esta cena nos habría salido gratis, salvo por la electricidad para cocinarla. ¡Sería genial!

—Me encantaría tener gallinas, pero creo que eso de hacer queso va más allá de nuestras posibilidades —observó Eva—. ¡Aunque quién sabe lo que puede pasar en el futuro!

—¿Quién sabe lo que puede pasar en el futuro? —repitió Scott sonriendo burlonamente—. Creía que *sí* lo sabías.

Eva le sonrió con complicidad y los ojos de Jo se posaron en ella, y luego en Scott, y de nuevo en su amiga.

—Scott no me cree, pero...

—Eva tiene poderes mágicos —dijo Scott con una voz que ponía la carne de gallina—. Puede leerte la palma de la mano, ver el futuro en una bola de cristal...

—¡Venga ya, Scott! —exclamó ella empujándolo por el brazo juguetonamente—. No tengo ni idea de leer la palma de la mano —admitió volviéndose hacia Jo—. Y no tengo ninguna bola de cristal. Pero sé leer las hojas del té. Scott piensa que no son más que bobadas, pero mi abuela me lo enseñó —añadió iluminándosele la cara—. ¿Sabes una cosa? Te las leeré más tarde si quieres.

Jo se limitó a sonreírle,

—Como iba diciendo —prosiguió Scott—, nuestra filosofía es muy sencilla. Vive en el campo de tus habilidades y talentos si es posible, consume menos y recicla —afirmó señalando con el brazo extendido el espacio a su alrededor—. Casi todo lo que ves aquí son cosas de las que la gente se ha desprendido, sacadas de contenedores de basura o de mercadillos benéficos. Y se encuentran en perfecto estado. Los desechos que genera la sociedad son imperdonables. No es más que una cuestión de estar atento, de sintonizar con lo que la gente tira. De todos modos, todos tenemos demasiadas cosas.

—Sois como Tom y Barbara —terció Jo—. Ya sabéis a quién me refiero, los de la telecomedia *La buena vida.*

Scott asintió con la cabeza.

—La hemos visto varias veces en casa de un amigo, nosotros no tenemos televisor.

—Tom y Barbara me encantan —afirmó Eva—. Y también Margot y Jerry. ¡Vivir como ellos sería una pasada!

—Tengo mucho tiempo para dedicarme a eso de ser autosuficiente —asintió Scott—. Ellos también empezaron a llevar esta clase de vida en una casa de un barrio residencial tan grande como esta. ¿Qué te parece? —le preguntó a Jo.

—Mmm… ¿A qué te refieres?

—A quedarte aquí por un tiempo. A nosotros nos encantaría, nos gusta tener a gente en casa, al menos a una persona. A veces habrá más, pero funciona mejor solo con dos o tres. Una vez vivimos como okupas en una especie de comuna abierta. Y no se lo aconsejo a nadie —añadió sacudiendo la cabeza.

—Quédate, venga —insistió Eva—. Las únicas reglas son contribuir en los gastos de la comida y del hogar, como la electricidad y las bombonas de butano, y colaborar en las tareas comunitarias. Así es como funciona… —añadió recitándole de un tirón la lista de las reglas de la casa.

Jo, llevándose un pequeño chasco al descubrir que no era más que un simple huésped temporal en lugar de una amiga especial, asintió con la cabeza.

—Apenas me queda dinero y necesitaré un trabajo. Sabéis si…

—En este lugar sobran los trabajos temporales —atajó Scott—. La mayoría, de camarera en un bar; es dinero en efectivo.

—Vale, entonces sí, me encantará quedarme —asintió Jo sonriendo—. Gracias.

—¡Genial! Asunto zanjado —concluyó Eva levantándose—. Os prepararé un té.

Mientras Scott estaba liando otro porro, Eva regresó con una tetera y una botella de leche, y luego se fue para volver al poco tiempo con dos tazas altas, y una taza con un platillo.

—Deja más o menos un centímetro y medio de té en el fondo —le explicó al servirle el té y darle la taza con el platillo—. Sostén la taza con la mano derecha si quieres ver el futuro, o con la izquierda si quieres entender el pasado.

—¡Ya empezamos! —se quejó Scott afablemente en tono burlón, Eva, la Pitonisa. Te revelará tu destino…

—Cierra la boca, Scott, no es más que un don, eso es todo. Siempre he sido capaz de ver formas y símbolos en las hojas de té y todos tienen un significado. Yo… —dijo bajando los ojos como si le diera corte—. Sé simplemente cómo interpretarlos.

Cuando Jo se terminó el té, Eva le pidió que cubriera la taza con el platillo y que la moviera en círculos tres veces en la dirección de las agujas del reloj antes de darle la vuelta. Y luego que dejara que el té que había quedado se escurriera en el platillo durante un minuto más o menos.

—Veamos —dijo mirando dentro de la taza—. Hay abundantes hojas, esto indica una vida plena y activa. ¡Vaya!, ha quedado una gota de té en la parte lateral de la taza, significa lágrimas, pero debe de ser por lo de tu madre. ¡Oh, mira!, ¿ves la forma de cigarrillo? Simboliza nuevas amistades, y está justo encima, cerca del borde, quiere decir que tiene que ver con el futuro inmediato —añadió sonriendo—. Seguramente se refiere a Scott y a mí.

Mirando el interior de la taza Jo sonrió. Sí, claro, quizá tenía forma de cigarrillo, pero a ella no le parecía más que una línea de hojas de té.

—¿Y qué me dices de eso? —preguntó Jo señalando con el dedo una forma muy clara de flor cerca del fondo.

A Eva se le iluminó la cara.

—¡Una flor! Qué suerte, significa que tendrás un matrimonio feliz, pero en un futuro lejano. Hay que leer las hojas de la parte superior de la taza a la parte inferior, y cuanto más al fondo esté el símbolo, más lejano en el tiempo será lo que representa —precisó señalando en el fondo un montoncito de hojas de un centímetro de diámetro más o menos—. Este pequeño abanico significa un flirteo o un beso inesperado.

Sí, se parecía un poco a un abanico, pensó Jo. De hecho, cuanto más miraba dentro de la taza, más imágenes veía en las hojas de té.

—¿Es eso un pájaro? —preguntó señalando con el dedo una forma a media altura en la parte lateral. Eva se quedó callada un momento.

—Un cuervo —masculló girando la taza—. Y eso parece… —Parpadeó un par de veces—. No, debo de estar equivocada.

—¿Qué es? —preguntó Jo agarrando la cajetilla de cigarrillos—. Ahora todo esto le estaba empezando a parecer un poco absurdo. —Venga, dímelo.

—¿La has girado con la mano derecha o con la izquierda?

—¡Oh, venga! Dejadlo ya —terció Scott. Parecía irritado.

—Con la derecha, al menos eso creo.

—No, seguramente lo debes de haber hecho con la izquierda. Estoy viendo la pérdida de alguien cercano a ti, un dolor que durará mucho tiempo… podría referirse a tu madre.

Eva dejó la taza en el platillo de nuevo y se levantó.

—Tal vez sea mejor intentarlo de nuevo otro día.

A las once de la noche a Jo ya se le cerraban los ojos de sueño. Con la ayuda de Eva, puso el colchón sobre el par de palés y se hizo la cama.

Alzando la cabeza, ella se quedó mirando la ventana con las manos en jarras.

—Ahora lo único que necesitas es una cortina. Elliot nunca se preocupó de cubrir las ventanas y a veces deambulaba por ahí desnudo. ¡Yo no sabía dónde mirar! ¡Oh, espera, vuelvo enseguida!

Salió precipitadamente de la habitación y regresó con un puñado de pinzas de la ropa y una bolsa de basura enorme llena a reventar. Sacó de ella una tela larga roja de algodón bordada con espirales doradas. Parecía ser de la India, como un sari. Se subió a una silla y la colgó con las pinzas sobre el cristal.

—No es más que algo provisional para esta noche —le aclaró bajando de la silla—. Esta bolsa está llena de ropa —añadió señalándola con la cabeza—. No sé si encontrarás algo que te sirva, pero toda está en buen estado. Algunas prendas son de Safiro, la chica que se quedó con nosotros el año pasado. Hasta que se largó para vivir en una caravana en la Isla de Wight. Ahora la mayoría de esta ropa se me ha quedado pequeña. Todo se encoge cuando lo lavas, ¿no crees? O quizás esté engordando —se quejó.

—Gracias —dijo Jo—. No me he traído demasiadas cosas conmigo y... bueno, gracias. Eres muy amable...

De pronto notó que el labio le temblaba y no quiso seguir hablando por si se echaba a llorar.

Eva ladeó la cabeza.

—Estás cansada. Mañana te sentirás mejor después de haber dormido de un tirón. Buenas noches.

Eva apagó la luz y Jo oyó el suelo de madera crujir mientras la chica bajaba las escaleras.

Se durmió en el acto, sumiéndose en un sueño profundo sin sueños hasta que a las dos de la madrugada se despertó de súbito abriendo los ojos de par en par. Por unos segundos no se acordaba de dónde estaba, pero al ver la forma oscura de su bolsa de lona junto a la cama, se acordó. Percibió el tenue roce de sus pestañas sobre la almohada al parpadear. Pero también oyó otra clase de ruido llegando a través de la almohada. Una especie de golpes rítmicos y acompasados. Y alguien gimiendo. Era una mujer y parecía estar agonizando. ¡Eva!, se dijo alzando la cabeza de pronto, con el corazón martilleándole en el pecho. Pero entonces también oyó una voz masculina, una especie de gruñido.

—¡Oh, mierda! —susurró al darse cuenta de lo que era el ruido.

Volvió a tumbarse en la cama y se tapó la cabeza con las mantas.

16

Sheffield, enero de 2010

Era la primera vez que entraba en esta iglesia, a pesar de haber estado pasando por delante durante años. Había ido a misa unas pocas veces cuando Hannah era un bebé, pero no encontré lo que andaba buscando. ¿Qué era lo que buscaba? Supongo que ser perdonada. Pero tal vez nunca lo encontré porque no creía que fuera Dios quien me tuviera que perdonar.

Me quedé plantada contemplando en el vitral de la iglesia la imagen de la Virgen María mirando con cara de adoración a su hijo. Si mal no recuerdo solo tenía dieciséis años cuando concibió al Hijo de Dios. Aunque en el vitral parecía mayor, como si ya supiera que no saldría nada bueno de ello. Por un momento me quedé tan absorta en la escena que me olvidé de por qué estaba allí y, de repente, oí el portón antiguo de la iglesia abriéndose, y allí estaba él, apoyándose en un bastón de madera para andar. Me di cuenta enseguida de que era cierto lo de su enfermedad. No me extraña que yo dudara de si había sido a él a quien había visto en la ciudad. Tenía los ojos hundidos, con unas profundas ojeras de color oscuro. Su piel se veía pálida y flácida, con un tono verdoso alrededor de la boca. Estaba tan escuálido que se le marcaba la forma del cráneo. Sin duda tenía ante mí a un hombre moribundo.

—Has venido —comentó él casi con resignación.

—¡No me ha quedado más remedio!

Scott asintió con la cabeza, dándome la razón.

—Lo sé. Lo siento. Pero quería que vieras lo importante que era —respondió apoyándose en el borde de los oscuros bancos de madera de la iglesia al cruzar el pasillo para sostenerse mejor.

—¿Cómo te...? —Decidí no hacerle una pregunta tan ridícula—. Ya veo que no estás bien —dije en su lugar—. Y lo siento. Debe de ser... No sé, horroroso.

Sacudió la cabeza, luego me señaló un banco.

—¿Te importa si nos sentamos? Hoy no me encuentro demasiado bien.

—Claro.

Vi que los nudillos se le ponían blancos al aferrarse al respaldo de un banco para sentarse lentamente en el de atrás. Me tuve que decir a mí misma de nuevo, este es Scott. *Scott.* Nos quedamos callados unos momentos. En mi caso, porque no sabía qué decir. Y en el suyo, supongo que por haberse quedado agotado por el terrible esfuerzo de acercarse primero a mí y sentarse luego.

—Dime, ¿cómo lo llevas?

Era lo que yo les decía a los padres en el Proyecto Para Familias Jóvenes, y oí el tono profesional en mi voz, enérgico y un tanto distante, el tono que ponía cuando intentaba mostrar que me interesaba por sus problemas, pero sin implicarme demasiado.

—Al principio me aterraba —admitió—. Me daba pavor poder tener cáncer. —Me miró de reojo sonriendo—. Pero ahora que lo sé con certeza, bueno, ya no tengo miedo.

De pronto me olvidé de poner una voz profesional. Se trataba de Scott, el padre de Hannah.

—Pero... ¿no tienes miedo de...? Ya sabes a lo que me refiero.

—¿De morir? Puedes decirlo sin tapujos. Pues no, en realidad no. Aunque no quiero sufrir. Me dijeron que no me podían asegurar que no fuera así —me confesó sonriendo de nuevo—. Me darán unos medicamentos muy *fuertes* cuando llegue la hora. Pero la muerte no me da miedo. ¡Qué curioso!, en cuanto sabes que te ocurrirá, lo aceptas sin más —dijo con una ligera superioridad moral, como si yo no pudiera entenderlo. Aunque pensándolo bien, supongo que tenía razón.

—¿Vienes aquí a menudo? —pregunté sin advertir que se había tomado mis palabras en otro sentido, hasta que se echó a reír.

—Las iglesias antiguas son las mejores, ¿no crees? Pero no puedo decir que me hayan ayudado demasiado en ese tema.

—¡Oh, por Dios! Quiero decir, lo siento —me disculpé sonrojándome—. Quería decir…

Scott sonreía aún.

—No te preocupes, sé a lo que te referías y sí, sigo haciéndolo. Pero en otras partes. Probablemente ya sea un poco tarde para salvar mi alma, pero supongo que no tengo nada que perder. De todos modos creo que debería decirte por qué quería verte.

Quería preguntarle cuánto tiempo hacía que iba a misa y si era por estar muriéndose o por lo que había sucedido. Quería saber las respuestas a estas preguntas, pero también estaba intentando hacer tiempo, retrasar el momento en que Scott iba a decirme algo que me destruiría la vida. Ahora él ya no sonreía.

—La cuestión es que quiero que lo confesemos todo, que digamos la verdad.

Me lo quedé mirando pasmada. No quería seguir oyendo lo que me quería decir, no lo podía soportar.

—Me ha estado obsesionando durante años —admitió sin mirarme—. Teníamos que haberlo contado cuando… bueno, al menos al cabo de poco. Supongo que creí que acabaría saliendo a la luz —añadió mirándome ahora, y los ojos le brillaban como si contuviera las lágrimas—. Creo que esa fue una de las razones por las que me fui, para serte sincero. Seguía esperando que la policía viniera a buscarme. Incluso cuando estaba en Nueva Zelanda con mis padres no podía dejar de pensar en ello. Y ahora… bueno, ahora solo quiero intentar arreglar las cosas.

Quise hablar, pero tenía la boca seca. Sentí que la sangre me bajaba de golpe a los pies y que se me revolvía el estómago, y me pregunté si tendría que ir corriendo al lavabo. Debía largarme cuanto antes, alejarme de este lugar y de lo que Scott me estaba diciendo. Ni siquiera me di cuenta de haberme levantado hasta que sentí su mano en mi brazo.

—Siéntate —dijo en voz baja.

Su voz no admitía réplica, como si estuviera seguro de que le iba a obedecer. Me senté a mi pesar, sin saber por qué lo hacía.

—Tenemos que contárselo todo, Jo. A Hannah, a tu marido, a la policía... a todo el mundo.

—Yo... no puedo —tartamudeé—. Ahora ya no podemos, no es posible después de todos estos años —repliqué subiendo el tono de voz, sin poder evitarlo—. ¡Estás loco! —exclamé levantándome de nuevo—. ¿Arreglar las cosas? ¡Cómo quieres que lo hagamos! Has perdido la razón. Déjame... déjame en paz de una vez.

Scott me agarró la mano.

—Espera. Escúchame un minuto.

La aparté de un tirón justo cuando la puerta se abrió de golpe y una anciana entró en el interior. Se nos quedó mirando, pillándonos en medio de una pelea en este lugar sagrado, pero no pareció darse cuenta, porque nos saludó con la cabeza sonriendo antes de sentarse silenciosamente en un banco y ponerse a rezar. Me volví a sentar.

—Me quedaré solo un minuto más —cuchicheé.

—Ahora no tengo nada que perder —me susurró él agotado, inclinándose hacia mí, clavando los ojos en sus manos de nuevo—. Los remordimientos me están comiendo vivo, igual que el cáncer. A menudo me pregunto si las dos cosas no serán lo mismo. ¿Y qué me dices de ti, Jo? ¿No te sientes culpable?

—¡Claro, maldita sea! —le espeté cuchicheando aún—. Pero tenía que criar a Hannah, tenía que ser práctica. Y no me resultó nada fácil, tú ya lo sabes, vivir metida en ese piso horrible viviendo con apenas nada mientras tú te largabas al otro extremo del mundo para rehacer tu vida.

Esperaba que protestara, que tratara de justificar otra vez por qué nos había dejado en ese piso, por qué me había convencido de que lo mejor para todos era no volver a vernos, a mencionarnos o a hablarnos nunca más. Pero no lo hizo. Se me quedó mirando con calma.

—Pero ahora estás bien, ¿no? —repuso con voz queda y firme, aunque con un deje de dureza—. Tienes un buen trabajo, un buen sueldo y una vida que te gusta.

—Sí. Ahora estoy bien —afirmé pasándome los dedos por entre el cabello por tercera o cuarta vez, y me pregunté si estaría desarrollando un tic nervioso—. Tuve la suerte de conocer a un buen hombre con sentido de la responsabilidad. —La anciana alzó la cabeza interrumpiendo sus plegarias. Hice un esfuerzo para bajar la voz—. Pero lo conseguí cuando ya hacía muchos años que te habías ido. Tuve que hacer un sinfín de trabajos de mierda para pagar el alquiler y comprar comida y ropa para las dos, no podía contar con la ayuda de mis padres y apenas tenía tiempo para pensar —le recriminé suspirando—. Lo siento. Pero al tener a Hannah tuve que salir adelante como fuera y me llevó años ganar un sueldo razonable e incluso entonces fue porque Duncan estuvo dispuesto a apoyarme económicamente mientras yo estudiaba. Le importamos las dos, aunque Hannah no sea hija suya.

Scott asintió con la cabeza lentamente. Ahora tenía los ojos cerrados y bajo la piel de sus párpados vi unas líneas grises con un matiz azulado. Aunque tenía la mayor parte de la piel de la cara tan flácida y apagada que me pregunté cómo le quedaba espacio debajo para las venas, la sangre y la carne.

—Lo has hecho muy bien, Jo. Pero la cuestión es que me queda poco tiempo y no voy a cambiar de opinión. Quiero darte la oportunidad de contárselo primero a tu familia. Y una vez que se lo hayas contado, iremos juntos a ver a la policía. Dudo que Hannah quiera conocerme, pero me gustaría verla por última vez. Si…

—¡No! —exclamé levantándome de golpe y traté de apartarme para que Scott no me agarrara de nuevo, pero el pañuelo se me enredó en el extremo del banco. Con las manos temblándome incontrolablemente, intenté desenredarlo.

—Ya seguiremos hablando otro día del asunto. Lo siento, Jo, pero si tú no lo cuentas, lo haré yo.

—¡Deja de llamarme así! —grité y salí disparada por el pasillo.

Pasé por delante de la anciana como una exhalación y ella alzó la vista mirándome perpleja. Probablemente creyó que era una pelea de amantes. Abrí la enorme puerta de un tirón y salí a la luz cegadora y fría del sol. Pasé corriendo obnubilada por delante de la gente curioseando por las tiendas y no me detuve hasta llegar al coche. Jadeando, me lancé al asiento del conductor y cerré la portezuela tras de mí como si pudiera dejar afuera toda la conversación que habíamos tenido. Estaba a punto de echarme a llorar. Hurgué en la guantera para buscar los pañuelos de papel y saqué una bolsa sin abrir de chuches para perros, un callejero de la ciudad, la tarjeta de agradecimiento de una clienta, el miniparaguas que Hannah se había dejado varias semanas atrás y un libro de bolsillo de relatos cortos que Duncan me había regalado hacía un par de años después de que el coche se estropeara y yo tuviera que esperar cuarenta minutos a que viniera la grúa. «Déjalo en la guantera, así si vuelves a tener una avería al menos podrás leer un poco para matar el tiempo», me aconsejó. Encontré los pañuelos y me soné antes de volver a meterlo todo dentro y poner el coche en marcha. Me dirigí al sur por la Ecclesall Road, pasando por delante de los bares y restaurantes que estaban llenos de estudiantes la mayoría de las noches, del parque, y de las monumentales casas victorianas que se alzaban sobre él, y más allá de las casas más imponentes todavía, antes de que los edificios empezaran a desaparecer y el campo se extendiera ante mí.

Los objetos de la guantera me habían hecho sentir incluso peor de alguna manera. Eran las pruebas de haber gozado de una vida normal, un buen trabajo, una casa bonita, un marido y una hija, y un perro. Tenía una familia que me quería y que ignoraba que los había estado engañando todos aquellos años. A lo lejos las colinas seguían cubiertas de nieve. Me encontraba oficialmente en las «zonas altas» y aquí las condiciones eran distintas.

Conduje otro par de kilómetros y me detuve en el área de descanso donde aparcábamos cuando íbamos a los páramos con *Monty*.

Sentí el gusanillo de la conciencia al advertir que *Monty* estaría en su cesta, probablemente muerto de aburrimiento y esperando a que yo llegara para sacarlo a pasear. Debería volver a casa a recogerlo como si nada hubiera ocurrido. Pero salí del coche de todos modos. Tal vez si daba un paseo se me despejaría la cabeza y se me aclararían las ideas. Por aquí arriba todavía quedaban algunas zonas con un poco de nieve donde la capa más profunda ya se había derretido. El aire era frío y limpio y el cielo parecía más espacioso de lo habitual mientras me dirigía a los bosques y luego a un claro que daba a un páramo inmenso. Delante de mí se alzaba una roca plana descomunal, donde a veces nos sentábamos en verano a comernos los sándwiches y a maravillarnos de las vistas que se extendían ante nosotros, con los tejados de Sheffield a nuestros pies y las colinas a lo lejos.

Vi algo sobresaliendo detrás de la roca y al acercarme descubrí que era un zorro muerto. Su suave pelaje pardo rojizo seguía cubierto de nieve, pero vi la punta blanca de su tupida cola y parte de su preciosa y serena cara. No era demasiado grande, pero tampoco parecía una cría, probablemente era una zorra. Sus ojos vidriosos miraban hacia arriba con expresión vacía y tenía la boca abierta, revelando unos dientes perfectamente blancos y afilados, de una gran uniformidad y elegancia. Me pregunté cuánto tiempo llevaría el pobre animal tendido en ese lugar, bajo su manto de nieve, y si había muerto de causas naturales o si un coche lo había atropellado en la carretera y luego se había escabullido por entre los árboles hasta llegar aquí. ¿Tenía crías esperándole en alguna parte, muriéndose poco a poco de hambre mientras aguardaban a que su madre volviera? Pero no, probablemente todavía era demasiado temprano a juzgar por la época del año. Sin embargo, podía haber estado preñada. Alargando la mano le toqué el rostro frío con el dedo, deslizándolo suavemente por las orejas, acariciando el pelaje blanco de la sensible parte del gaznate, advirtiendo por primera vez que estaba manchado por una sola línea de sangre cuajada. Y entonces fue cuando ya no me pude contener más. Las lágrimas me rodaron al principio en silencio, una después de la otra, pero al cabo de poco me eché a llorar como una criatura, ruidosamente, a lágrima viva. Me sentía como si tuviera una mano helada alrededor del corazón, recordándome que podía perderlo todo, que si no me andaba con cuidado la vida que con tanta diligencia había creado se iba a romper en pedazos.

17

Me quedé bajo el chorro de la ducha mucho tiempo, pero no lograba sacarme el olor de la iglesia, una mezcla de cera para suelos con aroma a lavanda y de himnarios antiguos enmohecidos. Después de ducharme me eché en la cama un rato. La conversación con Scott me había dejado agotada, estrujada emocionalmente. Pero cuando cerraba los ojos no veía más que aquella pobre zorra muerta.

El chasquido de la llave de Duncan abriendo la puerta, que siempre me alegraba tanto, esta noche me revolvió el estómago. Me sentí expuesta, como si él pudiera enterarse de todo lo que había ocurrido hoy solo con mirarme.

—¡Hola! —me saludó dándome un beso de ese modo ausente que me indicaba que había tenido un mal día, quizá por un perro maltratado o un dueño afligido que había tenido que sacrificar a su querido gato.

Sus labios estaban helados y en su abrigo olí el frío de fuera. Debí haberle servido una copa de vino, preguntarle si quería hablar de ello. Pero no podía mirarle a la cara por miedo a lo que él pudiera ver en la mía.

—¡Hola! —repuse dándole la espalda al quemador donde estaba hirviendo el agua para los espagueti, y abrí un tarro de pesto porque no podía pensar con la suficiente calma como para planear una buena comida.

Duncan me miró dos veces. Normalmente hacíamos que los viernes por la noche fueran especiales y cuando no íbamos a cenar fuera yo cocinaba algo delicioso, algo un poco más interesante que pasta al pesto. Pero él no hizo ningún comentario. Se sacó la mochila y se agachó para mimar a *Monty*, que movía frenéticamente la cola recibiéndolo como si hiciera semanas que no lo veía.

—Hola, *Monty* el simpaticote. Sí, yo también te he echado de menos. Buen chico.

Se levantó.

—¿Cuánto falta para comer?

—La cena estará lista en diez minutos.

Asintió con la cabeza, quitándose el abrigo.

—¿Te encuentras bien? Pareces un poco estresada.

—Solo estoy cansada, eso es todo.

Él sonrió.

—¿Ha sido un día duro?

Me di la vuelta de golpe.

—¿Qué? ¿A qué te refieres? —pregunté en un tono de voz más alto del que pretendía. ¿Había estado hoy en la ciudad? ¿Me había visto con Scott?

La sonrisa se le borró de golpe de la cara y me miró de forma extraña.

—¿Estás segura de que te encuentras bien? Me refería a la caminata. ¿Adónde has ido al final? ¿Fuiste a los páramos?

Cuando iba a coger los espaguetis, tiré al suelo sin querer el tarro de pesto y la cuchara de madera de la encimera. Tardé uno o dos segundos en recordar que por la mañana le había dicho que quizá me llevaría a *Monty* al campo para que hiciera ejercicio.

—¡Oh, lo siento, claro!

Me agaché para coger el tarro del suelo; por suerte no se había roto.

—Sí, nos lo hemos pasado muy bien. Todavía queda un poco de nieve ahí arriba.

Al menos no le estaba mintiendo del todo, al fin y al cabo había ido a dar un paseo por los páramos. Quería contarle lo de la zorra, pero de algún modo no pude, era una escena demasiado triste.

—¡Seguro que él también se lo ha pasado en grande! —exclamó señalando a *Monty*, que estaba en su cesta con la cabeza apoyada sobre las patas sin quitarme el ojo de encima, por si acaso se me caía comida.

—Claro que sí. ¿No es así, *Monty*?

¡No me podía creer que hubiera caído tan bajo! Hasta había hecho al perro cómplice de mi engaño.

—¿Qué más has hecho?

Duncan sabía que normalmente hacía un montón de cosas en mi día libre. Esperaba que le dijera que había ido a tomar un café con una amiga, a pasear por las Galerías Millennium o quizás incluso a ver una película en el cine *art déco* que estaba cerca de la estación. Esperó a que le respondiera, pero por un instante no se me ocurrió una sola actividad que pudiese decirle. Una parte de mí quería echarse llorando en sus brazos. Estaba cansada, cansada hasta lo indecible, no podía con mi alma. Sabía que no tenía la fuerza para seguir fingiendo.

Tenía los nervios deshechos. Después de cenar le dije a Duncan que me iba a echar a la cama porque creía que me había vuelto la migraña, una mentira más, pero era la única manera que se me ocurrió de huir de su mirada preocupada, de la tierna comprensión en sus ojos. Pero a pesar de mi agotamiento, no podía dejar de pensar y me quedé tendida mirando el techo, hasta que al final debí de dormirme, porque al despertar tenía la cara húmeda. Comprendí que había estado llorando un instante antes de recordar por qué. Me solía pasar lo mismo al principio de irme de Hastings. Me despertaba llorando desconsoladamente de un modo que no me lo habría permitido estando despierta. Scott inclinándose hacia mí me acariciaba el pelo, intentando calmarme, pero lo hacía con tanta torpeza que casi nunca lo conseguía. Luego me levantaba de la cama y cruzaba el frío linóleo para ir al otro lado de la habitación, donde Hannah dormía en un capazo de segunda mano, y le ponía el dedo delante de la nariz para asegurarme de que estuviera respirando. A veces la cogía en brazos para sentir simplemente la calidez de su compacto cuerpecito y, sepultando el rostro en el delicioso hueco de su nuca, olía el dulce aroma a polvos de talco que despedía.

La puerta se abrió lentamente y Duncan se quedó plantado en la entrada, con la luz del rellano a su espalda.

—No te preocupes, estoy despierta.

Él, sonriendo, cruzó la habitación.

—¿Cómo te encuentras? —me preguntó inclinándose para mirarme.

Me llegó al alma que me hablara en voz baja de manera automática cuando yo tenía migraña, pero su bondad solo me hizo sentir más culpable aún. Me moría de ganas de ir a la planta baja a tomarme una copa de vino, pero entonces Duncan habría advertido que me pasaba algo y además si tuviera migraña no habría hecho algo parecido. Necesitaba pensar en ello detenidamente, pero también sabía que no podía guardar este secreto demasiado tiempo.

—Aún me duele la cabeza, pero no tanto como antes —dije cerrando los ojos de nuevo—. Estoy segura de que mañana ya no me dolerá.

—De acuerdo. ¿Quieres que te traiga algo?

Noté por su voz que estaba contrariado. Los viernes por la noche eran especiales, el comienzo del fin de semana. Normalmente significaban tomar una buena cena con vino, encender la chimenea, mirar quizás una película en deuvedé o escuchar música, charlar, e irnos a la cama temprano para pasar un rato relajante y agradable haciendo el amor. Pero en su lugar había tomado una cena birriosa y ahora acabaría mirando la serie *Casualty* por la tele con el perro antes de meterse sigilosamente en la cama para no molestarme.

—No, gracias. Solo necesito dormir. Buenas noches —repuse, y me giré dándole la espalda, mintiéndole como una bellaca porque estaba intentando contenerme para no echarme a llorar.

Pero no pude volver a dormirme y ahora ya eran las dos de la madrugada y estaba sentada en la cocina respondiendo al mensaje de texto de Scott, que solo había visto por casualidad porque me había dejado el móvil en la mesa. Al consultarlo, vi que había llegado hacía un rato, después de que me fuera a acostar. *Sólo es para recordarte que no tienes demasiado tiempo para pensar en ello*, ponía. Tenía que haberme llevado el móvil al dormitorio. ¿Y si Duncan lo había visto? Pero me maldije por pensar tamaña barbaridad. ¡Duncan nunca leía mis mensajes! *Tengo que hablar contigo*, le escribí. *¿Te va bien que nos veamos la próxima semana? ¿En el mismo lugar a eso de la 1? ¿El luns o el marts?* Pulsé *Enviar* y al oír casi al instante la campanilla de otro mensaje, me quedé pasmada de la rapidez con la que me había contestado. Puse enseguida el móvil en el modo *Silencio*. *¿Te va bien el marts a las 13 h? OK*, le respondí. *Hasta la vista*. No sabía aún qué era lo que le diría o ni siquiera si iría a la cita, pero al menos ahora que habíamos fijado un día para vernos dejaría de llamarme o de enviarme mensajes. Por alguna razón, antes de pulsar *Enviar*, añadí: *¿Por qué estás despierto a estas horas de la noche?* Me llegó el silencioso mensaje de su respuesta: *No duermo demasiado*.

Me tomé una taza de chocolate caliente esperando que me ayudara a dormir y luego subí sigilosamente las escaleras para meterme en la cama. A las cuatro seguía sin poder dormir, tratando aún de pensar en una solución. Lentamente empecé a darle vueltas a una idea. Scott estaba demasiado enfermo para trabajar, probablemente vivía del subsidio de desempleo. Seguro que lo detestaba. Pero Duncan y yo teníamos ahorros. Empecé a calcular cuánto dinero podía sacar de la cuenta sin que él se enterara y al cabo de poco me quedé dormida.

Me desperté sintiéndome un poco más positiva y cuando Duncan me preguntó medio dormido cómo me sentía, le dije que mucho mejor. Bostezó y se estiró ampliamente, apartando el edredón sin querer. Noté una ráfaga de aire frío en mis hombros desnudos. Me tapé con el edredón hasta el cuello de nuevo y procuré recuperar aquella agradable calidez envolvente unos pocos minutos más. Duncan me rodeó la cintura con el brazo y se arrimó a mí. Noté su cálido aliento en la nunca y su pene empujando suavemente en mis nalgas. Ahora era el momento en que yo me giraba y le rodeaba el cuerpo con mis brazos y mis piernas, pero no pude. Por más que deseara sentir el relajante contacto de su cuerpo, el sexo a veces era demasiado real, demasiado auténtico, y yo temía irme de la lengua.

—Lo siento, cariño, aún me siento un poco mal.

Noté que se le tensaba el brazo de golpe.

—Creía que me habías dicho que te encontrabas mucho mejor.

—Sí. Me encuentro mucho mejor, pero aún estoy un poco, ya sabes…

Él suspiró y, apartando el brazo, se despegó de mí. Yo quería echarme a llorar y atraerle de nuevo, pero no lo hice.

—Lo siento —repetí simplemente.

Preparé café y encendí el portátil. Duncan había estado callado. Creo que todavía se sentía un poco molesto y yo no me podía sacar de encima la sensación de que él sabía que me pasaba algo. Entró en la cocina con las zapatillas deportivas, los pantalones de chándal y la sudadera.

—Voy a correr un poco, vuelvo enseguida —me anunció, y se fue sin darme un beso.

Le había mentido diciéndole que me dolía la cabeza, pero ahora me encontraba mal de verdad. Tenía el estómago revuelto y me sentía débil y destemplada, como si tuviera fiebre. Eché el café a la pileta y me hice un té de jengibre. Eva siempre lo llamaba «té», pero en realidad era una infusión. Cogías un pedazo de jengibre de dos centímetros y medio, lo pelabas, lo cortabas en láminas finas, lo echabas en una taza con agua hirviendo y lo dejabas reposar cinco minutos. Y luego te lo tomabas a sorbos hasta que las náuseas se te fueran.

Teníamos cuatro cuentas bancarias, la cuenta personal de cada uno y dos cuentas compartidas, una para los gastos de la casa y otra para otros gastos, como las fiestas, la Navidad, etcétera. Si hacía algunos tejemanejes, calculé que podía sacar unas cuatro mil libras sin que Duncan se enterara. Por suerte era yo la que me ocupaba de la economía familiar, él casi nunca consultaba las cuentas. Tendría que pensar en alguna forma de devolverle el dinero, pero ya me ocuparía más tarde de ello. Me sentí un tanto excitada al pensar que podía intentarlo, era un plan. Si a Scott no le quedaba demasiado tiempo de vida, disponer de un dinero extra haría que sus últimos días fueran más agradables. Sus *últimos días*, por un instante sentí un ramalazo de tristeza, a pesar de que él era una amenaza para todo lo que yo más amaba en el mundo.

Mientras movía el dinero de una cuenta a otra traté de ignorar la vocecita en mi cabeza diciendo que no iba a funcionar, que no serviría de nada. Cuando estaba a punto de cerrar el portátil, Duncan regresó jadeando y un tanto sudado, pero con aspecto saludable.

—Tengo que hacerlo más a menudo —afirmó—. Solo he recorrido tres kilómetros y estoy reventado. —Se sacó las zapatillas deportivas y las lanzó a un rincón—. Me voy a duchar. ¿Qué estás haciendo? —me preguntó señalando con la cabeza el portátil.

Fue una pregunta inocente y en absoluto amenazadora.

—¡Nada! —respondí en el acto, y él parpadeó al notar que le había levantado la voz.

—Solo era por curiosidad.

—Lo siento, no sé qué me ha pasado. Estaba perdiendo el tiempo, eso es todo. Mirando lo que darán esta noche por la tele y echando un vistazo en eBay.

Era una mentirosa despreciable y me odié por ello.

Se le relajó el rostro. Asintió con la cabeza y fue a darse una ducha.

18

Fui sacando dinero del cajero a diario y a los pocos días ya tenía cuatro mil libras. Como el martes era el día del papeleo en el Proyecto para Familias Jóvenes, me quedé en el despacho en lugar de ir a hacer una visita. A las once de la mañana oí la campanilla del móvil. Era un mensaje de texto de Scott. *Me encuentro mal, no puedo viajar. PD: ven aquí.* Me dio una dirección que no caía lejos del centro de la ciudad. Me irritó que me dijera lo que tenía que hacer en lugar de pedírmelo, pero pensé que se estaba muriendo y que, aunque no hubiera sido así, era él quien tenía la sartén por el mango.

Recordaba ligeramente dónde quedaba la calle, había vivido a varias manzanas de distancia del lugar cuando me mudé por primera vez a Sheffield. La calle London estaba tan concurrida como siempre y mientras circulaba por ella, pasando por delante de los pubes destartalados, las tiendas de informática y los numerosos restaurantes y locales de comida para llevar, me sentí como si estuviera jugando a uno de esos videojuegos de conducción simulada en los que de pronto te salen a cada cien metros obstáculos que tienes que esquivar. Hoy había estado en un tris de atropellar a un ciclista que giró delante de mí sin indicarlo, a un *bullterrier* Staffordshire correteando en zigzag entre el tráfico, y a una mujer empujando un cochecito doble frente a mí a veinte metros de distancia de un paso de cebra.

Al ver el lugar donde Scott se alojaba me sentí bastante esperanzada en cuanto a convencerle de que aceptara el dinero. Era un cuchitril, uno en una hilera de casas adosadas de ladrillo rojo, con antenas parabólicas brotando de las paredes como excrecencias repugnantes. Algunas de las ventanas estaban entabladas y otras cubiertas de visillos o con sábanas clavadas. Un televisor roto yacía en el exterior de una casa, con las vísceras desparramadas en la acera. La calle estaba llena de cajas vacías de pizzas y hamburguesas, latas de cerveza, colillas y excrementos de perros. La número 89 era más pequeña que el resto, se hallaba embutida al final, como si los constructores viendo que les quedaban unos pocos ladrillos hubieran decidido usarlos para levantar una diminuta casa adosada más, como elemento de relleno. En el jardín de la entrada vi un cubo de la basura con ruedecitas volcado y un gato negro escuálido masticando con avidez un hueso de una caja de KFC. Cuando me acerqué maulló, echándome una mirada cauta, y luego siguió masticando, moviendo la punta de la cola con vigor de un lado a otro. No había ningún timbre. Llamé con ímpetu a la puerta desconchada de la entrada y esperé. Cuando estaba a punto de volver a llamar, oí la campanilla del móvil: *Entra por atrás. La puerta está abierta.*

Tenías que pasar por un pasadizo compartido para entrar por la puerta trasera, que daba a la cocina. Olí de inmediato el aroma a incienso: a pachulí. Era tan sugerente que casi esperé que Eva apareciese de pronto y me ofreciera una manzanilla. En el alféizar de la ventana reposaba una bandeja de plástico con tierra seca encogida por los lados y un platillo con una llave oxidada, un par de tapones de corcho y un paquete abierto de semillas de soja, a juzgar por su aspecto. Una imagen me vino de pronto a la cabeza: cartones de huevos apelotonados en el alféizar de la ventana de la cocina en Hastings, y los tiernos brotes de berro, soja y alfalfa: chispas verdes y relucientes de vida abriéndose camino por la tierra en busca de la luz.

—¿Hola?

—Estoy aquí —repuso Scott en un hilo de voz.

Tenía un aspecto horrible, estaba más chupado, si es que eso era posible, que la última semana y sus ojos parecían más hundidos aún. Se sentó en un sillón, con los pies apoyados en un taburete rústico de madera y lona. Me pregunté si lo habría hecho él, era la clase de objetos que solía crear.

—¿Cómo estás?

Normalmente cuando hacemos esta pregunta no queremos saber la respuesta, pero yo sí quería.

—He tenido días mejores. Y también peores.

Su voz sonaba de lo más apagada. Mis ojos se posaron en la guitarra colgada en un hueco de la pared. Me pregunté cuándo habría sido la última vez que fue capaz de cantar.

—Hace mucho que no la toco —observó como si me hubiera leído la mente.

El papel de las paredes era oscuro, con un motivo de hojas pasado de moda, y en la campana de la chimenea, pegado con celo, había un póster rasgado y desvaído con las palabras: *Si Dios te da limones, hazte una limonada.* La chimenea de gas con efecto hoguera estaba encendida, irradiando calor y consumiendo oxígeno.

—Te puedo ofrecer una infusión de ortiga —propuso, señalando con la cabeza el termo que había en el suelo junto a él—. O puedes hurgar por ahí y prepararte otra cosa —añadió apuntando con el dedo la cocina embutida en un rincón.

—No hace falta.

Eché un rápido vistazo a la sala. Había unos pocos libros y cedés aquí y allá, y un par de cactus resecos en el alféizar de la ventana. No era un lugar acogedor, pero estaba razonablemente limpio y ordenado.

—La casera vive en la puerta de al lado. Viene un par de veces a la semana a lavarme la ropa —me contó adivinándome el pensamiento.

Cerró los ojos como si se hubiera quedado chafado de golpe, sin una gota de energía, por el esfuerzo de hablar.

—¿Y cómo te las apañas para comer?

¿Por qué demonios se lo preguntaba? ¡Y a mí qué más me daba!

Tardó uno o dos segundos en abrir los ojos.

—Tomo comida para llevar y de vez en cuando Brenda, la casera, me trae platos cocinados cuando se lo pido. Pagándole, claro está.

Me lo quedé mirando.

—Scott, he estado pensando en lo que me dijiste.

Él me miró sin hablar. Sus ojos ya no eran de un vivo azul aciano y ahora se veían más pálidos y cansados, de un azul mortecino.

—Y tengo que hablar contigo.

Él esperó.

—No te va a gustar…

—Jo, te dije que no iba a ceder.

—Solo escúchame. Y no me llames así.

Abrió la boca para volver a interrumpirme, pero alcé la mano para impedírselo.

—Oye, yo te he escuchado a ti, escúchame ahora tú a mí.

Lanzó un suspiro, era como si el cuerpo se le hubiera desplomado de golpe en el sillón.

—Adelante, soy todo oídos —respondió cerrando los ojos de nuevo.

—Gracias —asentí algo sorprendida por la facilidad con la que había cedido—. Entiendo por qué te sientes así. Créeme, he estado deseando sacarme este peso de encima desde que ocurrió, pero no es tan sencillo. Podría ir a una comisaría y contárselo todo a la policía, estoy segura de que dormiría mejor si lo hiciera. Pero ¿qué sacaría con ello? No cambiaría el pasado, ni haría que la situación mejorara, solo empeoraría más las cosas.

—Para ti, tal vez. Pero ¿es que solo piensas en ti? ¡Mírate! —Se giró hacia mí abriendo los ojos—. Tu vida ha cambiado mucho desde que te presentaste en mi casa como una pobre infeliz.

—¿En *tu* casa?

—Ahora tienes un buen hogar, un buen coche, buena ropa. Seguro que tu marido también es una buena persona. La clase de tipo estable y proveedor —concluyó sacudiendo la cabeza con desdén.

—He tenido suerte, ya lo sabes. Te lo dije. Duncan es un buen hombre y ha sido un buen padre para Hannah.

—Ella es mi hija.

—¡Pues no quisiste saber nada! —Me levanté de golpe dando una violenta palmada en el brazo del sillón—. No me vengas con esas ahora. No te importa un bledo, ni siquiera me has preguntado por ella —añadí; estaban a punto de saltárseme las lágrimas, pero eran de frustración y de rabia—. No sabes nada de ella —le grité—. No sabes si está casada o soltera, si es feliz, a qué se dedica. Ni tampoco si en el colegio sufrió acoso, si tuvo la varicela, o paperas, o el sarampión, o…

Apoyando la cabeza en el respaldo, cerró los ojos de nuevo.

—Se casó en el 2008, su marido se llama Marcos Wilson, es fisioterapeuta, creo. Hannah es acupuntora y reflexóloga diplomada y trabajan juntos en un centro de medicina alternativa en las afueras de la ciudad. Su hijo pequeño —añadió abriendo los ojos y mirándome de manera desafiante—, mi nieto, nació poco antes de Navidad.

—¡Cómo diablos...! —Pero no acabé la frase. Si me había encontrado como si nada, supuse que también había estado buscando información sobre Hannah—. ¡Cabrón! —exclamé entre dientes hurgando en mi bolso para buscar un pañuelo—. ¡No es tu nieto! —protesté, pero no sabía si me había oído. ¡Cómo se atrevía a aparecer de pronto empeñado en arruinarnos la vida después de todo ese tiempo!—. ¡Qué descarado eres! —le espeté rabiosa con voz entrecortada—. ¿Es que a ella también la has estado siguiendo? ¿Haciéndole llamadas anónimas a las tantas?

Scott sacudió la cabeza lentamente.

—No. Y a ti tampoco te he llamado nunca en medio de la noche. Bueno, en Nochevieja te llamé tarde, pero sabía que estarías levantada. Oye, quería asegurarme de hablar contigo en persona, eso es todo. No quería seguirte al trabajo, o acercarme a ti sigilosamente en el parque.

—¡Vaya, qué generoso de tu parte! —Me acerqué a la ventana para mirar al exterior, alegrándome de darle la espalda—. No creas, no he «cambiado tanto» por más que digas. Tengo un buen marido, pero solo después de años de haber intentado salir adelante yo sola —volví a echarle en cara—. No te imaginas lo que sufrí. Yo fui la que la alimentaba y vestía con apenas nada, la que le curaba los cortes y los rasguños, la que estaba sentada a su lado toda la noche cuando gritaba de dolor por una infección en el oído. Tú no tienes ni idea de lo que es eso. Ser padre no es solo dar tu esperma y ya está. No puedes pasarte la vida tocando la guitarra bajo el sol y mirando las musarañas, y creer que puedes volver, de golpe y porrazo, y jugar a ser padre porque te sientes vacío o lo que sea, o porque yo tengo una familia y tú no, o porque estás celoso.

Me quedé sin aliento y cuando dejé de hablar se hizo un gran silencio.

Scott seguía con los ojos cerrados, ahora estaba con la cabeza inclinada y la barbilla casi pegada al pecho.

—Sé lo que es ser padre —replicó sin abrir los ojos—. Tenía una hija, me refiero a otra. Una familia —admitió sin mirarme. Esperé—. A Alice, mi pequeña, me la mataron.

La habitación estaba en silencio, pero oí el chirrido de un camión de la basura en la calle. Sé que me lo había quedado mirando con la boca abierta; la cerré y tragué saliva, intentando recuperarme del impacto.

—Lo siento mucho, no lo sabía.

Él lanzó un hondo suspiro.

—Solo tenía doce años cuando ocurrió y Kara, mi mujer, no pudo… no pudimos… Después del funeral seguimos juntos unos dieciocho meses, pero…

—¿Qué…? —empecé a preguntarle, pero no me atreví a seguir—. Lo siento —repetí.

—La atropelló un coche y el conductor se dio a la fuga.

Sacudí la cabeza y ahora yo también suspiré. Clavé la vista en mis uñas, luego miré por la ventana donde la luz anaranjada del camión de la basura parpadeaba mientras los basureros hacían su ronda a lo largo de la calle.

—Lo siento mucho, Scott. Debe de haber sido horrible para ti. Y para tu mujer. Pero… Pero aun así no está bien presentarte de sopetón para revolver nuestras vidas. Estoy segura de que al haber sido padre lo entenderás.

—Creo que Hannah debería saber la verdad, eso es todo. Y quiero que me conozca.

Se agachó para coger el termo, pero se detuvo a medio camino a aspirar una bocanada de aire. Tenía el rostro descompuesto y advertí que apretaba los dientes y que su pálida frente estaba cubierta de una capa de sudor. Exhaló y la cara se le relajó de golpe.

—Oye, Scott —saqué el sobre con el fajo de billetes del bolso y lo arrojé hacia él—. Aquí hay cuatro mil libras. Sé que no es demasiado dinero, pero te permitirá pagarte una ayuda extra —añadí señalándole vagamente la puerta de al lado—. Recurre a un profesional, a un cuidador cualificado. —Como ahora me prestaba atención, me empecé a entusiasmar con el tema—. Hasta puedo ayudarte a encontrarlo. Supongo que te hará la vida un poco, no sé, más cómoda.

Esperé a que me respondiera, pero no lo hizo, y entonces vi que había cerrado los ojos de nuevo.

Advertí que la mandíbula se le movía casi de manera imperceptible al aspirar una profunda bocanada de aire, pero siguió callado.

—¿Qué me dices?

Sacudió la cabeza lentamente.

—Vaya, qué lejos has llegado, ¿no te parece?

—¿Cómo?

—Si crees que cuatro de los grandes *no es demasiado.*

—Me refiero en cuanto a...

—¿Crees que intentar hacerme cerrar el pico va a cambiar las cosas? —me preguntó con una voz más enérgica—. ¡Ahora el dinero me importa un bledo!

—Entonces, ¿qué es lo que quieres? —le espeté poniéndome de pie de un brinco—. ¿Drogas? ¿Sexo? Dime lo que puedo hacer para...

—No sigas, joder —exclamó alzando la mano, con la palma hacia mí—. Y cálmate.

—¿Que me calme? ¡Cómo te atreves a decirme que me calme! ¿En serio ves las implicaciones de lo que me estás pidiendo?

—Claro que las veo. Por eso todavía no he ido a la policía. Quiero que le digas a tu hija lo que ocurrió, es mejor que lo oiga de tu boca. Y pienses lo que pienses, no lo hago para joderte la vida. Quiero que sepa la verdad y quiero verla, no pretendo meterme en tu idílica y encantadora vida, solo quiero ver por última vez a mi hija para que sepa quién soy. O quién era —añadió bajando los ojos.

19

Hastings, 1976

Aunque solo llevara viviendo con Scott y Eva cinco semanas, le parecía mucho más. Era como si los conociera desde hacía siglos. Se encontraba a gusto en la casa y de vez en cuando se descubría riendo, ajena a la muerte de su madre, a haber contemplado el ataúd descendiendo a la tumba. Y entonces se sentía avergonzada.

Scott tenía razón, había muchos trabajos en los que te pagaban en efectivo y al cabo de una semana consiguió hacer turnos regulares en un pub del centro de la ciudad. No era tan bonito como los pubes pequeños y pintorescos de la parte antigua, pero ganaba un sueldo razonable y las comidas estaban incluidas, de modo que además de colaborar con los gastos de la casa todavía le quedó dinero para comprar algunos objetos para su habitación. Eva le había dado la lata para que fuera a ayudarla en un mercadillo benéfico el sábado porque a los voluntarios siempre les dejaban ser los primeros en elegir. Había comprado una mecedora por cincuenta peniques y una lámpara roja de lava por veinte. El pie estaba desportillado, pero la lámpara funcionaba perfectamente y quedaba de maravilla en una esquina de la habitación. Scott y Eva habían sido muy buenos con ella, dándole cosas, escuchándole hablar hasta la saciedad de su madre y en las pocas noches que no trabajaba en el pub, incluso habían cocinado para ella. Hoy estaba decidida a hacer algo por ellos. No había cocinado demasiado en el pasado, pero el estofado de queso de la abuela Pawley le salía muy bueno. Fue la primera comida sustanciosa que su madre le enseñó a preparar. La receta, creada por la abuela Pawley, consistía en varias capas de patata, cebolla y tomate en rodajas con queso rallado, y a veces le echaban un poco de beicon encima como algo especial. El truco estaba en cortar las patatas en láminas muy finas para que se cocieran enseguida y en sazonar cada capa. Y luego se dejaba cocer un par de horas para que las patatas y las cebollas se ablandaran con el queso fundido. El toque salado y sabroso del queso contrastaba a la perfección con el dulzor del tomate. Aunque era un plato indicado para las noches frías de invierno, y hoy hacía un día soleado y caluroso, lo cual no era habitual en la segunda semana de mayo, se dijo que no importaría.

El estofado empezó a hervir a fuego lento al cabo de poco en la cocina y la casa se impregnó del rico y sabroso aroma a guiso. Tras limpiar la cocina y poner la mesa, fue a leer a la habitación de pensar. Cuando estaba a punto de echarle una ojeada a la comida, oyó la puerta que daba a las escaleras del sótano abrirse y cerrarse.

—Hola —dijo Eva subiendo las escaleras—. ¿Hay alguien en casa?

—Sí —gritó Jo—. Ahora mismo voy.

Jo bajó a la cocina sonriendo, esperando que Eva le hiciera un comentario sobre el delicioso aroma que flotaba en la casa. Pero se la encontró plantada en medio de la estancia con el ceño fruncido.

—¿Es eso…? —preguntó arrugando la nariz y luego hizo una pausa para olfatear el aire de nuevo—. ¿Es eso beicon?

Jo se detuvo de golpe impactada al darse cuenta de su error. ¡Eran vegetarianos! Desde luego que lo eran. De repente le desfilaron ante los ojos todas las comidas que habían compartido, como si le estuvieran susurrando al oído cada conversación que habían mantenido sobre la comida. Nunca contenía ningún tipo de carne, ni la habían mencionado una sola vez. ¡Qué evidente era ahora que pensaba en ello! Tardó un momento en recuperar el habla.

—Quería prepararos una cena especial para agradeceros todo lo que habéis hecho por mí. Pero… pero no me he dado cuenta… no se me ha ocurrido…

Scott apareció en la entrada.

—¡Qué olor tan rico a comida!

Jo se mordió el labio inferior al notar que le estaba temblando.

—Sois vegetarianos, ¿verdad? Lo siento. Qué estúpida he sido. Ni siquiera hacía falta añadirle beicon, pero es que mi abuela se lo agregaba cuando era una ocasión especial.

Eva sonrió.

—¡Eres un encanto!

Jo se animó de golpe.

—Solo he puesto beicon en la capa de arriba, lo podéis sacar si queréis…

Pero Eva sacudió la cabeza.

—Lo siento, Jo. Notaría el sabor de la carne impregnado en las verduras. Aunque gracias por el detalle. Y no te preocupes por nosotros, comeremos una tortilla o algo parecido. —Se acercó a la pileta y echó dentro las hojas verdes que llevaba en una bolsa de plástico—. Mira lo que he recogido, ortigas y ajos silvestres. Podemos preparar una ensalada deliciosa con estas verduras —le sugirió abriendo el grifo de la cocina para lavarlas, y luego se puso a mirar en los armarios de la cocina para buscar algo que comer—. ¿Qué te apetece, Scott?

Scott le sonrió tristemente a Jo al cruzar la cocina para echar un vistazo en los armarios.

—¡Qué pena! Porque huele de maravilla —le susurró él al pasar por detrás suyo tan cerca del oído que Jo notó su aliento.

Ella se dio la vuelta para mirarle, pero Scott ya se había puesto a hablar con Eva.

A finales de mayo la temperatura había subido a veintiséis grados y a principios de junio hacía demasiado bochorno como para dormir en pijama. La noche anterior había sido sofocante y aunque Jo había apartado las mantas, el ambiente era demasiado caluroso y pegajoso como para dormir. Se levantó medio a rastras de la cama y agarró la blusa campesina blanca con mangas abullonadas y escote cuadrado y la falda naranja de cíngara que Eva le había dado. ¿Cómo se las habría apañado si Eva no hubiera engordado? Porque solo se había traído ropa de invierno. Apartó la tela roja a modo de cortina. ¡Vaya!, la ventana estaba cerrada, por eso la habitación parecía un horno. Los rayos de sol atravesaban el cristal pegándole de lleno en los brazos desnudos, esparciendo por la estancia un penetrante aroma a galleta al calentar el suelo de madera. Abrió la ventana de guillotina lo máximo posible y se asomó al exterior. Abajo vio el jardín bañado por el sol. Las hortalizas del huerto estaban mustias y flácidas, pero el parque al otro lado del muro se veía exuberante y fresco por los aspersores que habían instalado la semana pasada. Si mirabas a la derecha, veías aquella extensión de césped verde esmeralda salpicada de hileras de parterres de flores perfectamente alineadas. Y si mirabas a la izquierda, más allá del parque y de los tejados, veías el mar, con el ardiente sol reflejado en el agua. Notó los abrasadores rayos solares dándole en la cabeza, no corría ni una pizca de aire. En lo alto, el atrapasueños que Eva había hecho para ella colgaba totalmente inmóvil delante de la ventana, ni siquiera las plumas se movían. Dio un paso atrás para admirar las cuentas plateadas brillando. Había intentado hacer uno, pero no le había salido demasiado bien.

—¡Jo! —la llamó Eva desde el piso de abajo—. ¿Estás levantada? Afuera hace un día precioso. Vayamos a la playa.

—Yo... no tengo bañador.

—No te preocupes —dijo Eva subiendo las escaleras—. Te puedes quedar el mío, a mí me va pequeño de todos modos.

—¡Oh, vale! Gracias —repuso ella despacio como si vacilara.

Normalmente cuando alguien te preguntaba si querías ir a la playa, se refería a ir a mojarte los pies o a chapotear en el agua un rato. De modo que se dijo que no hacía falta que le confesara nada a su amiga.

El viejo bañador de Eva era de un material verdemar ligeramente brillante y al tener a cada lado cinco aros de metal parecía estar sujeto solo por cadenas. Le iba un poco grande de pecho, pero le quedaba bien después de todo. Aunque no tanto como a Eva, quien tenía un poco de barriga, pero era tan curvilínea que le sentaba de maravilla. Cuando acabaron de extender las toallas sobre los guijarros, oyeron los crujidos de los pasos de Scott caminando por la playa hacia ellas. Llevaba unos tejanos cortos con los bordes deshilachados y una toalla arrollada bajo el brazo.

—No sabía que Scott iba a venir… —señaló Jo, pero Eva ya se había lanzado al agua.

Scott puso su toalla al lado de las suyas y, llevándose las manos a la nuca, se sacó la camiseta y la dejó extendida sobre la toalla. Ella, sintiéndose incómoda por llevar puesto el bañador de Eva, se sentó al lado de él. Se llevó las rodillas al pecho y las rodeó con sus brazos mientras miraba a Eva agitándole la mano desde el agua.

Scott la miró. Jo percibió por un instante el atractivo olor masculino de su cuerpo. Estaban tan cerca que sintió el calor emanando de su piel.

—¿No vas a nadar?

Ella se encogió de hombros.

—Iré en un minuto.

—Creo que deberías ir, porque si te quedas sentada por más tiempo con este bañador —le advirtió clavando sus ojos en los de ella mientras deslizaba un dedo por un aro de metal—, acabarás con cinco quemaduras en forma de aro.

Se sonrojó. Scott seguía tocándole con el dedo la piel y ahora notó los aros de metal calentándose de verdad.

—¡Venga, Jo! —gritó Eva desde el agua.

Ya le llegaba hasta los muslos y estaba dando saltos y chillando de frío.

—Ve —dijo Scott y apartándose de ella se tumbó boca arriba—. Vigilaré vuestras cosas.

Jo avanzó cojeando por la playa, con los calientes guijarros quemándole las plantas de los pies y el sol del mediodía friéndole la piel, que ya tenía enrojecida por haber pasado mucho tiempo en el huerto. Se metió con cautela en el agua hasta que le cubrió los tobillos. Al principio estaba tibia, pero al dar un paso más se puso a temblar por la cortante sensación del agua helada en las pantorrillas. Cuando le llegó a la mitad de los muslos, se puso de puntillas para no salpicarse el resto del cuerpo con las olas lamiéndole la piel. Era una sensación extraña: tenía las piernas rojas de frío y en cambio las gotas de agua en sus hombros chisporroteaban mientras el sol abrasador le quemaba la piel.

—¡Venga, Jo! ¡Métete hasta la cintura! Mójatelo deprisa o si no nunca lo harás —gritó Eva sonriendo burlonamente mientras la salpicaba golpeando el agua con las palmas de las manos.

—¡Para ya! —gritó ella riendo, adentrándose en el mar mientras Eva seguía salpicándola y chillando.

—Mira, eso es lo que tienes que hacer —le mostró Eva.

Tapándose la nariz, metió los hombros y la cabeza bajo el agua. Volvió a salir de golpe, con los ojos abiertos de par en par, sacudiéndose entre jadeos las gotas plateadas de su lacio cabello.

—¡Ooh, mierda! Está helada —exclamó buceando como una sirena y reapareciendo dos metros más lejos—. ¡Eh, Joanna Casey! —gritó sonriendo burlonamente mientras le plantificaba las manos heladas en los hombros enrojecidos—. ¿Te vas a mojar el pelo o qué? —gritó hundiéndola por los hombros bajo el agua.

El peso de las manos de Eva le hizo perder el equilibrio. Por un instante el suelo desapareció bajo sus pies, y al no volver a enderezarse con firmeza, sintió una oleada de pánico subiéndole del vientre al pecho. Movió desesperadamente los brazos ante ella, pero no encontró nada sólido a lo que agarrarse y se hundió todavía más. Engullida por el agua helada, oyó los gritos y chillidos de los bañistas resonar a lo lejos. Agitó con frenesí los pies, intentando encontrar las cortantes piedras que había en aquella parte, pero sus desesperadas patadas le hicieron dar la vuelta, quedando cabeza abajo. Notó la quemazón del agua salada entrándole por la nariz y, dando con los hombros en el fondo, se aferró a él con los dedos. De pronto sintió unas manos agarrándola de las axilas para sacarla del agua.

—No pasa nada. ¡Jo!, no pasa nada. Estás bien.

Eva la sujetó para que no volviera a hundirse, pero ella siguió pataleando fuera de sí, creía que su amiga la estaba intentando salvar con una técnica de socorrismo. Hasta que se dio cuenta de que a Eva le llegaba el agua a la cintura.

Cuando volvió a tocar el suelo con los pies, recuperó el equilibrio. Estaba jadeando, el corazón le martilleaba y tenía la nariz y la garganta irritadas por la sal.

—Lo siento. No quería hacerte caer —se disculpó Eva agarrándola todavía por el brazo, mirándola con cara de susto y curiosidad.

—Debí decírtelo. No sé nadar —le confesó jadeando.

—¿No sabes nadar? ¡Oh, Jo! ¿Por qué no me lo dijiste?

Se echó a toser, haciendo una mueca de dolor.

—Quiero salir del agua.

Eva, tras cogerla de la mano, la llevó hasta la orilla.

Scott estaba sentado mirándolas, con los brazos alrededor de sus rodillas flexionadas. Jo evitó su mirada al acercarse a él, pues no sabía dónde meterse. Seguro que lo había visto todo.

—¿Todo va bien? —dijo él simplemente.

Al responderle Eva que sí, Scott volvió a tumbarse cerrando los ojos.

—¿Por qué no sabes nadar? Creía que habías crecido a un tiro de piedra del mar —le preguntó Eva mientras se secaban.

—Y así es. Pero nunca aprendí. Mi madre tampoco sabía nadar. Y mi padre siempre me decía que me enseñaría, pero nunca lo hizo.

Eva extendió la toalla sobre los guijarros y se tumbó bajo el sol para acabar de secarse.

—¿Y qué me dices del colegio? Allí aprendí a nadar. Formaba parte del equipo de natación.

Jo le contó lo de la señorita Watkins, la sádica profesora de educación física que señaló con el dedo a las tres chicas de la clase que no sabían nadar. Las obligó a ponerse en hilera en el borde de la piscina, en la parte más honda. Se quedaron allí temblando de miedo, con los dedos gordos de los pies doblados, intentando agarrarse a las baldosas partidas.

—Caminó arriba y abajo a nuestra espalda varias veces. Y luego nos fue echando de un empujón al agua, una por una, diciendo: «Nadad o hundiros, chicas, nadad o hundiros». Yo me hundí.

—¡Qué cabrona! —exclamó Scott sin abrir los ojos ni cambiar de postura.

—Qué horrible. Qué mujer más horrible y cruel. Muchos profesores son unos abusones —dijo Eva acodándose en la toalla—. ¡Tengo una idea! Te enseñaré a nadar.

—No estoy segura de si…

—No te pasará nada. No te soltaré hasta que estés preparada, te lo prometo —insistió.

A la semana siguiente, en sus días libres o antes de empezar el turno en el pub, Jo se dedicó a ir con Eva a la bahía de Covehurst, una playa tranquila de la costa que se encontraba un poco más lejos, y aprendió a nadar. Al principio disfrutaba simplemente de las olas alzándola en el mar, despegándola casi del suelo antes de volver a soltarla suavemente. Y por fin, un día, después de creer que nunca le cogería el truco, descubrió que movía como si nada los brazos y las piernas en el agua sin que Eva la sujetara. ¡Estaba nadando!

Sin saber si era de alegría o de ver que nunca se lo podría decir a su madre, estalló en sollozos sin darle tiempo a contenerse. Eva la abrazó y la sostuvo mientras lloraba. Y al oler el cálido aroma salado de su piel y su cabello supo, en un instante de pura claridad, que era la persona más importante de su vida.

20

Durante la tercera semana de junio en algunos lugares llegaron a los treinta grados. Jo nunca había pasado tanto calor en su vida. Faltaban un par de semanas para la feria de verano y Eva había estado ocupada haciendo bisutería y bolsas sin parar. Scott había hecho a mano varios portarretratos y cajas pequeñas de madera, decorándolas con conchas menudas y cuentas de cristales redondeados por el mar. Y ella había estado trenzando tiras de cuero para las pulseras y las gargantillas. En la casa todos estaban trabajando lo suyo.

Se ofreció para hacer velas, pero ahora se estaba empezando a arrepentir, porque suponía tener encendidos los quemadores eléctricos mucho tiempo. En la cocina hacía un calor insoportable. Sacó las dos ollas viejas que Eva reservaba para ello. Llenó la más grande de agua y la más pequeña de perlas blancas de parafina y las puso en los fogones. Añadió un disco de cera de abeja que parecía el jabón naranja de Wright's. Por lo visto hacía que las velas duraran más. Mientras la cera se derretía, preparó los moldes como Eva le había enseñado. Eran vasos de poliestireno, pero le había dicho que también podía usar cualquier otro utensilio mientras estuviera limpio y fuera impermeable. Lo había descubierto un par de años atrás, durante los tres días a la semana en los que había apagones. «Antes las vendíamos en las tiendas del barrio. Tanto daba el tamaño o la forma que tuvieran, siempre nos las acababan comprando. Se vendían como rosquillas. ¡Casi me dan ganas de que vuelvan los cortes de luz!», le había dicho Eva.

Introdujo un trozo de mecha por el agujero del fondo de cada vaso, colocó un palillo atravesado sobre el borde y ató la mecha alrededor de este para que al echar la cera se mantuviera en su sitio. A continuación alineó los vasos y le agregó un poco de colorante a la cera derretida: una pizca de rojo y un toque de azul. Esperaba haber combinado la cantidad justa para que fueran lilas. También las iba a aromatizar con aceite de lavanda, y además quería que fueran originales, por lo visto las velas aromatizadas se vendían a treinta y cinco peniques la unidad.

El aceite de lavanda lo guardaban en una cómoda de madera en miniatura que había en el dormitorio de Eva y Scott. Jo apagó el fuego y subió a buscarlo. La habitación se encontraba al lado de la suya y, aunque había pasado por delante de la puerta abierta muchas veces, nunca había llegado a entrar. Se asomó tímidamente para comprobar que estuviera vacía, a pesar de saber que Eva y Scott se habían ido hacía horas. El ambiente de la habitación era silencioso y cálido. Olía a pachulí, a la madera del suelo calentada por el sol, y a tabaco. También había otro olor conocido, pero no logró identificarlo. Era un aroma penetrante y especiado que le recordó a la Navidad. ¡Clavo!, ya lo tenía, era aceite de clavo. De repente se acordó de que a Scott le dolía una muela y que Eva le había aplicado aceite de clavo con un bastoncillo de algodón. Ella no creía en los dentistas.

Las dos ventanas que daban al jardín estaban cubiertas con una tela roja con bordados dorados como la que Eva le había dado la primera noche. Al estar iluminadas por el sol creaban el efecto de bañarlo todo de un cálido resplandor rojizo. Sus ojos se posaron en la cama de ellos dos. Se parecía a la suya: un colchón colocado sobre varios palés de madera, aunque de matrimonio, y en lugar de estar cubierta por un edredón extendido pulcramente como en la suya, había un revoltijo de sábanas naranja y mantas azules. En el suelo vio unas cuantas almohadas desperdigadas, como si hubieran hecho una lucha con ellas. La guitarra de Scott estaba apoyada en la pared, al lado de una botella de sidra vacía y un tarro de cristal lleno de peniques y de medios peniques. La cómoda en miniatura descansaba encima de una cómoda alta. Al pasar por delante de la cama para ir a buscar el aceite, olió un ligero tufillo a cuerpos desnudos. Junto a las almohadas del suelo vio los restos de un par de barritas de incienso y un cepillo con algunos mechones del pelo grueso y negro de Eva. Cogió un par de almohadas del suelo y las dejó sobre la cama. ¿Cómo sería dormir con un chico cada noche? Apartó con vacilación las sábanas y se tumbó en la cama, hecha un ovillo. Intentó imaginarse cómo se sentiría si viera la cara de Scott a su lado al despertarse. Colocándose boca abajo, pegó la nariz a las almohadas. Olían a patchulí, pero también a pelo caliente y sal marina en la parte de abajo. De pronto le vino a la cabeza la imagen de Eva. Se sentó en la cama. La habitación olía a intimidad.

Encontró el aceite de lavanda, pero en lugar de volver a la cocina para seguir haciendo velas, siguió en la habitación. Ese espacio le fascinaba, le hacía sentirse más cerca de Eva y de Scott, como si en este lugar la esencia de ambos estuviera más a la vista. Una de las bolsas de tela de Eva colgaba del pomo de un cajón y no pudo resistirse. La descolgó, desabrochó el botón alargado de madera y levantó la tapa, percibiendo de nuevo el olor a patchulí. Dentro había una caja de aspirinas, una pluma estilográfica que como perdía tinta había dejado una mancha violeta en el forro marrón, un par de tampones Lil-Lets y una chapa de *Blue Peter.* En el bolsillo interior encontró un sobre. Lo abrió. ¿Desde cuándo se había vuelto tan fisgona? Contenía la tarjeta con el número de la Seguridad Social, varias fotos y... ¡el carné de conducir! Nunca le había dicho que lo tuviera. Eva era su amiga, su *mejor* amiga, pero había un montón de cosas que no sabía de ella. Miró las fotos y, cuando vio las que se había sacado en una cabina con otras dos chicas en uniforme escolar poniendo cara de bobas, sintió un ramalazo de celos. Había una foto en color de un gato atigrado hecho un ovillo sobre un cojín, y otra de una pareja con una niña pequeña. Se veía a la legua que era Eva de pequeña, esos ojazos con una doble capa de pestañas eran inconfundibles. La mujer, sin duda su madre, se encontraba en un avanzado estado de gestación. Llevaba una bata corta oscura de premamá con un gran lazo blanco en el cuello. Por lo visto, Eva tenía un hermano o una hermana pequeño. Pero ¿dónde?, se preguntó. Eva era una de esas personas que te animaba a hablar de ti pero que pocas veces te contaba su vida. Se dijo que debía preguntarle sobre su familia. Se acordó del día en que se conocieron en Londres, hacía poco más de tres meses.

Aunque pareciera que hiciese mucho más tiempo que se conocían, sabía tan pocas cosas de su pasado que a veces se sentía como si acabaran de conocerse. Aquel día en Londres, Eva quiso hablarle de sus padres fallecidos, pero no lo hizo porque ella estaba deprimida por lo de su madre. Ahora decidió preguntárselo un día. Seguramente le haría volver a pensar en su propia madre, pero qué más daba. Miró la foto de nuevo. La madre de Eva estaba sonriéndole a su hija, con una mano posada en su hombro. El padre era alto y casi calvo, aunque con un bigote espeso y negro. Él también sonreía mirando a su mujer. La única que miraba a la cámara era Eva. A Jo se le hizo de pronto un nudo en la garganta al recordar una foto parecida de ella con sus padres, y cómo su madre la había roto por la mitad después de que su padre se largara.

Cerró los ojos para recordar el rostro de su madre, pero no pudo verlo con claridad. Era como un rompecabezas incompleto. A veces veía sus ojos oliváceos, y otras de un color más brillante y claro, como esmeraldas, o veía su boca, o su nariz, o la marca de nacimiento morada que se cubría con maquillaje antes de que todo le diera lo mismo. Pero nunca la totalidad de su cara. Todo el mundo debería poder recordar a su madre, ¿no?

Guardó las fotos, salvo la de Eva con sus padres, que se metió en el bolsillo de la falda. Siguió mirando el interior del sobre, a pesar de saber que no debía. El certificado de nacimiento que sacó estaba doblado en tres, lo desplegó. «*Genevieve Christiana Leviston*», leyó en voz alta. Qué nombres más bonitos, eran mucho más interesantes que los suyos: Joanna Margaret, Margaret por su tía, que había muerto poco antes de nacer ella. ¿Qué les habría sucedido a Douglas y Audrey Leviston, los padres de Eva? El pasado de las dos se parecía tanto que podían haber sido hermanas. Volvió a meter el sobre en la bolsa de tela y la dejó donde la había encontrado.

Echaría una rápida ojeada a la ropa de Eva y volvería a la cocina. Alzó la sábana a modo de cortina que colgaba de una barra en un hueco de la pared. La barra de metal estaba combada por el peso de vestidos largos con estampados florales, faldas y blusas de estopilla, blusas de campesina bordadas, chaquetas de terciopelo y cárdigans de lana gruesa a media pierna. Había la clase de ropa que ahora ella se estaba empezando a poner, prendas que se le habían quedado pequeñas a Eva y ropa que Safiro se había dejado. De pronto su propia ropa —la falda corta de ante, los pantalones blancos, el chaleco cerrado azul y el conjunto de punto que había comprado en C&A—, le pareció ahora demasiado clásica y ñoña, demasiado *decente.*

Vaya, qué ambiente más caliente se respiraba en la habitación. Sostuvo en alto un vestido crema de algodón cubierto de rosas de color rosa. Era muy escotado y estaba fruncido sobre el pecho. Eva lo llevaba sin sostén y se le transparentaban los pezones. Estaba despampanante con él. Sin pensárselo dos veces, se sacó la blusa y la falda, disfrutando del airecillo en su piel, y se puso el atrevido vestido de algodón. Se bajó la parte de arriba con elástico para sacarse el sujetador, por si acaso. Como allí solo había un espejo de medio cuerpo, decidió ir a una de las habitaciones vacías donde había uno de cuerpo entero apoyado en la pared. Pero en cuanto salió al descansillo, oyó ruidos en la planta baja. Se quedó paralizada.

—¿Hay alguien en casa? —gritó Scott.

Sintió una oleada de pánico subiéndole por el cuerpo mientras intentaba calcular si le daría tiempo a salir disparada hacia su habitación antes de responder.

—¿Hola? —gritó de nuevo.

Como su habitación estaba al lado, se dijo que quizá Scott no notaría la diferencia. Decidió correr el riesgo.

—Hola. Ahora mismo bajo —repuso.

Cogió la falda y la blusa del suelo y cuando estaba a punto de ir de puntillas a su habitación, le oyó horrorizada subir corriendo las escaleras. Solo le dio tiempo a dar unos pasos antes de toparse con él en la puerta. Él se detuvo, esbozó una vaga sonrisa y, de pronto, pareció detectar lo que estaba viendo.

—Yo… —balbuceó Jo, pero no supo qué otra cosa decir.

—Este vestido —dijo Scott mirándola con curiosidad, como si no estuviera seguro de quién era ella. Jo creyó que se enojaría—. Es de Eva, ¿verdad?

Jo asintió con la cabeza.

—Lo siento, he ido a buscar el aceite de lavanda, pero hacía tanto calor y...

Y de pronto Scott pegó su boca a la suya y ella percibió su olor a cigarrillos y a aceite de clavo, y el sabor de café de su lengua, que se movía por toda su cavidad haciéndola derretir por dentro. Pero al deslizar él su mano por el interior del vestido y tocarle los pechos desnudos, ella le apartó. Scott retiró inmediatamente la mano.

—Lo siento —masculló él.

Pasando por su lado, agarró la guitarra y, tras bajar corriendo las escaleras, salió al jardín. Ella se quedó plantada en la puerta un momento, sintiendo una ligera decepción apenas perceptible.

21

Había llegado el día de la feria de verano. En las noticias de la radio dijeron que en los últimos días se habían registrado unas temperaturas altísimas. Hacía mucho más calor de lo habitual en esta época del año y todavía haría más, según los pronósticos del tiempo para los días siguientes: se avecinaba una ola de calor de campeonato. Jo, despertándose temprano, se había llevado las tostadas arriba, a la habitación de pensar, pero el sol matutino y el mar centelleante le habían parecido tan atractivos que decidió dar un paseo por la playa. Se había puesto un vestido blanco suelto sin espalda ni mangas —otro de los que Eva le había dado— y le encantó sentir la suave brisa en su cuello y sus hombros desnudos, pero a las nueve empezó a notar el sol abrasándole la piel y cuando regresó a casa tenía los hombros enrojecidos.

—¡Oh, ya has vuelto! —le dijo Scott sin apenas mirarla al entrar ella a la cocina.

Desde que la había pillado con el vestido de Eva, se palpaba una cierta tensión entre ambos, pero ninguno había vuelto a hablar del tema. Ella había intentado sacarlo a relucir a la mañana siguiente. Scott estaba en el salón, afinando la guitarra, y cuando entró, él la saludó con la cabeza alzando la vista y siguió con lo suyo como si nada. Jo le dio los buenos días, se sentó en el sofá y lo estuvo observando un rato, diciéndose que ojalá hubiera pensado en qué le iba a decir antes de entrar. Pero no podía despegar los ojos de las manos de Scott. Se quedó mirando esos dedos pálidos y finos girando las llaves de la guitarra para tensar las cuerdas, el ligero vello negro que le crecía por encima de los nudillos. ¿Cómo sería sentir esos dedos deslizándose por su cuerpo? Se levantó, pero no hizo el ademán de dirigirse a la puerta. Entonces él alzó la cabeza y por un instante sintió sus ojos posados en ella. Y luego siguió afinando la guitarra.

—¿Es que no tienes nada que hacer?

—Sí. Lo siento. Estaba… —balbuceó ella mirando en vano a su alrededor para encontrar algo que agarrar, y de pronto cambió de opinión—. Me preguntaba si querías un té o alguna otra cosa. Yo me voy a hacer uno.

—No —repuso él sin despegar los ojos de la guitarra—. No, gracias.

Y ella salió de la habitación sin más y desde entonces no habían intentado hablar de ello. Era evidente que él se quería olvidar del tema, pero ella deseó que Scott no la hubiera hecho sentir como si fuera culpa suya. Después de todo había sido él quien la había besado, ella no había hecho nada para provocarle. *Un beso inesperado.* La frase le vino de golpe a la cabeza y recordó a Eva leyéndole las hojas de té la primera noche que se había quedado en la casa. Pero ¿no le había dicho que se refería al pasado y no al futuro? ¡Oh, qué más daba! De todas formas no eran más que supercherías.

Quedaban todavía bastantes cajas apiladas sobre la mesa. Las habían llenado el día anterior con todos los objetos artesanales para el tenderete: collares y pendientes de conchas, pulseras de cuero, bolsas de tela y de fieltro hechas a mano, portarretratos decorados y, cómo no, velas. Scott estaba metiendo algunas cajas en el carrito de la compra de cuadros escoceses de color verde, como el que la abuela Pawley usaba cuando iba a ver al carnicero cada viernes por la mañana para recoger el pedido semanal: chuletas para tomarlas asadas aquella misma noche, falda de buey para el pastel de carne del sábado, una pierna de cerdo para cocinar al horno el domingo y para tomar con encurtidos fríos el lunes, salchichas con puré de patatas y judías en salsa de tomate para el martes, pecho de buey para el estofado del miércoles, y carne picada con salsa y patatas hervidas para el jueves. ¡Cuánta carne! Desde aquel día horrible del estofado en que se había dado cuenta de que Eva y Scott eran vegetarianos, había procurado no comer carne, pero ahora de pronto se moría de ganas por comer las costillas de cordero jugosas y tiernas que cocinaba la abuela Pawley con puré de patatas crujiente y salsa a la menta. O su sustanciosa y sabrosa empanada de Cornualles picante. O incluso la carne picada con salsa, que detestaba de niña. Trató de pensar en otra cosa que no fuera comida. La noche pasada Eva había preparado una pila de sándwiches para el almuerzo, pero eran de queso y encurtidos, o de huevo duro con mayonesa. Quizás en un momento del día podría ir a comprar a hurtadillas un bocadillo de jamón dulce.

Scott acabó de llenar el carrito de la compra.

—Ya está, yo ya he cumplido con mi parte.

Enderezándose, agarró otro carrito a su espalda y lo dejó junto a la mesa, y luego hizo lo mismo con otro. Uno era rojo, también de cuadros escoceses, y el otro, que sin duda había conocido tiempos mejores, de plástico maleable de color canela.

—Coge tu carrito —le recordó como si esperara que Jo le dijera algo—. ¿Qué pasa?

—Nada. Solo es que están un poco…

Scott sacudió la cabeza.

—¡Cómo crees que vamos a llevarlo todo a la feria! —replicó dándole la espalda.

¿Por qué Scott se mostraba tan irritado con ella últimamente? Quizá creía que no estaba haciendo su parte. Eva había estado trabajando a destajo para preparar lo de la feria, pero ella no tenía la culpa, ¿no?

—¿Quieres que te eche una mano? —inquirió Jo arrimándose a la mesa.

—Como todo esto tiene que caber en alguna parte, quizás es mejor que lo saques y lo metas en cajas más pequeñas. En el armario hay algunas más —le sugirió él señalándole con la cabeza el armario empotrado—. ¿Este vestido… es uno de…? —preguntó de pronto mirándola.

—Eva me lo dio. Me dijo que ya no entraba en él.

Scott se quedó mirándola hasta que empezó a sentirse incómoda. ¿Qué había mal ahora? Ella no le había *pedido* el vestido, era Eva quien se lo había querido dar.

—¡Genial, te queda muy bien! —exclamó él asintiendo con la cabeza—. ¿Dónde se habrá metido? —murmuró retomando lo que estaba haciendo.

Entonces se sonrojó. Era la primera vez que Scott le decía algo agradable desde hacía mucho.

—¿Eva? —gritó Scott desde la puerta de la cocina—. ¿Eva? —volvió a gritar al pie de las escaleras—. Evita, baja de una vez. Tenemos que irnos.

Jo empezó a meter las cosas en el carrito mientras Scott subía a la planta de arriba para ver por qué Eva tardaba tanto.

—No se encuentra bien —le contó al volver a la cocina—. Tendremos que apañárnoslas sin ella.

—¿Qué le pasa?

—Vuelve a tener el estómago revuelto —le explicó poniéndose la mano en la barriga—. Me ha dicho que en cuanto desayune ya se encontrará mejor, pero se lo tiene que tomar con calma. —Tiró del último carrito y se puso a llenarlo—. Tendremos que empezar con lo justo y más tarde Eva nos llevará el resto del material.

¿Habría sido tan comprensivo si hubiera sido ella la que se encontrase mal?

Los carritos pesaban una barbaridad y aunque Jo se las ingenió para bajar el suyo por las escaleras, arrastrarlo por la planta baja y sacarlo por la puerta de atrás, le costó mucho subirlo por las escaleras de piedra. Acalorada, acabó con la frente y las axilas cubiertas de sudor. Cuando por fin alcanzó a Scott, esperó que él no oliera el ligero tufillo que despedía. Avanzó por el paseo tirando del carrito, agradeciendo la brisa caliente que le daba en la cara a ráfagas intermitentes. Mientras caminaba contempló el mar, era de color azul oscuro para variar, y brillaba y centelleaba bajo el vivo y sorprendente azul del cielo. Estaba totalmente raso. Parecía el paisaje de una postal.

Cuando llegaron a su tenderete, los otros feriantes ya estaban desplegando las mesas de caballete en el césped que se extendía entre el paseo marítimo y la playa. Había muchos puestos con todo tipo de artículos: ropa, libros de segunda mano, discos, juguetes de madera, carillones, collares de semillas, cerámica, jamones, encurtidos, pasteles e incluso plantas. Scott sacó una sábana blanca de algodón de su carrito y, tras sacudirla, la colocó sobre la mesa. Jo empezó a sacar los objetos de las cajas y a disponerlos de un modo artístico, pero era evidente que no lo estaba haciendo bien porque él no dejaba de cambiárselos de lugar. Tras llenar por completo la mesa, él metió las cajas medio vacías debajo para ir reponiendo el género cuando fuera necesario, y ella se plantó delante del tenderete para ver cómo había quedado. Tenía que admitir que Scott era un experto en conseguir que todo tuviera un aspecto más atractivo.

—Cuando empecemos a vender, no renueves el género enseguida —le indicó él—. Si la mesa se ve demasiado llena y ordenada, creerán que no estamos vendiendo nada y concluirán que los precios son demasiado elevados.

—De acuerdo.

Jo apenas le prestó atención. Notó el sol dándole de lleno en la cabeza mientras observaba a la mujer del puesto de enfrente llenándola de girasoles artificiales enormes. No podía distinguir si estaban hechos de papel o de tela, pero eran espectaculares. A Eva le encantarían.

—¿Quieres un bocadillo de beicon?

—¿De beicon? Creía…

Scott se llevó el dedo a los labios.

—No se lo digas a Eva, la defraudaría. Intento ser vegetariano, pero de vez en cuando hago una excepción. Tú sí comes carne, ¿verdad? Habitualmente.

—Qué curioso, no la había echado de menos hasta hoy. Esta mañana me moría por un sándwich de jamón. Uno de esos de rebanadas finas de pan blanco untadas con mantequilla salada, con taquitos de jamón y mostaza Coleman.

—¡Qué rico!, pero creo que solo tienen…

Jo sacudió la cabeza.

—No, si no quería uno de jamón, por favor, me *encantaría* un sándwich de beicon. Y no te preocupes, no diré una palabra.

Jo estaba absurdamente encantada por la naturaleza conspirativa de este intercambio. ¡Un sándwich prohibido con Scott! Se sintió como si pudieran volver a ser amigos por fin.

Sonriendo, él le entregó su cajita de latón de tabaco llena de monedas.

—Aquí hay una libra en calderilla y una lista con todos los precios. Si me he olvidado de alguno usa el sentido común.

Salió de detrás de la mesa y se fue a comprar los sándwiches. Jo lo contempló mientras se alejaba, tenía la camiseta pegada a la espalda por el sudor y se le marcaban los omoplatos. Llevaba el pelo recogido con un cordón de bota y al caminar la coleta se le bamboleaba.

—Perdona, ¿cuánto cuestan las pulseras de conchas? —le preguntó de pronto una mujer.

Jo abrió la lata de tabaco y consultó la lista.

—¡Ah!, aquí está, las barnizadas cuestan veinte peniques, y las pintadas venticinco.

Cogió el dinero que le dio la mujer y cuando lo estaba guardando en la caja, llegó otra y le preguntó por las velas y los joyeros. Al volver Scott con los sándwiches de beicon envueltos en servilletas, ella ya había vendido mercancías por valor de casi dos libras y estaba empezando a disfrutar de verdad. Eva llegó al mediodía con un aspecto pálido y cansado. Había traído más collares y pulseras de conchas y varios pendientes de cristal preciosos. Y también más velas, pero decidieron no exponerlas porque las de la mesa ya se estaban empezando a ablandar por el calor.

Se fueron turnando en vigilar el tenderete para poder dar una vuelta por la feria y ver lo que vendían. Jo se compró un polo de fresa de la camioneta de helados y estuvo un rato escuchando a un tipo con el torso desnudo y la piel tostada por el sol, con un colmillo de tiburón colgado del pecho, tocando el didgeridoo, un instrumento de viento de los aborígenes australianos. Luego se dirigió al lugar donde un grupo de hombres bailaban una danza tradicional inglesa saltando con los trajes de cascabeles mientras entrechocaban unos con otros los palos de madera. ¿Cómo podían brincar así con el calor que hacía? Pagó diez peniques por tres tiradas en el juego de los aros donde podías ganar de premio latas de gaseosa Tizer y botellines de Pepsi-Cola, pero no acertó una sola vez. Y, por último, vio un tenderete donde vendían abanicos de papel acordeón a doce peniques y medio, y compró uno para ella y otro para Eva.

Al regresar vio a Eva sentada en el césped con la cabeza agachada.

—Ha estado a punto de desmayarse —le contó Scott angustiado.

—Ya me encuentro bien. Es el calor. Solo necesito echarme un rato.

—¿Por qué no te vas a casa a descansar? —le sugirió Jo—. No te preocupes, nos las apañaremos, ¿verdad Scott? —añadió mirándole expectante, deseosa de demostrarle lo hábil que era y lo bien que se adaptaba a una crisis.

Eva, agotada, asintió con la cabeza.

—Creo que lo haré, si no os importa

Intentó levantarse, pero se tambaleó y tuvo que volver a sentarse. Tenía muy mala cara.

22

Scott acompañó a Eva a casa por si acaso se desmayaba por el camino. En cuanto se marcharon, Jo sacó la crema solar de su bolsa. No había querido usarla delante de Scott porque ponértela en la piel caliente por el sol era demasiado sensual. La botella de plástico estaba ardiendo y cuando se echó un poco de crema en la palma de la mano también la sintió muy caliente. Se desató las tiras del vestido sin espalda que llevaba para protegerse las partes expuestas al sol. Los hombros le escocían y en la piel ya se le empezaba a notar las marcas de las tiras.

Era la hora de comer y en el ambiente flotaba el aroma a bacalao frito y *chips* calientes con un toque de vinagre. Sacó un sándwich de huevo duro con mayonesa de su bolsa, se comió la mitad y arrojó el resto al césped que había a su espalda para las gaviotas. Los huevos duros calientes no eran demasiado apetitosos. Se acomodó en la silla de lona y contempló a la gente paseando por la feria. Un grupo de amigas algo más jóvenes que ella se apiñaron charlando animadamente alrededor de un tenderete lleno de pantalones tejanos cortos. Hacía siglos que no salía con un grupo de amigas. Incluso cuando vivía en Newquay apenas las veía porque cada vez era más difícil dejar a su madre sola. Y tampoco podía llevar a nadie al piso. Cogió el pequeño abanico que había comprado y lo agitó frente a su cara, pero hasta el aire que hacía era caliente.

Se dedicó a observar las parejas de enamorados cogidas de la mano sonriendo acarameladas con el corazón ebrio de amor. Una pareja con chaquetas negras de cuero con flecos que iban con los cascos de la moto, se detuvo a mirar las pulseras de cuero trenzado.

—¡Qué bonitas! —dijo la mujer.

El tipo asintió con la cabeza.

—Sí, lo son. ¿Cuánto valen? —preguntó él sin quitarse las gafas de sol.

—Noventa y cinco peniques. Son de cuero natural.

Debían de estar abrasándose de calor con esas chaquetas. Y debió haberse quedado mirándolos sin darse cuenta, porque el motero al ofrecerle las dos libras y coger dos pulseras, agitó la mano para llamarle la atención.

—¿Hola? ¿Hay alguien? —dijo sonriendo.

—¡Oh, lo siento! —repuso, y tras coger los billetes le devolvió diez peniques.

—¿No os estáis cociendo en esas chaquetas?

Sonriendo, los dos sacudieron la cabeza.

—Al contrario, nos protegen del calor —le aclaró él, y luego se fueron agarrados de la mano.

Jo guardó el dinero en la caja de tabaco. No les estaba yendo nada mal; había varios billetes de una libra, un montón de calderilla e incluso un par de billetes de cinco libras. Y parte de él procedía de las velas. Vender algo que había hecho con sus propias manos le produjo una gran satisfacción. Quizá le pediría a Eva que le enseñara a hacer también algunos de los otros objetos que vendían, así la próxima vez podría colaborar creando algo más aparte de pulseras de cuero y velas que se derretían con el calor.

La playa estaba abarrotada y había mucha gente chapoteando en el agua. Qué lástima que no se hubiera traído el bañador, apenas podía creer que hubiera esperado tanto para aprender a nadar. El mar tenía un color plateado bajo el sol y hacía un día radiante. Le encantaba este tiempo; cuando brillaba el sol siempre se sentía más contenta, más alegre. Pero mientras estaba allí sentada, le fue invadiendo una sensación de tristeza al ver a las familias, a los padres cargados con sus hijos pequeños a hombros, a las madres enderezando gorras para protegerse del sol, limpiando manos pringosas llenas de helado y besando las rodillas rasguñadas y, sobre todo, a la madre que extendía una toalla blanca para secar a su pequeña, besándola en la nariz y abrazándola cuando salía chorreando del agua. Padres acompañados de sus hijos. Amigos. Amantes. Todo el mundo tenía a alguien.

Los tenderetes se estaban volviendo a llenar. La gente llegaba de la playa para comprar bebidas y helados, con la camisa o la camiseta encima del bañador, curioseando por la feria para dar a su cuerpo un respiro del sol implacable. Casi todo el mundo se veía moreno o con la piel roja por el sol abrasador de los últimos días, y algunos, a juzgar por su aspecto, se habían excedido. De pequeña, su madre le había inculcado que por más agradable que fuera el sol, tenía que respetarlo e incluso temerlo. De repente le vino a la cabeza la imagen más joven y fuerte de su madre cuidando de ella y no la de la madre enfermiza y borracha que tenía que cuidar.

Hacía un día radiante y estaban en la playa sentadas sobre una manta de cuadros escoceses, junto a una cesta con sándwiches de jamón envueltos en papel encerado, tortas Battenberg, agua de cebada y limón para ella y un termo de té para su madre. Más tarde fueron a chapotear en el agua, por eso se había puesto su bañador nuevo azul marino, con una ancla blanca en la parte de delante y una minifalda plisada blanca alrededor. Su madre sacó la crema solar Ambre Solaire del bolso. «Cuando seas lo bastante mayor para hacerlo tú, Jo-Jo», le dijo poniéndole la espesa crema solar de color blanco en los brazos, las piernas y la cara, «usa siempre loción o crema, porque el aceite te freiría la piel. ¡Hala, ya estás lista!» Después se limpió las manos con la toalla y agarró un pitillo. «Hoy no nos quedaremos demasiado tiempo en la playa, pajarito, porque el primer día hay que tomar solo un poco el sol e ir aumentando gradualmente cada día el tiempo de exposición.» Encendió el cigarrillo y tras darle una calada expulsó una fina línea blanca de humo. «No hagas como los turistas», le advirtió, «míralos, están rojos como una langosta. Es la primera vez en todo el año que se quitan la ropa, y se embadurnan de aceite, se echan bajo esa bola de fuego y se fríen como salchichas a la parrilla. Como salchichas gordas de cerdo», añadió sonriéndole, sabía que ese comentario le haría reír.

El recuerdo se desvaneció de repente.

Acababa de ver a un niño llorando por el paseo marítimo. Había tanta gente curioseando por el lugar que al principio no supo de dónde venían los llantos, pero entonces lo vio. Era un niño de dos o tres años con el pelo casi blanco de lo rubio que lo tenía. Con cara llorosa, se giraba de un lado a otro cada vez más asustado, como si buscara a alguien. Llevaba pantalones cortos blancos, una camiseta a rayas rojiblancas, y sandalias rojas de piel abrochadas con hebillas en sus pies regordetes. Intentaba no llorar, pero tenía la cara descompuesta de angustia. Jo echó una mirada alrededor por si veía a sus padres, pero nadie parecía reparar en él. Se levantó y salió de detrás de la mesa.

—¿Te has perdido? —le preguntó al pequeño agachándose para quedar al mismo nivel.

Él asintió con la cabeza con aire serio.

—¿Con quién ibas? ¿Con tu mamá?

El pequeño volvió a asentir con la cabeza y de pronto se le abrió la fuente de las lágrimas.

—¡Eh, no llores! Vamos a ver si la encontramos, ¿quieres?

Jo se levantó y el niño deslizó su manita cálida y pegajosa en la suya.

—¿Qué te parece si te levanto y te pongo de pie sobre la mesa?, así a lo mejor la ves.

Asintió con la cabeza, mordiéndose el labio inferior.

Jo lo subió a la mesa, sorprendiéndose de lo liviano que era. Lo agarró por detrás de la cintura para sostenerlo con firmeza. Olía a dulce y salado, le recordó el olor de Lisa y Lynne, las gemelas a las que hacía de canguro cuando vivía en Newquay.

—¿Aún no la ves? —preguntó percibiendo por un instante el ligero aroma a champú Johnson's Baby del pequeño.

El niño sacudió la cabeza y suspiró de repente, pero al menos había dejado de llorar.

—¿Cómo te llamas, pajarito?

—No soy un pajarito —protestó él dándose la vuelta con una vaga sonrisa; era la primera vez que le hablaba.

Ella le sonrió.

—Es verdad. Me llamo Jo. ¿Y tú cómo te llamas?

—Andrew.

—Vale, Andrew. Veamos si encontramos a tu mamá. ¿Te parece bien?

Él asintió con la cabeza y se dejó agarrar para que Jo lo sentara en su regazo. Sostener a un niño le pareció fácil y natural. Sabía que sería una buena madre, como la suya lo había sido al principio. Estaba deseando tener un hijo. En una ocasión la regla se le retrasó diez días tras acostarse con Rob por segunda vez. Se sintió aterrada, se preguntó qué haría si se había quedado embarazada. Escribió toda clase de intimidades embarazosas en su diario, e incluso mandó una carta al consultorio sentimental de *Jackie*, pidiéndoles que le publicaran la respuesta en lugar de mandársela por correo por miedo a que su madre encontrara la carta. Pero al venirle al final la regla arrancó todas esas páginas del diario y las echó a una papelera del parque. Fue entonces cuando se puso a cavilar en lo que habría ocurrido de haberse quedado embarazada. Su madre se habría subido por las paredes, pero no era la clase de madre que la hubiera echado de casa. Era lo que más les preocupaba a sus amigas del instituto: que las pusieran «de patitas en la calle». Cuando Norma Wilson se quedó embarazada en quinto curso, aunque su madre perdiera los estribos, al final acabó tranquilizándose e incluso cuidando del bebé, al que llamaron Lucas, mientras Norma seguía con sus estudios en el instituto. Tal vez, se dijo Jo, si hubiera tenido que cuidar a un bebé su madre habría vuelto a ser la de antes. Pero como al final no se había quedado embarazada, no tenía sentido darle más vueltas.

Cuando estaba a punto de ir con Andrew a buscar a su madre por los alrededores, se acordó de la lata de tabaco llena de dinero. Había estado en un tris de dejarla abierta encima de la mesa. La agarró y le pidió a la chica del tenderete de al lado que le vigilara el género. Mientras pasaba por delante de los demás puestos con Andrew sentado a horcajadas en su cadera, se preguntó qué pasaría si no la encontraban. Supuso que en ese caso tendría que llevarlo a la comisaría. A los trece años había leído en el periódico que alguien se había encontrado a un recién nacido dentro de una caja de zapatos en un parque. Desde entonces había estado fantaseando durante mucho tiempo con que se encontraba a un bebé abandonado, e incluso al salir del colegio pasaba adrede por el parque de camino a casa, para mirar debajo de los setos y los arbustos, y en las áreas cubiertas y debajo de los bancos en la zona de los columpios por si acaso. Si tenía que llevar a Andrew a la policía, quizá la dejasen tenerlo en casa unos días para cuidarle. Después de todo, Andrew confiaba en ella, no había más que verlo, porque estaba acurrucado contra su cuerpo con la cabecita apoyada en su hombro. Jo le sonrió para tranquilizarle.

Justo en ese instante apareció la madre del niño. Jo supo en el acto que era ella por la expresión de su cara. Tenía el rostro lleno de espanto y el pelo del mismo color rubio claro, cortado a lo *garçon*. Cuando advirtió el terror y el sufrimiento en su cara, se olvidó de cualquier conjetura sobre que aquella mujer no quería saber quizá nada de su hijo. Andrew todavía no la había visto, pero cuando su madre les vio, ella estaba a punto de gritarle y agitar la mano para llamarla. Jo le sonrió, pero la mujer cambiándole de golpe la expresión del rostro, se abrió paso enfurecida entre la multitud.

—¡Por fin te he encontrado! —gritó arrancándole al niño de las manos. Andrew rompió a llorar—. Te he dicho que no te vayas con desconocidos —le riñó dándole dos manotazos en la pierna.

Ella la miró horrorizada. El pequeño se echó a llorar con más desconsuelo aún.

—¡Y ahora ven *conmigo*! —exclamó la madre, pero de pronto quebrándosele la voz lo estrechó entre sus brazos, era la viva imagen de la angustia—. Creí que te había perdido —admitió acariciándole el pelo con ternura—. No pasa nada, cielo, no llores, no llores. Pero *no* te sueltes de la mano de mamá, ¿vale?

Andrew asintió con la cabeza y, sorbiendo por la nariz, le cogió de la mano y se fue trotando felizmente con ella hacia la camioneta de los helados. Ninguno de los dos se dio la vuelta por un instante para mirar a Jo. Ella se quedó plantada en el lugar, avergonzada, con un deseo inexplicable de romper a llorar, sintiendo un melancólico vacío en la cadera. No sabía lo que había esperado, pero al menos creyó que una madre asustada le daría las gracias a la persona que había encontrado a su hijo, un hijo que ella, la madre, había dejado que se perdiera entre el gentío y que cualquiera se podía haber llevado. Pero en cambio la había mirado como si fuera la mala de la película, como si estuviera intentando secuestrarlo. Tal vez así era como reaccionaba una madre, quizás el amor maternal verdadero te empujaba a actuar de manera irracional, incluso a hacerle daño a los tuyos.

23

Mientras regresaba al tenderete caviló en cómo el pobre Andrew había perdonado al instante a su madre por haberle dado un manotazo y luego volvió a pensar en su propia madre. ¿La había ella perdonado de verdad? Era fácil perdonar las trifulcas irracionales avivadas por unas copas de más, las vomitonas en el cuarto de baño, los bochornosos intentos de su madre borracha de bromear con sus amigas. Pero lo que más le dolía era la sensación de abandono, el haber tenido una madre solo hasta los doce o trece años, porque por aquel entonces la bebida ya se había vuelto mucho más importante que ella. En una ocasión robó un lápiz de ojos y un pintalabios Miners en un mostrador de Woolworths esperando que la pillaran: quería que su madre *hiciera* algo por ella, aunque no fuera más que ir a recogerla a la comisaría de policía.

Volvió a sentarse tras la mesa del tenderete. El olor del aroma dulzón de los imponentes algodones de azúcar de color rosa que la gente compraba a puñados le revolvía el estómago. Scott estaba tardando mucho y ella deseó que llegara de una vez, se moría por tomarse una bebida fría. Todavía se seguían deteniendo algunas pocas personas a mirar la bisutería. Una anciana abanicándose con un abanico idéntico a los que ella había comprado antes, le sonrió señalándole con el dedo unos pendientes de lapislázuli. A Eva le había llevado lo suyo hacerlos y eran preciosos: unas piedras de color azul intenso con vetas doradas engarzadas en plata. Probablemente eran mucho más caros que los otros, hechos sobre todo de conchas o de cristal de roca engarzados en metal.

—¡Qué bonitos son los azules! Mi nuera va a cumplir pronto veintiún años y estoy segura de que le encantarán —le contó la mujer sosteniéndolos en alto para verlos de cerca—. ¿Cuánto valen, cariño?

—Voy a mirarlo —repuso ella abriendo la caja de tabaco para consultar el precio. ¡La lista de precios había desaparecido! Quizá se le había caído al suelo. O la había arrojado al césped sin querer—. Espere un segundo —le dijo a la clienta mientras alzaba un poco la sábana de la mesa.

Arrodillándose, la buscó debajo de la mesa, había visto el pedazo de papel escrito con la letra de Eva sobre el césped seco, pero ahora no estaba. El viento no se lo podía haber llevado, no soplaba la más ligera brisa.

—Lo siento, no encuentro la lista de los precios…

—¿Quieres que vuelva dentro de un rato?

Jo vaciló. Si dejaba que la mujer se fuera, quizá no volvería.

—Creo que cuestan…

No eran baratos, lo sabía, porque Eva dijo que harían un buen negocio con ellos, pero salían bastante caros de material y solo había hecho unos pocos porque no eran tan comerciales como los otros, que se vendían como rosquillas a una libra y a una libra y media. Usa tu sentido común, le había dicho Scott. Los dos se quedarían impresionados si vendía un par de pendientes caros.

—Estoy casi segura de que cuestan cuatro libras setenta y cinco peniques —repuso conteniendo el aliento. Había triplicado el precio de coste, ¿se habría excedido? ¡Por qué no había prestado más atención cuando Eva le dijo los precios!—. Están hechos de lapislázuli y engarzados en plata de ley.

—Los quiero, por favor —repuso la mujer hurgando en el bolso para sacar el monedero mientras Jo se los envolvía cuidadosamente en una servilleta rosa que reservaban para los objetos más caros—. Aquí tienes, querida —añadió dándole el dinero exacto, cuatro billetes de una libra y setenta y cinco peniques en moneda.

Se guardó los pendientes con cuidado en el bolso y se despidió con la mano perdiéndose entre la multitud.

Quedaban todavía unos pendientes de lapislázuli expuestos y Jo sacó otro par de la caja de debajo de la mesa y los dejó al lado. Eva le había dicho que expusiera dos pares juntos porque los clientes los advertirían con más facilidad.

—¿Cuánto dijiste que valían estos pendientes, nena? —preguntó un hombre calvo de mediana edad con una camisa que dejaba al descubierto su pecho quemado por el sol. Llevaba gafas de espejo y fumaba un puro que no se quitó de la boca al hablar—. Dijiste cuatro libras y veinticinco peniques, ¿verdad?

—Cuatro setenta y cinco —respondió ella.

—Creo que le alegrarán el día a mi parienta. Aquí tienes, cuatro libras —dijo sacándose un puñado de calderilla del bolsillo de los pantalones cortos. Se puso a contarla sobre la mesa.

—Lo siento, no se los puedo dejar por cuatro libras porque no son míos. Me estoy ocupando del tenderete de una amiga.

—Me estoy ocupando del tenderete de una amiga —le imitó él como si fuera una chica envarada y cursi—. No me digas, nena —añadió echando una bocanada de humo gris azulado que ondeó a su alrededor—. Pues estoy seguro que te dijo que es normal regatear en estos casos —le contestó sonriendo, pero había un ligero deje de amenaza en su voz—. Cómo es posible que a mi anciana madre también le gusten. Te compro dos pares si me los dejas a nueve libras. ¿Qué te parece? Un descuento por comprarte dos pares.

Al no responder, el tipo le echó otra bocanada de humo.

—A tu amiga no le hará gracia si se entera de que no los has vendido por no hacer descuento. Te doy nueve libras por ellos, es un buen trato. ¿Qué me dices? —le propuso haciendo tamborilear los dedos sobre la mesa.

—No estoy segura… —Si aceptaba el trato los estaría vendiendo a cuatro libras cincuenta peniques, un poco más baratos que los otros. Probablemente no habría ningún problema—. Bueno, quizá…

Pero el tipo dejándola con la palabra en la boca, le arrojó en la mano seis billetes de una libra y empujó hacia ella un montón de calderilla.

—Aquí tienes, nena, nueve libras —afirmó guiñándole el ojo, y tras guardarse los pendientes en el bolsillo, desapareció entre la multitud antes de que ella pudiera hacer nada para detenerle.

Jo se disponía a responderle, pero ya se había esfumado. Se dijo que ojalá el precio al que los había vendido fuera un poco más elevado de lo que valían en realidad. Cuando contó la calderilla descubrió que había solo ocho libras y cincuenta peniques. Aquel tipo había rebajado el precio todavía más *y* encima la había timado. Y por si fuera poco la había hecho sentir como una idiota. ¡Qué tiparraco más horrible! En aquel momento vio a Scott acercarse agitándole la mano.

—Hola —la saludó alegremente—. He comprado unas birras.

Se descolgó la bolsa verde de lona del hombro para sacar dos botellines de cerveza rubia. Los destapó con los dientes y le dio uno. ¡Estaba deliciosamente fría!

—Salud —dijo él haciendo entrechocar su botellín con el suyo en un brindis—. ¿Cómo te ha ido? ¿La gente todavía sigue comprando?

Ella iba a responderle, pero se le saltaron las lágrimas de pronto. Scott dejó la cerveza.

—¡Eh!, ¿qué te pasa? —le preguntó rodeándole el hombro con su brazo, arrimándola a él. Percibió el olor a sudor salado y tabaco que despedía Scott.

—Es que un hombre horrible me ha obligado a rebajarle unos pendientes y encima nos ha timado cincuenta peniques. Me ha hecho sentir como si fuera una niña estúpida. ¡Oh, no sé, qué falso era!

Scott lanzando un suspiro, le dio unas palmaditas en el brazo.

—Qué mierda. Pero oye, no es ninguna fortuna, ¿no? Estas cosas pasan. Y la venta nos ha ido bien, ¿no crees? Al menos todo el esfuerzo ha servido para algo. Hemos vendido un montón de velas de lavanda de las que hiciste; han volado enseguida.

Los dos echaron una ojeada a las velas de la caja, estaban empezando a derretirse con el calor.

—Vaya —dijo agarrando de nuevo la cerveza—. ¿Y qué más has vendido mientras yo no estaba? —preguntó barriendo con los ojos la mesa—. ¿Dónde están los pendientes de lapislázuli?

—¡Ah!, vendí tres pares —exclamó Jo alegrándosele la cara—. Aunque dos se los ha llevado ese tipo tan horrible. Ya no nos queda ninguno. No estaba segura de cuánto valían. La lista se perdió, pero vendí el primer par por cuatro libras setenta y cinco peniques y los otros dos por nueve, bueno, por ocho cincuenta porque el tipo se ha esfumado antes de darme tiempo a contar lo que me había dado. De todos modos, he vendido tres pares. ¿Te parece bien? —le preguntó esperando su aprobación.

Él la miró con los ojos fríos de rabia.

—¿Por los pendientes de lapislázuli?

La tremenda certeza de haber metido la pata hasta el fondo la dejó sin habla.

—¿Has vendido unos pendientes de lapislázuli de excelente calidad, engarzados en plata, por menos de quince libras? —le espetó golpeando la mesa con el puño. La bisutería tintineó por el impacto—. ¡Joder!

Algunas personas se dieron media vuelta al oírlo y un hombre con pantalones ligeros de pana y un sombrero de paja se detuvo ante el tenderete.

—Cálmate, chico, que hay damas presentes —le advirtió.

—Eva te escribió una lista para que supieras el precio exacto de cada cosa. ¿Cómo es posible que se «haya perdido» sin más? Las cosas no se pierden solas.

Jo le explicó lo de Andrew y que cogió la lata a toda prisa, y que quizá se le cayó la lista en algún lugar, pero a Scott casi se le salieron los ojos de las órbitas.

—¿Has dejado la mesa sola? —le preguntó mirando enojado lo que había expuesto—. ¡No sabes la suerte que has tenido de que no te robaran nada!

—La chica de ese puesto la vigilaba. Y no podía dejar a un niño pequeño andando perdido por ahí.

Pero el rostro de Scott no se suavizó.

—Claro que no —le respondió él con los dientes apretados—. ¡Pero cómo iba ella a vigilar dos mesas! Mírala, si está ocupada con la suya. ¿No se te ocurrió que nos podían robar las cosas? —añadió dándole la espalda—. ¡Por Dios, Jo! —exclamó sacudiendo la cabeza—. Creía que eras más sensata, de verdad.

—Lo siento, de veras. Pero *no* nos han robado nada.

—De pura chiripa, pero tú te has lucido.

Qué día más horrible estaba teniendo. Primero se había sentido humillada cuando la madre de Andrew le había arrancado al niño de las manos como si ella fuera una especie de pederasta, después ese tipo tan desagradable y falso la había timado. Y ahora esto.

—Te he dicho que lo siento. Qué más quieres que te diga.

Scott agarró el bolso de Jo del suelo y se lo entregó.

—Vete.

Dándole la espalda, sacudió la cabeza agitando la mano irritado en dirección a la playa para que se largara.

—Pero...

—El material de esos pendientes ya vale por sí solo cinco libras el par —le echó en cara con voz fría, sin mirarla aún.

—Ya os devolveré el dinero que habéis perdido. Me llevará un poco de tiempo... —insistió ella temblándole las piernas.

—Por favor, vete —repitió él lanzándole una mirada de enojo—. No quiero decir algo de lo que me arrepienta más tarde.

Jo asintió con la cabeza, intentando no llorar.

—Habrá que recoger las cosas. ¿Quieres que...?

—Vete de una vez.

24

Sheffield, 2010

Eran las cuatro de la madrugada y no había podido pegar ojo. Estaba deshecha, con el cuerpo descompuesto. Duncan respiraba profunda y ruidosamente a mi lado, de modo que me levanté sin hacer ruido de la cama, bajé las escaleras y encendí la estufa eléctrica del comedor. Estuve caminando por la estancia de arriba abajo durante un rato, diciéndome que era una lástima que ya no fumara. Por primera vez me atreví a pensar qué ocurriría si se lo contaba. Recordé a la abuela Pawley diciendo que si estabas preocupado por algo, la mejor manera de coger el toro por los cuernos era averiguar qué harías si ocurría. Ahora empecé a preguntarme cómo se lo iba a decir. Intenté imaginar la conversación, pero las palabras no me salían. Tal vez si las veía escritas… Cogí un bolígrafo del bolso, agarré unas cuantas hojas de papel de la impresora y me senté ante la mesa del comedor.

> *Duncan, no sé cómo decírtelo. Lo que te voy a confesar te dejará pasmado y puede que luego ya no quieras saber nada de mí. Antes de seguir, quiero que sepas que te quiero. Te quiero más con cada año que pasa, si es que eso es posible, y siempre te querré. Ya sé que tú también me quieres, pero tal vez dejes de hacerlo por lo que te voy a contar. Ya conoces un poco lo del padre de Hannah y cómo nos conocimos, pero tengo que decirte*

Lancé un suspiro, ¡qué porquería! Y de todos modos estaba evitando la conversación principal. Rompí la hoja y empecé otra vez.

Querida Hannah, escribí, y luego me quedé un minuto sin saber cómo seguir. ¡Qué ridículo! Rompí también esta hoja de papel y metí los pedazos en mi bolso antes de coger el portátil. Era mejor escribirlo en un borrador. *Mi querida Hannah*, escribí. *He de* decirte *algo y como no tengo el valor de decírtelo a la cara, voy a...* borré lo que había escrito. *Mi queridísima Hannah, te vas a quedar conmocionada y te ruego que me perdones.* Borré la segunda parte de la frase. *Como ya sabes, tu padre biológico nos dejó cuando tú eras muy pequeña para irse a Nueva Zelanda. Al cabo de poco empezaste a ver a Duncan como tu «verdadero» padre, por eso nunca hemos hablado demasiado...* Borré esto también y me sostuve la cabeza entre las manos. Nunca me imaginé tener que contarle esto a nadie, no podía encontrar las palabras para no hacerles sufrir. Contárselo a Hannah sería como hacerle daño físicamente. *Te quiero mucho y necesito decirte algo, pero primero desearía prepararte para lo que vas a oír.* Me detuve, las lágrimas me saltaban tan deprisa que estaba mojando el teclado. No podía hacerlo, *no podía.* Hurgando en el bolsillo de mi salto de cama, encontré un pañuelo de papel usado para secarme la cara. Al oír un chasquido a mi espalda el corazón me dio un vuelco, pero era solo *Monty*, que de pronto me había descubierto en el comedor. Estaba perdiendo un poco el oído. Bostezó estirando las patas delanteras y, acodándose en el suelo, levantó el trasero meneando la cola extasiado. Era como si me estuviera adorando.

—Hola, *Monty*.

Inclinándome, pegué la mejilla a su pelaje suave y cálido y él intentó secarme las lágrimas a lengüetazos, por lo que todavía me hizo llorar más aún. Intentando controlarme, me volví a sentar a la mesa. *Monty* se tumbó junto a mis pies, mirándome preocupado. Me soné la nariz y me giré hacia la pantalla para leer lo que había escrito, luego lo seleccioné y pulsé la tecla de borrado.

Me quedé mirando el documento en blanco un rato, maravillada de lo fácil que era borrar las palabras, fingir que nunca las había escrito. Ojalá pudiera borrar el pasado con tanta facilidad. Intenté imaginar cómo habría sido mi vida si no hubiera ocurrido aquello, pero si no hubiera sucedido... Cerré el programa, apagué el portátil y me arrodillé en el suelo junto a *Monty*. Al rodearle su sedoso cuello con mis brazos meneó la cola agradecido golpeteando el suelo.

—¡Oh, *Monty*, *Monty*!

Me lamió la cara y luego se me quedó mirando, como si intentara leer mis pensamientos. Sus luminosos ojos de color marrón oscuro, como las castañas, le brillaban llenos de confianza, fe y adoración.

—No me lo merezco, chico —le dije.

Se puso a menear la cola otra vez golpeteando el suelo y entonces mirándole a los ojos le susurré mi confesión.

—¿Qué pasa? —dijo Duncan.

Sobresaltada, pegué un brinco y me di un golpe en el hombro con el borde de la mesa. No le había oído bajar, pero ahora estaba plantado en la entrada del comedor mirándome. Me quedé paralizada. ¿Me habría oído?

—Lo siento, no quería asustarte. Me desperté y no estabas.

—No podía dormir.

—¡Eh, estás llorando! —exclamó acercándose a mí y me rodeó con sus brazos. Su cuerpo todavía conservaba la calidez y el olor de haber estado durmiendo, y yo me odié a mí misma.

—No, no es más que un resfriado, creo. Por eso no podía dormir Tengo la nariz tapada.

Duncan se apartó un poco, con cara de perplejidad.

—Vale, si tú lo dices. ¿Vas a volver a la cama? —me preguntó al cabo de poco.

Asentí con la cabeza.

—Iré en un minuto.

En su cara había una expresión de duda antes de dar media vuelta.

—De acuerdo.

Se dirigió con lentitud hacia la puerta y me sentí como si se estuviera alejando vertiginosamente de mí.

Aunque no hubiera terminado de leer el libro, aquella noche fui al club de lectura de todos modos. Duncan sabía que pocas veces me lo perdía y le habría parecido muy raro si no hubiera ido. En esta ocasión la reunión era en casa de Marina e íbamos a hablar de *Cumbres borrascosas.* La mayoría ya habíamos leído la novela, pero todas estábamos dispuestas a volver a leerla. A Eva le encantaba la historia y me acuerdo de cómo había idealizado a Heathcliff, considerándolo un romántico, cuando al fin y al cabo no era más que un tipo cruel y obsesivo. «Imagínate Jo a un hombre que te quiere tanto que intenta desenterrarte de la tumba», me dijo una noche con los ojos brillándole de pasión. Nada más imaginármelo se me pusieron los pelos de punta, pero a Eva le había emocionado y excitado mucho el amor tan fuerte que Heathcliff sentía por Cathy. Eva se parecía un poco a ella en el sentido de que necesitaba vivir en un lugar rodeada de la naturaleza. Le encantaba tanto la idea de estar en páramos azotados por el viento como la de vivir cerca del mar, y cuando me hablaba de que el contacto con los elementos la hacía sentirse más viva, a mí me daban ganas de estar allí también. Siempre que pensaba en el verano en Hastings, Eva aparecía en mi mente como una diosa del sol, pero había olvidado que también le gustaba salir sin importarle las condiciones meteorológicas, como cuando escaló el acantilado de East Hill y en la cumbre el viento y la lluvia le abofetearon la cara. A menudo me hablaba de viajar a Yorkshire para ver las ruinas de Top Withens en la región de Pennine Moors, el escenario de *Cumbres borrascosas.* Ahora al pensar en ello vi que probablemente fue una de las razones por las que me mudé al norte después de que Scott se largara, además de los alquileres baratos. Aunque nunca fui a Top Withens, a pesar de quedar a pocos kilómetros de donde vivía en Halifax. Sheffield era menos indómito. Eva habría dicho que era un Yorkshire para pusilánimes. Hasta Duncan lo llamaba a veces Yorkshire domado, pero él había crecido cerca de Harrogate, donde los inviernos eran mucho más fríos. El clima ligeramente más templado fue una de las razones por las que Estelle se mudó a este lugar tras fallecer el padre de Duncan y también, claro está, para estar más cerca de nosotros.

—Gracias Marina, ha sido una buena velada literaria —dije dándole un beso para despedirme antes de salir a la fría noche.

—Me alegro mucho. Hasta la próxima —repuso ella sonriendo mientras todas nos marchábamos.

Había pasado un buen rato y aunque hubiera estado pensando en Eva, en las dos últimas horas apenas me había acordado de la situación relacionada con Scott. Pero en cuanto me subí al coche, me vino a la cabeza de nuevo. Rebusqué en mi bolso el móvil para decirle a Duncan que ya estaba en camino, pero de pronto me acordé que lo había visto enchufado recargándose en la encimera de la cocina.

Al detenerme en el camino de entrada advertí que el dormitorio se hallaba a oscuras. Supuse que Duncan ya estaría durmiendo, pero cuando abrí la puerta de casa vi que la luz de la cocina estaba encendida. Me lo encontré sentado a la mesa con una botella de whisky delante en la que quedaban dos terceras partes, y mi móvil al lado. Se tomó un trago y dejó el vaso dando un golpe seco sobre la mesa.

—Hola —le saludé—. ¿Te estás tomando una copa antes de acostarte? —No me miró—. ¿Duncan?

Alzó el vaso de nuevo para llevárselo a los labios y vi un movimiento en su cara como si estuviera apretando los dientes. Pero volvió a dejarlo sobre la mesa sin beber un trago.

—¿Cuánto tiempo hace?

—¿Qué? ¿De qué me estás hablando?

—De ese tipo llamado «S», quienquiera que sea —contestó señalando el móvil con la cabeza—. ¿Quién es? ¿Cuánto llevas viéndote con él? —Se levantó apartando la silla con brusquedad—. ¡Por Dios, qué estúpido he sido! Cómo no me he dado cuenta. Los dolores de cabeza, los correos electrónicos a las tantas de la noche, los días libres en que apenas te acordabas de dónde habías ido o qué habías hecho. ¿Has estado esta noche con él?

Sacudí la cabeza vigorosamente.

—No, y Duncan, no es lo que crees.

—¿Ah sí? ¿No es lo que creo? Por Dios, solo me faltaba que me soltaras esa respuesta tan manida.

—Pero es que es la verdad. No es lo que tú crees, de veras.

Se volvió para mirarme, tenía los ojos inyectados en sangre.

—¿Cómo me has podido hacer esto?

—He estado viéndome... con alguien... pero no me he acostado con él, te lo juro.

—¿Para qué os habéis estado viendo entonces? ¿Para cenar acaramelados juntos? ¿Para citaros en los páramos?

Nunca me había hablado en ese tono tan despectivo y me sentí fatal.

—Duncan, te lo ruego...

Se tomó un trago y dejó el vaso sobre la mesa golpeándola con tanta fuerza que temí que se rompiera.

—Creí que éramos felices —dijo en voz baja, con la vista clavada en el vaso—. Creí que teníamos el perfecto...

Sacudió la cabeza violentamente, mascullando algo ininteligible.

—¡Escúchame! —le grité.

Sobresaltado por el tono de mi voz, se me quedó mirando.

—Es... Scott, el padre de Hannah.

Se quedó desconcertado un momento, y de pronto lo entendió todo.

—¿Su padre? —repuso al cabo de diez segundos—. Pero creí... creí que ya no quería saber nada de vosotras.

—Sí, así era. Pero por lo visto ahora ha cambiado de opinión y lleva ya varios años en el país.

—¿Cuánto tiempo hace...?

—¡Oh!, solo hace unas pocas semanas que se puso en contacto conmigo.

Lanzó un suspiro.

—¿Cómo te ha encontrado?

—No lo sé. Supongo que hoy día es fácil hacerlo, seguramente buscó mi nombre de soltera, encontró mi nombre de casada...

—¿Y ahora quiere ver a Hannah?

Y eso no es lo único que quiere, pensé, pero simplemente asentí con la cabeza.

Duncan, después de levantarse, se acercó a la ventana de la cocina, con las manos en los bolsillos.

—¡Por Dios! —Hizo una pausa—. Pues que le den —añadió—. ¿Esas llamadas anónimas en Navidad…? —preguntó volviéndose.

—Sí, eran de él.

Sacudió la cabeza.

—¿Y qué le has dicho? —preguntó mirándome a los ojos—. Espero que le dijeras que ni hablar.

Asentí con la cabeza.

—Claro. Pero no va a dar su brazo a torcer. Lo que ocurre es que está enfermo. Muy enfermo. Dice que solo le quedan unos pocos meses de vida.

—Aja… —repuso él sacudiendo la cabeza despectivamente.

—No, es verdad, lo he visto con mis propios ojos. Tiene algún tipo de cáncer. No le he preguntado los detalles, pero es obvio que dice la verdad.

Duncan se quedó callado un minuto. Luego se dirigió a la mesa y se sirvió otra copa. Suspirando, se volvió a sentar.

—¿Por qué no me dijiste nada?

Aparté la mirada.

—Supuse… que se cansaría de insistir y que me dejaría en paz. No quería que se inmiscuyera en nuestra vida —alegué esperando que no viera que solo era una media verdad.

—¿Y quedaste con él?

—Solo dos veces.

—¿Dos veces? —Sacudió la cabeza otra vez, suspirando con tristeza—. No me puedo creer que no me hayas dicho nada. ¿Por qué no has confiado en mí para que intentara ayudarte?

No podía soportar ver en sus ojos lo dolido que se sentía. Desde que estábamos juntos habíamos compartido muchas cosas, quería hacerle ver desesperadamente que no lo estaba rechazando, que nada había cambiado entre nosotros. Debí haberle dicho que Scott quería ver a Hannah, que no se imaginara ni por asomo que había alguna otra razón. Pero me engañé a mí misma al creer que no hacía falta que se enterara.

—Lo siento, yo solo… no sé, supongo que esperaba lograr que se fuera sin más.

Duncan lanzó un hondo suspiro.

—¿Quieres una copa? —me sugirió señalándome la botella con la cabeza.

Y le dije que sí, porque era la manera de Duncan de decirme que sabía que estaba preocupada y que podía volver a contar con él. Yo tenía un problema, de modo que *nosotros* teníamos un problema que resolver, y él me ayudaría a solucionarlo, como siempre había hecho. Lo único que en esta ocasión no pude decirle por qué necesitaba tomarme ese trago. Sacó un vaso limpio del armario, me sirvió un par de centímetros de exquisito whisky color miel y me lo dio. Tomé un sorbo. Era de malta, el que Hannah y Marcos le habían regalado el Día del Padre y me supo a gloria. Sentí la quemazón cálida y relajante del alcohol deslizándose por la garganta y yendo al estómago como un anestésico instantáneo. Aquel sorbo era peligrosamente prometedor, te ofrecía la posibilidad del olvido. Fue solo en los últimos años cuando empecé de veras a entender cómo mi madre había acabado como acabó.

Duncan hizo girar el whisky en el vaso. Ahora su cara estaba más relajada, aunque seguía preocupado. Había creído que yo tenía una aventura, me sentí horrible por el sufrimiento que le había provocado, horrorizada por mi poder de hacerle daño. Me alegré de que supiera que no le había sido infiel, pero quería decirle no, no te relajes demasiado, no creas que soy una buena persona después de todo, porque no lo soy. En absoluto. Tomé otro sorbo de whisky. ¿Y si le contaba la verdad? ¿Toda la verdad? La idea se me pasó por la cabeza. Me quería, entendería por qué había hecho aquello.

—Para serte sincero, toda esta situación es muy dolorosa para mí. Me refiero a que ¿desde cuándo no nos lo contamos todo?

—Lo siento —susurré.

—De todos modos —prosiguió suspirando—, ¿qué piensas?

—¿Acerca de qué?

—Sobre lo de que él quiere ver a Hannah. ¿Le has dicho algo a ella?

—¡Claro que no! Ni hablar, como tú has dicho. No puede presentarse de golpe y porrazo y trastocar nuestra vida después de todo este tiempo.

—Sí, pero supongo que si se está muriendo…

—Duncan, ¿lo dices en serio? Lo siento, se está muriendo, pero por qué deberíamos permitirle…

—No lo digo por él, sino por Hannah. Cuando se trataba del padre ausente viviendo en el otro extremo del mundo era distinto, pero si ahora está aquí, y si se está muriendo ¿no crees que ella…?

—No, para nada. Mira, mi padre hizo exactamente lo mismo. Desapareció del mapa y se olvidó prácticamente de que tenía una hija. Si hubiera vuelto de pronto al cabo de veinte, treinta, cuarenta años, no habría querido saber nada de él, porque en lo que a mí respecta ya no era mi padre. Se cargó esa conexión y Scott también se ha cargado la suya con Hannah. *Tú* eres su padre ahora, ¡por el amor de Dios!

—Lo sé, claro que lo soy. Pero ¿y qué me dices de la necesidad de Hannah de conocer sus raíces? Todo el mundo quiere saber de dónde viene, ¿no? ¿Y si se entera de que ha estado aquí, en la misma ciudad que ella y a las puertas de la muerte, y que se lo hemos ocultado? Tal vez no quiera conocerle, pero no creo que le haga ninguna gracia que le hayamos negado la posibilidad de decidirlo por ella misma.

—¡Oh, Dios! —mascullé cubriéndome la cara con las manos. Duncan tenía razón, no veía ninguna otra salida—. No puedo pensar con claridad, no sé qué hacer.

—Tienes que contárselo. Deja que ella decida lo que hará. Y si dice que no, él nos tendrá que dejar en paz. Y si no lo hace, llamaremos a la policía.

Dejé escapar un ligero sollozo. Duncan se levantó haciendo chirriar la silla y me rodeó con sus brazos.

—¡Eh, venga! —me consoló besándome en la cabeza—. No es bueno que haya vuelto después de todo este tiempo y a Hannah le va a afectar, pero es una chica fuerte, y nosotros también somos una pareja fuerte. No nos vamos a hundir por eso, ¿no crees?

25

Cada dos días Duncan me preguntaba si le había dicho algo a Hannah. «Aún no», le repetía, «no puedo decírselo así por las buenas, tengo que esperar el momento oportuno». Pero estaba ganando tiempo, lo sabía, esperando que se me ocurriera otra solución.

Intentaba no llamar a Hannah con demasiada frecuencia porque no quería ser una de esas madres que están siempre metiendo las narices, pero al aparcar el coche me di cuenta de que llevaba tres días sin hablar con mi hija y casi una semana sin verla. Había estado demasiado preocupada con lo de Scott, y también con Duncan sabiendo que Scott estaba en la ciudad. Como ella no me había llamado, supuse que todo iba bien, pero cuando abrió la puerta vi al instante que no era así. Todavía en pijama, llevaba el pelo sin lavar ni cepillar, y tenía los ojos enrojecidos e hinchados. Se la veía nerviosa y agotada.

—No sabía que ibas a venir —dijo cuando la seguí al interior.

—Pensaba llamarte, pero no quise interrumpirte por si le estabas dando el pecho a Toby o haciendo alguna otra cosa.

—Disculpa por el desorden —repuso señalando el espacio de la cocina, que estaba un poco caótico, incluso para Hannah, y luego se sentó pesadamente ante la mesa hundiéndose en la silla.

—¿Dónde está...?

—Marcos se lo ha llevado a dar un paseo por el parque. Lo ha hecho para que yo pudiera volver a la cama, pero tanto da porque no puedo dormir —me confesó con la vista clavada en el suelo, sin establecer contacto visual conmigo.

—Hannah, ¿estás bien?, cariño. Se te ve...

—Hecha una mierda. Lo sé —repuso sin mirarme aún.

Hice una pausa, sin saber qué hacer. Hannah no parecía la misma.

—¿Quieres que te prepare un café? ¿O un té?

Se encogió de hombros.

—Hazlo si quieres.

Al pasar por su lado para poner el agua a hervir, le apreté el hombro intentando consolarla. ¿Por qué no había ido a verla antes? Me dieron ganas de darme de cabezazos por haber esperado tanto. Mi hija se encontraba mal, estaba deprimida, ahora lo veía con claridad. Preparé el café despacio, para poder pensar un poco. Sabía por algunas madres jóvenes de las que me había ocupado en el Proyecto que debías andarte con pies de plomo con lo que les decías.

Cuando le llevé el café, vi que los hombros le temblaban. Dejé la taza sobre la mesa y la rodeé con los brazos.

—¡Oh, cariño, no llores! ¿Qué te pasa?

Tardó unos momentos en poder hablar. Cogí un trozo de papel de cocina y se lo di. Se sonó la nariz.

—No sé qué estoy haciendo mal, pero no para de llorar —admitió entre sollozos.

—¿Se lo has dicho a la visitadora sanitaria? ¿O a la doctora? —le pregunté en voz baja.

Hannah sacudió la cabeza.

—Tal vez te sugieran algo que te ayude.

—Sí, pero no quiero que sepan que se me da tan mal.

Posé la mano en su brazo.

—Escucha, cariño, no eres una mala madre, lo que pasa es que tienes que ir acostumbrándote a ello, eso es todo. ¿Crees que estás deprimida? Es algo bastante habitual, ¿sabes? Y, además, es muy fácil de tratar.

Pero no estaba segura de que me escuchara. Las lágrimas le corrían por las mejillas mientras apretujaba nerviosamente entre sus manos el trapo de cocina hasta convertirlo en una bola.

—Creía que me encantaría sacarlo a pasear con el cochecito por el parque por la tarde, pero no para de llorar todo el tiempo, y la gente se me queda mirando como si yo tuviera que hacer algo para tranquilizarle, pero si le he dado el pecho y lo he cambiado y sigue llorando, ¿qué más se supone que debo hacer? Incluso le he dicho a Marcos que pidiera hoy fiesta porque yo ya no podía más —admitió mirándome.

—Cariño, ¿por qué no me lo has dicho? Habría venido enseguida, lo sabes ¿verdad?

—Sí, pero trabajas y tienes cosas que hacer. Y, además, algún día tendré que aprender a apañármelas.

Se secó los ojos lanzando un tembloroso suspiro. Me levanté y la rodeé con mis brazos de nuevo.

—No, cariño, no tienes por qué pasar por este mal trago tú sola. Lo siento mucho, debería haber venido antes a verte, o al menos hacerte una llamada—. ¿Cómo podía haber estado tan metida en mis propias preocupaciones? ¿Cómo no lo había visto venir? No podía dejar que Hannah se las apañara sola—. ¿Le has contado a Marcos cómo te sientes?

Sacudiendo la cabeza vigorosamente, se apartó de mí. Tenía los ojos vidriosos. Se dio media vuelta para coger de la encimera el rollo de papel de cocina y arrancó varios trozos para secarse rápidamente las lágrimas. Mi pobre Hannah, mi pobre niña.

—Quería tener un hijo a toda costa —reconoció sorbiéndose la nariz—, pero ahora lo miro… y no me da la sensación de que sea mío. Lo estoy intentando, de verdad. ¡Oh, Dios mío!, sé que lo que voy a decir es terrible, pero creo que no le quiero. —Me miró cautelosamente de reojo para ver mi reacción—. Al menos no *con toda mi alma*, con la intensidad con la que tendría que quererle.

Echándose en mis brazos, volvió a deshacerse en lágrimas, con los hombros agitándosele convulsamente.

La estreché con fuerza, acariciándole el cabello.

—¡Oh, Hannah!

Instintivamente, la acuné como si todavía fuera una niña, hasta que dejó de llorar un poco. Al cabo de un minuto más o menos, se enderezó, arrancó varios trozos de papel de cocina y se sonó la nariz.

—No se lo digas a Marcos. Creería que soy un monstruo, si es que no lo piensa ya —me pidió mirándome, y luego desvió la mirada—. Tú también lo debes creer.

—¡Claro que no!, cielo, y Marcos tampoco lo cree. Tener un hijo te cambia la vida, además del trauma físico que comporta.

Advertí que estaba empezando a hablarle con mi tono profesional. Había vivido esta situación con otras madres jóvenes de las que me ocupaba, pero ahora era distinto, se trataba de mi Hannah.

—Me refiero a que quiero estar por él, cuidarle bien y otras cosas por el estilo, pero por lo visto no puedo hacer nada sin meter la pata de algún modo. Ni siquiera puedo darle el pecho más de un par de minutos, porque me duele mucho. Y... y, además, no creo que yo le guste —admitió hipando por haber estado llorando—. Sé que parece que esté loca, pero no dejo de pensar que es porque en el fondo lo sabe —se enjugó los ojos con otro trozo de papel de cocina y lo retorció entre sus dedos mientras proseguía sin alzar los ojos—. Con Marcos se siente a gusto. En cuanto él lo coge en brazos, se tranquiliza, y cuando lo baña o le cambia el pañal, tampoco llora, pero cuando soy yo la que lo hace, se echa a llorar. Se da cuenta de que Marcos es su padre de verdad y que yo no soy su...

—Sí que lo eres. Eres su madre de verdad, ¡ni se te ocurra pensar lo contrario! Oye —dije en voz baja—, tienes que confiar un poco más en ti. Ya sé que una cosa es decirlo y otra muy distinta hacerlo, pero intenta no preocuparte demasiado.

De pronto me vino a la cabeza el recuerdo de haberla visto con Toby un par de semanas atrás, con las mandíbulas apretadas mientras lo lavaba y lo secaba. Y cómo después le ponía un pañal limpio con rapidez y destreza, en silencio. ¿Cómo era posible que no me hubiera dado cuenta en ese momento?

—Hannah, cielo, es muy posible que tengas una depresión posparto. Creo que deberíamos llevarte a la doctora.

Alzó la cabeza, con los ojos nublados de lágrimas.

—Pero ¿y si me lo quitan? Marcos le adora, nunca me lo perdonaría.

—Cariño, nadie te lo va a quitar, pero ahora necesitas recibir ayuda. No estás bien y no es culpa tuya.

Rompió a llorar de nuevo.

—Quería tener un hijo desde que era lo bastante mayor como para tener uno.

—A mí me pasó lo mismo.

—Pero me sentí como… como si hubiera hecho trampa o algo parecido, como si no tuviera derecho a tenerlo. Si no estás destinada a ser madre, me refiero a que si la naturaleza decide que no lo puedes ser, entonces ¿cómo puedes…?

—Ser madre no es solo una cuestión de estar conectada biológicamente con tu hijo, al igual que ser padre. Fíjate en tu padre, ¿es que lo sería más de lo que lo es ahora si tuviera tus mismos genes?

Ella asintió con la cabeza.

—Lo sé, lo sé.

—Y tu padre… no voy a decir tu «verdadero» padre, no podía haber sido menos padre de lo que ha sido para ti, ¿verdad? —Me oí a mí misma y sabía lo que estaba haciendo, pero al ver lo afectada que estaba Hannah, me sentí más enojada aún con Scott por haberse presentado de sopetón para trastocarlo todo sin pensar en absoluto en las consecuencias—. Ser madre tiene que ver con lo que haces, con querer a tu hijo. No podrás evitar cometer errores, todos los cometemos. Pero solo podemos hacer lo que creemos que es mejor en ese momento.

Ella no dijo nada y mis palabras quedaron flotando en el aire como si lo hubieran hecho a propósito para mofarse de mí. ¿Quién era yo para hablarle de ser una buena madre? Volví a adoptar mi tono profesional, porque en este caso estaba justificado: era una buena trabajadora social experta en apoyar a las familias.

—Hannah, confía en mí. Llegarás a querer a tu hijo como es debido. Te lo prometo, y ya verás cómo empezarás a hacerlo en cuanto dejes de preocuparte creyendo que *no* es así. Pero primero necesitas un poco de ayuda. Deja que hable con Marcos. Si quieres podemos ir juntas a ver a la doctora y yo puedo quedarme con vosotros todo el tiempo que os haga falta.

Ella se secó los ojos de nuevo.

—Seguro que esto no te pasó a ti. Me refiero a que siempre dijiste que me quisiste en cuanto nací.

—Sí, es verdad. Pero eso no significa… Bueno, no significa que yo lo hiciera todo bien.

—¿Qué es lo que hiciste mal entonces? —dijo sorbiéndose la nariz—. Ni siquiera te he preguntado nunca sobre si me diste el pecho y otras cosas por el estilo. ¿Me amamantaste? Seguro que tú no te morías de ganas de dejar de hacerlo —añadió sacudiendo la cabeza—. ¿Sabes una cosa? El otro día fui a comprar un esterilizador eléctrico y biberones, pero me sentí tan culpable por querer dejar de darle el pecho a Toby que los metí en el fondo del armario de la cocina sin decírselo a Marcos siquiera.

—¡Oh, cariño!, no todas las mujeres pueden darle el pecho a su hijo mucho tiempo. Algunas incluso son incapaces de hacerlo. No te sientas culpable por algo así. Y de todos modos le estás amamantando muy bien.

—¿Cuánto tiempo me diste el pecho?

En ese instante oímos la llave de Marcos abriendo la puerta, seguido del sonido de Toby echándose a llorar. Marcos lo llevó a la cocina.

—¡Eh, mira, chaval! La abuela está aquí. Ten, abuela.

Lo cogí en brazos.

—Hola, pichoncito —le susurré gozando con el peso de su cuerpo en mis brazos, pero sabía que sería más provechoso si renunciaba a ese pequeño placer—. Me encantaría sostenerte en brazos el día entero, pero creo que tu mamá necesita ahora recibir un poco de mimos.

Hannah dudó un segundo antes de cogerlo en brazos.

—¿Qué pasa? —preguntó Marcos con cara de preocupación.

—Estoy bien —terció Hannah, tal vez en un tono de voz más alto del necesario. Pero de pronto mirando a Toby, rompió a llorar.

Mientras estaba hablando aún por teléfono con Duncan, Marcos bajó a la cocina. Parecía cansado.

—¡Se ha dormido! —me dijo en susurros.

—Qué bien —musité—. Marcos dice que se ha dormido —le comunique a Duncan por teléfono— de modo que no tiene demasiado sentido que vengas ahora por la noche. Te volveré a llamar cuando haya hablado con Marcos. Hasta de aquí a un rato.

Metí el teléfono inalámbrico de nuevo en la horquilla.

—Duncan me ha dicho que le des besos de su parte.

Marcos asintió con la cabeza. Y luego pasándose los dedos por entre el pelo, sacudió la cabeza.

—No me había dado cuenta de lo mal que lo está llevando. Últimamente lloraba por nada, pero no sabía que fuera tan serio. Debí de haberme dado cuenta antes.

—Yo también no dejo de decirme lo mismo.

—Sí, pero yo vivo con ella. No tengo excusa. —Se acercó a la cuna para contemplar a Toby dormido—. Todo eso de no sentir que es su madre… —añadió mirándome—, no tenía ni idea de que se sintiera así. Creía que al haberlo llevado en su seno, al haberlo dado a luz… no sé —admitió pasándose la mano por el cabello de nuevo—. Creí que esto ya le bastaría.

Asentí con la cabeza. Nunca sabes lo que puede pasar. Es imposible saber de antemano cómo te vas a sentir.

Marcos lanzó un suspiro.

—Al menos ha aceptado ir a ver a la doctora.

—Algo es algo. Si he acertado en lo de la depresión posparto, en cuanto la traten ya parecerá otra.

—¿Te refieres a los antidepresivos? No estoy seguro de que me guste que tome pastillas de la felicidad.

—Marcos, escúchame. Los antidepresivos no son «pastillas de la felicidad». Y tú deberías saberlo mejor que nadie, ¡por Dios! —No solía meterme con mi yerno, pero su miedo a los antidepresivos me sacó de quicio—. He visto las suficientes depresiones posparto y de otra índole como para saber que para recuperarte necesitas algo más que un *Alegra esa cara y cálmate*. Es posible que también necesite ir al psicólogo. Quizás os haga falta a los dos, pero creo que la doctora se dará cuenta de que Hannah no está bien y le recetará una medicación para que empiece a tomarla cuanto antes.

De repente me vino a la cabeza mi madre y sus arrebatos de desesperación. Me pregunté si las cosas habrían sido distintas de haberle recetado el médico antidepresivos cuando los necesitaba.

Marcos asintió con la cabeza.

—Supongo que tienes razón —masculló.

—Marcos —dije en voz baja—, como son unos momentos difíciles para los dos y tal vez las cosas tarden varias semanas en mejorar, creo que sería una buena idea que me vuelva a quedar con vosotros al menos unos días. Duncan se ha ofrecido para hacer lo mismo, me ha dicho que le digáis en qué puede ayudaros. Ambos nos podemos tomar unos días libres para hacerle compañía a Hannah, sacar a Toby a pasear, cocinar, ir al supermercado, o cualquier otra cosa que os haga falta.

—Gracias, os lo agradezco mucho —repuso para mi sorpresa emocionado.

Cuando estaba a punto de salir disparada para regresar a casa y recoger de paso unas prendas de ropa en la tintorería oí la campanilla del móvil anunciando la llegada de un mensaje. *Tengo que hablar contigo urgentemente. S.* Tuve un intenso y repentino ataque de rabia. ¡Cómo se atrevía a importunarme de ese modo! Le respondí furiosa: *Ahora no puedo hablar. Hannah no se encuentra bien. Te llamaré pronto.* Y pulsé *Enviar.* Era cierto que él tenía la sartén por el mango, pero estaba tan cabreada que me negué a bailarle el agua.

26

Tal como la doctora de cabecera de Hannah había dicho, la medicación tardó de diez a catorce días en hacer efecto, y ahora la situación ya era muy distinta y las cosas estaban volviendo a la normalidad. Suspiré al coger el móvil, tenía que admitir que Scott había sido muy paciente, pero sabía que no podría retrasar ir a verle mucho más tiempo. Me había enviado dos nuevos mensajes de texto, pero le expliqué que Hannah no se encontraba bien y le prometí ponerme en contacto con él en cuanto pudiera. *Hannah está un poco mejor,* le escribí. *Puedo ir a verte mañana.* Pulsé *Enviar.* Él apenas salía a la calle y estaba segura de que me diría que sí. Le pensaba comunicar que no le *dijera* nada a Hannah, al menos por el momento. Si podía hacerle entender lo mal que ella había estado y lo frágil que todavía se sentía, esperaba que comprendiera que saber la verdad le haría daño. Al pensar en ello me volví a enfurecer. Aparte de la depresión posparto, hacía solo un par de meses que había dado a luz, por el amor de Dios. ¡Cómo se le ocurría decírselo en un momento tan inoportuno solo para limpiarse la conciencia! Era un egoísta, lisa y llanamente.

La doctora de cabecera había sido solidaria y comprensiva, gracias a Dios. La depresión posparto era habitual en las madres en la misma situación de Hannah, dijo, y cuanto antes empezara el tratamiento, mejor. También comentó que tenía que ir al psicólogo urgentemente y le recomendó un par de grupos de apoyo. Me quedé impresionada, el Sistema Nacional de Salud británico no funcionaba siempre tan bien. El único contratiempo fue cuando la doctora de cabecera le dijo que no le aconsejaba amamantar a su hijo tomando antidepresivos. Marcos me contó que había hecho mucho hincapié en ello, pero Hannah le respondió que en ese caso no se los tomaría. Le preocupaba «volver a fallarle» a su hijo, y alegó que cómo iba a ser una buena madre si ni siquiera alimentaba a Toby con su propia leche. Pero la doctora de cabecera, una mujer joven de la misma edad que ella, al final logró tranquilizarla. En algunos casos, dijo, el biberón era sin duda una opción mejor para la madre y el bebé.

Mis colegas del Proyecto fueron muy comprensivos conmigo cuando me tomé unos días libres para ocuparme de Hannah, pero se alegraron al verme de vuelta en el despacho. Duncan, Marcos y yo nos habíamos ido turnando para asegurarnos de que hubiera alguien con mi hija constantemente, aunque solo fuera para sostener al bebé cuando ella iba al lavabo. Era importante que no sintiera el peso de la responsabilidad de tener que cuidarlo cada segundo de cada día. Por esta razón, Marcos había reducido su jornada laboral por una temporada. Nuestro yerno nos había impresionado las dos últimas semanas. Siempre nos había caído bien, pero a veces era un tanto despreocupado y no estábamos seguros de que supiera cuidar bien de Hannah. Pero ahora había respondido estando a la altura de las circunstancias y de repente comprendía más la magnitud de ser padre. Hannah, en cambio, aunque no le hubiera resultado fácil, había sido consciente de su papel de madre de inmediato. Lo cual era un tanto irritante, me dije consultando el móvil de nuevo, porque era como si los hombres solo pudieran desempeñar bien el papel de padres después de atravesar una crisis. Aunque seguramente no estaba siendo justa, porque en realidad no era Marcos el que me irritaba, sino Scott. Me invadió una nueva oleada de amargura por su comportamiento. Por la forma en que de todos modos siempre se había comportado.

Me extrañó que Scott no respondiera al instante y cuando me llegó su mensaje de texto una hora más tarde, me chocó un poco. Sí, podía ir a verle mañana, pero no estaría en casa, se quedaría «por un tiempo» en una residencia para enfermos desahuciados. Me dio la dirección. Esta clase de residencias tenían que ver con los «cuidados paliativos». Me acordé que me dijo que le darían «medicamentos muy fuertes» para que no sufriera demasiado cuando le llegara la hora. De modo que debía de significar que tenía los días contados. Me tembló un poco la mano al echar el agua hirviendo para prepararme un té. No estaba segura de la razón, desde el instante en que lo había visto era obvio que lo de su enfermedad no era una mentira, pero la idea de que su muerte fuera inminente…

Eché el agua hirviendo a la taza con la leche, pero de repente me di cuenta de que me había olvidado de la bolsita del té. Las manos me temblaban y me dolía el estómago, como si tuviera un exceso de acidez. Todavía estaba enojada con Scott por presentarse de golpe y porrazo después de todos esos años, por entremeterse y trastocar las cosas. Pero por otro lado me sentía avergonzada de mí misma, ¡cómo podía estar enfadada con un moribundo! Y lo peor de todo era el otro pensamiento incluso más vergonzoso aún que me estaba empezando a rondar sigilosamente por la cabeza: cuando Scott muriera, todo se acabaría. Ya no tendría que preocuparme. Me sentí asqueada de mí misma; en el pasado casi le había amado y ahora estaba deseando que se marchara al otro barrio.

Más tarde, al llegar Duncan a casa, le conté lo del mensaje de texto.

—Por lo visto tiene los días contados —le comenté.

Duncan clavó los ojos en su regazo.

—Pues la verdad es que será un alivio, qué quieres que te diga.

—¿De verdad? Pero pensé que creías…

—Creía que debías contarle a Hannah lo de su padre, eso es todo, y lo sigo pensando. Pero eso no significa que me entusiasme que haya vuelto. Al igual que tú, yo no quiero que ese payaso nos trastoque la vida. —Tomó un trago del café que le acababa de servir—. Pero si está en las últimas, todavía es más importante que se lo digamos a Hannah.

Hablé con cautela, sabiendo que lo más probable es que le pareciera de muy mal gusto lo que le iba a decir.

—La cuestión es… que si se muere pronto… no hará falta que le digamos nada a Hannah.

Mi comentario no pareció chocarle tanto como yo esperaba, pero sacudió la cabeza irritado.

—Claro que debemos decírselo. No podemos hacer como si nada y, además, es de su propia sangre. Tal vez Hannah decida que quiere saber más cosas de él, sobre todo ahora que por fin se ha preocupado de buscarla —dijo esta última frase con desdén.

—No entiendo cómo puedes estar tan cabreado con él y aun así desear hacer lo correcto.

—Te lo he dicho mil veces, quiero hacer lo correcto por Hannah, no por él. Por más mal padre que haya sido y por más que deseemos que nunca hubiera aparecido, al fin y al cabo *es* su padre y está aquí, y Hannah tiene todo el derecho a saberlo. Y ahora, si realmente está a las puertas de la muerte, y sinceramente no puedo decir que lo sienta si es así, razón de más para decírselo. Imagínate que más adelante se le ocurre buscarle y descubre que se ha muerto aquí, en Sheffield. Y si se enterara entonces de que nosotros lo sabíamos, ¿cómo crees que se sentiría por habérselo ocultado?

—Vale, entiendo lo que me quieres decir. Pero piensa en ello. No lo ha visto desde que era muy pequeña y nunca ha mostrado el menor interés o el deseo de saber nada acerca de él, aparte de lo que ya le he contado. —De pronto recordé el momento en que Hannah me preguntó en Nochevieja si se parecía a su padre—. Y, además, está todavía demasiado frágil como para lidiar con algo tan serio.

Duncan asintió con la cabeza, meditabundo.

—Sí, *es* un riesgo que hay que tener en cuenta. Pero en algún momento dado querrá saber más cosas sobre sus raíces, sobre todo ahora que tiene un hijo. Simplemente tendremos que decírselo con mucho tacto. Tal vez se lo deberíamos decir a Marcos primero.

—No, a ella no le haría ninguna gracia —alegué lanzando un suspiro—. Duncan, ha pasado una temporada muy mala. Primero con lo de la menopausia prematura y luego con lo de la fecundación in vitro. Y ya sabes que aún está intentando aceptar lo de haberse visto obligados a recurrir a una donante.

Duncan asintió con la cabeza.

—Lo sé. Pobre Han.

—Ya sé que el tratamiento parece estar funcionando, pero no creo que debamos darle esta noticia para quedarnos con la conciencia tranquila mientras esté en un estado tan frágil.

Duncan quería a Hannah, no se arriesgaría a que volviera a recaer, estaba segura. Se me quedó mirando con fijeza y vi que estaba meditando, sopesando lo que le acababa de decir. Se cruzó de brazos y clavó los ojos en sus pies, repiqueteando con el pulgar en la parte superior del brazo, como si cavilara en ello.

—Tienes razón —asintió mirando por la ventana el jardín envuelto en la oscuridad—. Supongo que no tiene ningún sentido arriesgarnos a que sufra una recaída. —Lanzó un hondo suspiro y, metiéndose las manos en los bolsillos, se acercó a la ventana—. Pero no me gusta nada la idea de no decírselo.

Estaba hecha un manojo de nervios mientras me dirigía a la residencia para enfermos desahuciados. Nunca había estado dentro de una y esperaba que fuera como un hospital, o al menos que se *pareciera más* a uno. Creí que me encontraría a Scott en la cama, conectado a varios tubos y cables, grogui por estar atiborrado de fármacos y con su vida pendiendo de un hilo. Me sentí acalorada y sin aliento al seguir a la enfermera por el lugar. ¿Qué le diría? ¿Estaría consciente? Y si no lo estaba... ¿significaría que todo había acabado, y que ya no tendría que preocuparme más? La enfermera me condujo por un pasillo con las paredes de color amarillo cereza en las que colgaban fotografías modernas enmarcadas de flores de vivos colores.

—Voy a preguntar dónde está —dijo la enfermera al entrar en una zona enmoquetada con sofás, mesillas de café y un puesto de control de enfermería en un rincón—. Scott Matthews tiene visita —le comunicó a la enfermera del mostrador—. ¿Sigue en la sala de fumadores?

Por lo visto así era.

—A los pacientes y los visitantes se les permite fumar en las áreas designadas para ello —matizó al advertir seguramente mi cara de perplejidad—. ¿Quiere verle en la sala de fumadores o prefiere que le pida que se reúnan en otra sala?

—No, no le moleste. Yo ya no fumo, pero no me importa.

—Ya hemos llegado —me anunció.

Percibí el olor a cigarrillos incluso antes de que la enfermera abriera la puerta que daba a una sala amplia y luminosa, con varios sillones esparcidos y una mesa en la esquina donde tres tipos jugaban a cartas. El aire estaba lleno de humo y solo cuando se dio media vuelta vi que uno de ellos era Scott. Me saludó con la cabeza y tras disculparse con sus compañeros por dejar la partida, se dirigió andando despacio con la ayuda del bastón a un grupo de sillones al otro extremo de la sala, haciendo un ademán para que me uniera a él.

—No se te ve… —hice una pausa— tan *mal* después de todo.

—¿No tan mal como esperabas? —Su voz era débil y estaba esquelético, pero no se le veía tan ojeroso como la última vez.

Asentí con la cabeza

—La morfina hace milagros.

—Pero creía que una residencia para enfermos desahuciados…

—Y yo también, antes de enfermar. Pero puedes ingresar solo por unos días si quieres. Te permite darte un respiro al recibir un tratamiento como Dios manda para el dolor y te libera de tener que cuidar de ti o de que otro lo haga. Solo me quedaré un par de semanas hasta que Brenda vuelva.

—¿Brenda? ¡Ah, sí!, tu casera. ¿Todavía sigue echándote una mano?

Scott se acomodó en el sillón.

—Ahora viene cada día. Dependo casi del todo de ella para las compras y la comida. Ya no salgo a la calle porque tengo que pararme cada veinte metros a descansar. —Se sacó la petaca del bolsillo y la dejó sobre el brazo del sillón, junto con el paquete de Rizlas.

Lio el fino pitillo despacio, con manos de anciano.

—Me dijiste que Hannah no se encontraba bien —me ofreció la petaca.

Sacudí la cabeza.

—Hace años que no fumo. ¿Y tú no deberías hacerlo…?

Esbozó una sonrisa forzada.

—A estas alturas ya da igual. Y cambiando de tema, ¿ya se encuentra mejor?

—Sí, un poco mejor, pero todavía le queda mucho para recuperarse. Ha tenido una depresión posparto. Muy fuerte. Fortísima. Y todos decidimos tomarnos unos días libres para cuidar de ella. No podía con el bebé, ni con la casa, ni con nada, y todavía está muy frágil, por lo que ves me ha sido imposible… me refiero a que no… Todavía no está lo bastante fuerte, así que no puedes… —dije balbuceando.

Scott asintió con la cabeza lentamente.

—¿Ha ido a ver al médico?

—Sí. Le ha recetado pastillas. Y también tiene que ir al psicólogo. Scott, tienes que dejarla en paz. No lo podría soportar. ¿De acuerdo?

—¿A qué te refieres con que «la deje en paz»? Ya te lo he dicho. Eres *tú* la que debe contárselo. O decírselo primero a tu marido y luego se lo contáis juntos, como queráis.

Parecía irritado, era la primera vez que me hablaba así. Su voz sonaba más fuerte aunque siguiera hablando en voz baja, a pesar de habernos quedado solos en la habitación.

—Jo, sé realista. No voy a presentarme en su casa para soltarle: *Hola, soy tu padre y por cierto, hay algo que debes saber,* ¿no crees? No lo haré a no ser que no me quede otro remedio, que tú te niegues a hacerlo.

Sentí una opresión en el pecho, como si no pudiera respirar.

—Scott, ¿es que no lo entiendes? Ella no está bien, no podría soportarlo.

—Pero está mejorando, ¿no?

—¡Oh, Dios mío! Scott, ¿no podrías…? —le pedí al borde del llanto, cubriéndome el rostro con las manos.

—Oye, te doy dos semanas, ¿de acuerdo? Por esas fechas ya estaré en casa de nuevo. Bueno, al menos eso es lo que creo. —Se inclinó hacia mí de nuevo—. Jo, es lo que debemos hacer, tú ya lo sabes. Y creo que lo mejor es que se lo digas tú. Y dile también... que me gustaría mucho verla, por última vez.

27

Hastings, 1976

Jo deambuló por la parte antigua de la ciudad, esperando que se terminara la feria de verano. No quería ver más bailarines, ni malabaristas, ni gente sonriendo con helados o algodones de azúcar en la mano. Normalmente esta parte de la ciudad le encantaba, con sus pequeños tramos de escaleras en lugares curiosos, los callejones y los pasajes discurriendo entre las calles, y las casas estilo Tudor, unas viviendas dejadas a la buena de Dios revestidas de madera con aleros sobresaliendo por encima de las aceras por ser los pisos superiores más grandes que los de la planta baja. Pero hoy apenas apreciaba su encanto.

Sintió la piel de los hombros escociéndole por el sol mientras vagaba por la calle All Saints. Pasó por delante de una casa con una extraña forma de cuña conocida como «trozo de requesón». Tendría que haberse detenido para ponerse más crema solar, pero le daba igual. Hoy Scott había sido mucho más amable con ella, hasta que descubrió lo de los pendientes. Ahora le parecía doblemente cruel que se hubiera enojado tanto con ella. Siguió vagando por las calles hasta advertir que los pubes estaban empezando a abrir. Se preguntó por un instante si debía regresar para ver si Scott se había tranquilizado, pero si seguía enfurecido se le partiría el corazón. Aspirando una bocanada de aire, decidió subir las escaleras de piedra que daban al pub. Nada más había ido sola a dos pubes en toda su vida, el de Newquay, en el que trabajó, y The Crown, donde ahora trabajaba, pero no quería visitarlo porque se darían cuenta de que había estado llorando y le preguntarían la razón. Y de todos modos sabían que hoy iba a estar en la feria.

El ambiente del pub envuelto en la penumbra era relajante y como acababan de abrir todavía no había ningún otro cliente en el interior.

De haber estado lleno de gente ella no habría entrado ni loca. Sobre la barra colgaba una colección de jarras de cerveza corrientes y otras en forma de hombre sentado, y en una esquina se alzaba la figurita del cervatillo de la marca Babycham correteando ante una copa de champán. De la pared colgaba una cabeza enorme de venado mirando hacia abajo. Como la chica de la barra tenía un aire razonablemente amigable, le pidió una mediana de Double Diamond y una bolsa de patatas fritas, pagó los veintidós peniques y medio que costaba y se sentó en una mesa del rincón. En la silla había un par de periódicos doblados y abrió uno fingiendo leerlo mientras daba cuenta de las patatas fritas y la cerveza, preguntándose si todavía sería bien recibida en la casa después de lo ocurrido. ¿Scott se había referido a que se fuera por un rato? Parecía tan furioso que quizá significaba que se largara para siempre. Tal vez en el fondo no quería que siguiera viviendo con ellos y ahora tenía una buena razón para pedirle que se fuera. Sintió un horrible vacío en el estómago ante la perspectiva de tener que irse. Estaba empezando a sentirse como en su propia casa y a gusto con Eva, e incluso con Scott, aunque él no se acabara de decidir si ella le gustaba o no. Se encogió de horror al pensar en los pendientes. Eva se veía tan pálida y mareada en la feria... ¿Qué le diría cuando se enterara de que todo su esfuerzo de las últimas semanas había sido en vano? Sacudió la cabeza para ahuyentar ese pensamiento. ¿Debía ir directa a casa y pedirles perdón de nuevo?, se preguntó mientras se terminaba la cerveza. ¿O era mejor no volver por la noche y escribirles quizás una carta explicándoles que lo sentía mucho? Podía deslizarla por debajo de la puerta cuando anocheciera. Tal vez Scott a esas alturas ya se habría calmado.

Al acercarse a la barra para pedir otra cerveza, advirtió dos figuras escuálidas y sombrías colgando por encima de su cabeza. La camarera le sonrió.

—Lo sé. Es de locos, ¿verdad? Son gatos momificados. Los propietarios anteriores encontraron sus cuerpos mientras hacían reformas, por lo visto los habían lapidado vivos. Creyeron que pertenecían a una vieja bruja que supuestamente vivió en esta casa. Aunque el propietario actual tendrá que cambiarlos pronto de sitio. ¡No paran de deshacerse sobre las malditas cervezas! ¿Todavía quieres una? —le dijo echándose a reír.

Eva siempre decía que le gustaba Hastings porque era un lugar de lo más extraño y Jo caviló en ello mientras se fumaba el último pitillo que le quedaba. ¡No ibas a encontrar un pub con gatos momificados colgando sobre la barra en ninguna otra parte! Al regresar a la mesa le vino de golpe a la cabeza un recuerdo horrible; se le había borrado de la memoria. Le ocurrió a los cuatro años. Había estado toda la mañana vistiendo a su viejo gato pelirrojo con la ropa de la muñeca para sacarlo a pasear con el cochecito de juguete por el jardín de su casa. Estaba encantada de haber dejado a *Tigre* tan mono. Incluso se las había apañado para atarle un gorrito con volantes sin que la arañara. Fue al llevarlo orgullosa con el cochecito a la cocina cuando descubrió que pasaba algo. Su padre se levantó de un brinco, le quitó el cochecito de las manos y su madre le puso en un santiamén las sandalias para llevársela a pasear. «Venga, Jo-Jo. No llores más. Iremos al parque. ¿Quieres que te compre un helado cubierto de chocolate?» Le dijeron que no había sido por su culpa. *Tigre* era ya mayor, muy mayor, y seguramente había muerto mientras dormía. Pero a partir de aquel día ya no pudo recordar nunca más si el gato estaba vivo o no cuando intentó meterle las patas delanteras por las mangas del abriguito de lana de la muñeca.

A pesar de las patatas fritas, empezaba a tener hambre otra vez y apenas le quedaba dinero. Apuró la cerveza y salió a la calle. El sol ya no quemaba con tanta intensidad como antes, pero seguía haciendo calor. Se dirigió a la playa y por el camino compró de paso una cajetilla de tabaco No 6 y una bolsa de patatas fritas.

La marea estaba bajando y la franja reluciente que el mar había dejado sobre los guijarros húmedos era tan bonita que al acercarse casi hasta el borde del agua, se quitó las sandalias y fue paseando al muelle con el agua fría lamiéndole los pies. En la playa soplaban ráfagas repentinas, pero el aire era tan caliente que parecía como si alguien estuviera abriendo y cerrando un horno. La mayoría de las familias ya se habían ido, pero todavía quedaban algunas personas por allí. Un poco más lejos vio un grupo de gente apiñado alrededor de una pequeña hoguera. Uno de los tipos tocaba la guitarra mientras dos mujeres cantaban al unísono «American Pie». De repente le invadió un sentimiento de tristeza. Durante el cumpleaños de Eva, hacía solo una semana, los tres habían encendido una hoguera en la playa y se habían puesto a cantar canciones de Simon & Garfunkel con tan buena voz que algunos transeúntes acabaron uniéndose a ellos. Al final todo el mundo rio y aplaudió, y cuando volvieron a quedarse solos los tres, siguieron en la playa charlando y contemplando el cielo estrellado sin una sola nube hasta el amanecer. ¿Repetirían la experiencia de nuevo o había echado a perder su amistad para siempre?

Dejó atrás el muelle hasta llegar al Callejón de las Botellas, uno de los lugares preferidos de Eva. Era una prolongación del paseo marítimo en la parte inferior, donde la larga pared de hormigón del fondo estaba revestida de miles de fragmentos de vidrios de colores, como un mosaico de art déco. Eva se lo había mostrado poco después de su llegada. Ahora estaba cayendo la noche y apenas se veían los colores de los cristales, pero seguían siendo preciosos. Al llegar a un banco resguardado en un hueco, se sentó y encendió un cigarrillo. Fumándoselo despacio, se puso a contemplar el cielo envuelto en la penumbra. Bostezó. Tal vez podría dormir allí y volver a casa al día siguiente para ver si las cosas habían mejorado. Mientras observaba el mar oscureciéndose por momentos, notó que los ojos se le cerraban de sueño, abrumada de tristeza. Lanzando un suspiro, sacó del bolso las gafas de sol y los cigarrillos y los dejó debajo del banco. Luego ahuecó el bolso para usarlo de almohada y se tumbó en el banco esperando poder dormir un poco. El banco era duro y los hombros quemados por el sol le empezaban a doler, pero se sentía tan rendida por el calor y el nerviosismo que estaba segura de poder echar una cabezadita. Volvía a «dormir a la intemperie». ¿Cómo podía encontrarse otra vez en la misma situación, sobre todo después de haber empezado a sentirse segura de nuevo? Al menos no hacía tanto frío como la noche horrenda que había pasado en Londres, poco después de fallecer su madre. De repente se le hizo un nudo en la garganta y tragó saliva. Le habían dicho que con el tiempo ya no le dolería tanto y en cierto modo así era. Pero de vez en cuando se descubría pensando que su madre ya llevaba muerta demasiado tiempo y que ya era hora de que volviera. Sabía que era una estupidez pensar algo así, pero lo que más le costaba digerir era la *permanencia* de la muerte.

Sintió en los brazos desnudos la brisa caliente soplando del mar y cerró los ojos, procurando ignorar la sensación de quemazón de sus hombros, dejándose llevar por el relajante y rítmico rumor del mar. Una lágrima le resbaló por entre los párpados, seguida rápidamente de otra, pero se mordió el labio para contenerse y al cabo de poco se sumió en un sueño ligero.

Lo primero que notó fue el olor a tabaco y a sudor rancio, y luego el duro banco de madera bajo ella. Al moverse sintió una punzada de dolor en el hombro y recordó de golpe el incidente del día anterior. Intentó abrir los ojos, pero los tenía pegados por las lágrimas secas. Oyó a alguien respirar y por un instante se preguntó si Scott la habría encontrado, pero al conseguir abrir los ojos no fue la cara de Scott con una perilla la que vio pegada a la suya, sino un pene turgente y una manaza encallecida meneándoselo con frenesí. Levantándose de golpe, le arreó un bolsazo al tipo que sobresaltado retrocedió pegando un brinco. Solo le dio tiempo de echarle una rápida ojeada, pero vio que era un hombre mayor con la camisa por fuera y la barriga al aire, con los pantalones cortos desabrochados colgándole de las pantorrillas. Soltando el pene, alargó la mano hacia ella.

—No te haré daño, por favor —gritó a sus espaldas.

Pero Jo había echado a correr por el paseo marítimo con las sandalias de suela de corcho repiqueteando por el hormigón. Por suerte no se las había sacado cuando se puso a dormir. Al girar la cabeza para mirar atrás sin dejar de correr, vio otra figura siguiéndola. Salió disparada del paseo para huir por la playa con los guijarros crujiendo y chasqueando bajo sus pies, pero oyó al desconocido pisándole los talones. Ir a toda velocidad por una playa de guijarros no era nada fácil, y encima los hombros quemados por el sol le estaban haciendo ver las estrellas, y por si eso fuera poco, tenía la vejiga a punto de reventar, notaba la cerveza chapoteándole en la barriga. El ruido de pasos empezó a acercarse tanto que apenas podía seguir corriendo. Aterrada, abrió la boca para echarse a gritar.

—¡Jo! ¡Jo! ¡Soy yo, por el amor de Dios! No vayas tan deprisa —oyó de pronto a su espalda.

Era Scott. Ella se detuvo de golpe y se volvió en el momento en que él le daba alcance.

—¿Qué te pasa? —dijo él.

Jo rompió a llorar echándose en sus brazos.

—Cuando dormía en un banco me desperté de pronto y vi a un hombre arrimado a mí y él... él...

—¡Joder! ¿Estás bien? ¿Te ha hecho algo?

—No —repuso ella sacudiendo la cabeza, un poco más calmada—. No, estoy bien, no me ha tocado ni me ha hecho nada. Pero... me lo encontré con la polla fuera y, estaba, estaba masturbándose delante de mi cara.

—¡Maldito pervertido, será cabrón el tío! —exclamó Scott estrechándola entre sus brazos—. ¿Seguro que estás bien?

Jo asintió con la cabeza con la cara pegada a su pecho. Qué agradable era estar arrimada a él. El aliento le olía un poco a cerveza y a tabaco, pero era muy distinto del olor rancio que despedía el de aquel tipo. Scott olía además a jabón Lifebuoy.

—¿Por qué diablos estabas durmiendo en un banco? —le preguntó él despegándose de su cuerpo para mirarla.

—No sabía qué hacer después... ya sabes... de lo de los pendientes —repuso ella bajando los ojos.

Scott lanzó un suspiro.

—Todos nos equivocamos. Pero dormir en un banco no es la solución. ¿No te parece?

—No sabía si volver a casa; no estaba segura de si os parecería bien —le confesó secándose otra lágrima—. ¿Qué ha dicho Eva? ¿Está enfadada conmigo?

Scott sacudió la cabeza.

—Eva nunca se enfada «demasiado». Se irritó un poco, pero solo por haberle llevado tanto tiempo hacer los pendientes. Pero no está cabreada contigo. En realidad me pegó un rapapolvo por ser un gilipollas. Y tiene razón, lo siento.

Jo sintió un gran alivio.

—No. No, soy yo la que se tiene que disculpar. Y como te dije, os prometo que os devolveré el dinero. Seguro que puedo trabajar más horas en el pub y…

—¡Jo! —la atajó alzando la mano—. Cálmate. Si quieres trabajar más horas, hazlo, y si decides colaborar con un poco más de dinero en el fondo común siempre nos vendrá bien. Pero olvídate de devolvernos el dinero. Hablo en serio. Y tú no tuviste toda la culpa. Eva me recordó que no te habíamos dicho exactamente a cuánto salían los pendientes. Y la lista de precios estaba escrita en un pedazo de papel, se podía perder fácilmente. También me dijo que ella se habría distraído si se hubiera encontrado con aquel niño perdido. Nos podía haber ocurrido a cualquiera de nosotros. Yo he aceptado tus disculpas, ahora acepta tú las mías, ¿vale?

Jo casi se echó a llorar de alivio.

—Exageré —admitió mirándola—. Te dije que te fueras, pero no me refería para siempre, tonta —añadió sonriendo—. Venga, volvamos a casa.

28

Jo se despertó temprano como de costumbre, con los surcos de la clavícula empapados en sudor. Se moría por tomar una buena ducha, pero solo disponían de un trozo de tubo de goma que empalmaban a los grifos de la bañera y de todos modos se suponía que debían ahorrar agua. Tras vestirse bajó a la planta baja, llenó un cubo con el agua de la vieja bañera de metal con la que se había lavado y subió las escaleras de la parte de atrás para regar las tomateras del huerto antes de que el sol picara demasiado. Ya hacía calor, y eso que eran poco menos de las ocho de la mañana. El terreno que Eva había planeado convertir en un minihuerto estaba agrietado y seco, no había más que tierra seca. Por suerte, no se había encontrado lo bastante bien como para prepararlo en primavera, porque cualquier cosa que hubiera sembrado no habría prosperado.

Scott y Eva ya estaban en la cocina. Una olla enorme llena de fresas y azúcar hervía en el fuego y en el aire flotaba el fragante aroma a fruta caliente azucarada. El día anterior habían recorrido a pie cinco kilómetros para irlas a buscar a una de esas granjas ecológicas que te dejan recoger a ti la fruta. Se las habían dejado a mitad de precio porque estaban madurando demasiado rápido, y recogieron cinco kilos de fresas en su punto justo. Si hubieran esperado un día más probablemente ya estarían demasiado maduras.

—Vaya, ya estáis dándoos un buen tute. Y no son más que las ocho —observó Jo.

Scott estaba removiendo la mermelada mientras Eva escaldaba los tarros con agua hirviendo. Reinaba de nuevo aquel ambiente de productividad en la casa.

—Quiero escaldar al menos algunos antes de que haga demasiado calor —repuso ella—. Y de todos modos tenemos que terminar con la mermelada alrededor de las once y media, porque a Scott le ha salido un trabajo temporal al mediodía en Battle y mi tren sale a las doce menos cinco.

A Jo le invadió de pronto una ligera sensación de pánico.

—¿Adónde vas?

—A Covent Garden. Tengo que comprar más material.

—¿Material?

—Para la bisutería. He de reponer lo que vendimos —masculló Eva alineando los tarros.

Eva apenas había mencionado lo de la bisutería desde el día de la feria de verano y Jo estaba segura de que evitaba tocar el tema porque sabía que ella se sentía culpable por lo de los pendientes.

—¡Ah, sí, claro! —El día en que había conocido a Eva en Trafalgar Square parecía ahora muy lejano—. Eva, hoy no voy a trabajar. ¿Os puedo ayudar en algo?

Se lo preguntó medio esperando que le sugiriera que la acompañara, aunque el billete de tren era caro. Quizá podían ir a dedo como en el pasado. Pero le dijo que fuera, si no le importaba, a la playa a recoger conchas pequeñas para hacer collares y pulseras.

—De acuerdo —asintió ella intentando no parecer demasiado decepcionada.

La radio estaba encendida y en las noticias no se hablaba más que de la sequía, los embalses vacíos y de que en ciertas partes del país la gente tenía que obtener el agua de fuentes provisionales. La situación se estaba poniendo seria, dijo el presentador, y si no llovía pronto el país tendría problemas.

—¡Cómo si ahora ya no los tuviera! —exclamó Scott sacudiendo la cabeza al tiempo que apagaba la radio.

Retiró la olla de la mermelada hirviendo del fuego y empezó a llenar los tarros que Eva había preparado.

—Francamente, antes me preocupaba vivir como okupa y no ganar dinero con regularidad, pero al menos no tenemos que pagar al gobierno una tercera parte de lo que cobramos. Me saca de quicio solo pensarlo…

—¡Scott!

—Lo siento. Pero no me da la gana dejarme la piel trabajando para apoyar la subida de precios y el aumento del desempleo. Y encima nos acusan de ser unos comunistas melenudos que nos pasamos el día rascándonos la barriga. Tal vez tenga el pelo largo, pero seguro que curramos más que la mayoría de esos cabrones ignorantes que salen correteando de sus despachos con vales de comida y una llave para el baño reservado a los ejecutivos. Y te garantizo que todavía siguen lavando sus flamantes BMV a pesar de las restricciones de agua mientras los pobres agricultores pierden sus cosechas por la sequía.

—Sabes que estoy de acuerdo contigo, Scotty. Pero no tiene ningún sentido cabrearte por ello —afirmó Eva limpiando los bordes de los tarros llenos de mermelada para cubrirlos con un disco de papel encerado.

—Pero ¿te has fijado en el estado en que está el país? —repuso Scott sacudiendo la cabeza mientras echaba los restos de la mermelada de un vivo color rojo en un tarro—. No me extraña que tanta gente emigre. Mis padres tuvieron una gran idea al mudarse a Nueva Zelanda. A lo mejor nosotros también deberíamos hacer lo mismo.

Jo y Eva se echaron a reír.

—Ni hablar —dijo Eva—. Aunque la situación sea crítica en el país nosotros no tenemos nada que ver. Trabajamos y nos ganamos la vida, pero no tenemos que rendirle cuentas a nadie. Vale, no pagamos impuestos, pero tampoco reclamamos nada. Ni siquiera nos beneficiamos de los servicios del Sistema Nacional de Salud inglés, y mucho menos de los giros de la ayuda semanal.

Jo no les había contado que durante una temporada su madre y ella *habían* dependido de los giros de la ayuda semanal del Estado.

—Y no veo que debamos cambiar nuestra forma de vivir. Me gusta estar aquí. Sobre todo en este lugar, junto al mar —admitió Eva con ojos soñadores—. Espero que el señor Hedman no necesite vender la casa demasiado pronto. No quiero abandonarla nunca.

Jo se pasó la mayor parte del día en la playa recogiendo conchas para la bisutería de Eva. También recogió algunos guijarros bonitos y varios pedazos de cristales de colores alisados por el mar. El sol era abrasador, pero desde el día de la feria en que se le habían quemado los hombros, ahora siempre se protegía con una buena cantidad de crema solar. Se había enfurecido consigo misma por no haberlo hecho *sabiendo* perfectamente que el sol era peligroso. Pero Eva le había aplicado en la piel quemada aceite de lavanda y se le había curado con una asombrosa rapidez, aunque ahora se la notaba un poco curtida. El color caramelo que estaba tomando su piel le sentaba de maravilla, sobre todo cuando se ponía los pantalones cortos ajustados, que había comprado en un mercadillo benéfico, con la blusa de estopilla anudada bajo el pecho.

Cuando volvió se encontró con Scott plantado de espaldas junto a la pileta de la cocina. Él se dio media vuelta, la miró dos veces y lanzó un suave silbido de admiración.

—¡Qué guapa estás! —exclamó—. La ropa que llevas te realza el moreno.

Al sentir un hormigueo de satisfacción por el cumplido fue cuando entendió que era eso lo que había estado esperando, para ser sincera, y la razón por la que se había puesto aquella ropa. Scott volvió a ocuparse de lo que estaba haciendo en la pileta.

—¿Te apetece caballa a la parrilla para cenar? Nos la podemos tomar con pan, tomates y lechuga. Me la regaló un tío con el que charlé en el trabajo. Esta mañana pescó un montón en la playa, pero al volver a casa y descubrir que el congelador estaba lleno a tope, decidió regalarlas en el pub, y yo pensé que como estaríamos solo tú y yo esta noche… Te gusta el pescado, ¿verdad?

—Sí —repuso ella asintiendo con la cabeza—. Me encanta el pescado. Pero ¿por qué vamos a cenar los dos solos? ¿A qué hora vuelve Eva?

—¡Oh!, dudo que vuelva esta noche, a no ser que encuentre a otra alma descarriada a la que traer a casa. —De súbito se avergonzó un poco de lo que acababa de decir—. Lo siento, no quería…

—No pasa nada. Supongo que yo también era en cierto modo un alma descarriada. ¿Suele traerse a gente de Londres a menudo?

Jo creía que ella era especial, que Eva se la había llevado a casa porque le había caído bien, pero tal vez se estaba engañando a sí misma.

—No, no a menudo. Pero podemos traer a quien queramos, ha sido siempre así en todos los lugares donde hemos vivido. Si alguien necesita un lugar para pasar la noche y hay sitio en casa, le ofrecemos una cama, y luego esperamos a ver cómo va la cosa. Y si le apetece estar más tiempo y a los dos nos parece bien, se puede quedar a vivir con nosotros.

—¿Y yo os parecí bien a los dos?

—Evidentemente —afirmó sonriendo.

Después de tomar caballa con ensalada para cenar se sentaron en el salón con las ventanas abiertas, fumando el porro extralargo que Scott había liado para celebrar que el trabajo temporal del pub le había ido bien y que le habían pedido que fuera dos días más, en los que recibiría por cada uno quince libras, además de la comida y las bebidas. El calor no parecía disminuir y por las ventanas no entraba ni una gota de aire. A Jo el calor le gustaba, pero este bochorno era incluso demasiado para ella.

—¡Uf! —se quejó abanicándose con la mano.

Intentó soplarse un poco de aire a la cara, pero tenía la piel sudada y el pelo pegado a ella como zarcillos. Scott estaba sentado delante con la frente llena de gotitas de sudor brillantes por habérsela refrescado haciendo rodar el botellín frío de cerveza por encima. Ella había hecho lo mismo con el suyo y la había aliviado del calor unos segundos. Estaban escuchando *The Dark Side of the Moon* y al cabo de poco se sumieron en un silencio reverencial llevados por la música y la intensidad y viveza adicional suscitada por el hachís.

El disco llegó a su fin y los dos se quedaron inmóviles en medio de un silencio cargado de significado. Tenían la noción del tiempo alterada por la hierba, pero habían escuchado todo el álbum y afuera estaba oscuro, de modo que debían de haber transcurrido un par de horas. Aunque Jo sabía que era hora de acostarse, no quería abandonar la deliciosa sensación que la envolvía. Miró el lugar donde Scott estaba sentado, pero él había desaparecido. Ni siquiera se había dado cuenta. Cerró los ojos y apoyó la cabeza en el sillón. Era un buen hachís, la hacía sentir ingrávida, soñadora y feliz. Al abrirlos, vio a Scott plantado ante ella con la mano tendida.

—Quiero enseñarte algo. Ven conmigo —le anunció sonriendo como un niño excitado.

Sintiéndose un poco mareada, dejó que él la ayudara a levantarse tirándola de la mano. Salieron del salón y, cruzando el pasillo, la acompañó hacia las escaleras. En otra situación se habría preguntado si estaba intentando llevársela a la cama, pero las risitas ocasionales de Scott sugerían lo contrario. Atravesaron el descansillo, pasaron por delante de los dormitorios y doblaron la esquina dejando atrás la habitación de pensar para subir a la segunda planta. ¿Adónde la estaba llevando? La única pieza en uso era la habitación donde Eva trabajaba y al principio creyó que era allí a donde iban, pero él le señaló con la cabeza las angostas escaleras que daban al desván. La puerta era pequeña, no llegaba al metro cuadrado, y Jo nunca la había abierto. Eva le había dicho que estaba cerrada, pero Scott se inclinó hacia ella soltando unas risitas aún.

—Ven, pero no se lo digas a Eva.

La soltó de la mano para abrir la puerta con una llave que llevaba en el bolsillo. Agachándose, entró en el desván caminando a cuatro patas y ella le siguió. El suelo en lugar de estar enmoquetado era duro, de cemento sin pulir, y de pronto se acordó de su libro favorito de la infancia, *El león, la bruja y el armario.* Era como si se internara en el mundo fantástico de Narnia, y se quedó tan maravillada como si se hubiera encontrado de golpe con un bosque nevado. Cogiéndola de la mano, Scott la ayudó a levantarse. Se descubrió plantada en medio del tejado, pero no le dio tanto miedo como se había imaginado. Estaba lleno de pendientes y chimeneas, pero también había muchas zonas planas, y como el pretil, un murete de medio metro de alto, rodeaba el borde del edificio, daba una sensación de seguridad. Era como una planta más de la casa, solo que tenía por techo el cielo y las estrellas.

Allí arriba, aunque el aire fuera caliente, soplaba una suave brisa, apenas perceptible. Desde el tejado, en lugar de la franja azul que veías desde la habitación de pensar, aparecía el mar con claridad en toda su inmensidad. Parecía mucho más cerca que cuando lo contemplabas desde las ventanas de las plantas inferiores. El cielo estaba tachonado de estrellas y la luna, casi llena, iluminaba con una luz plateada la intensa negrura del mar extendiéndose a sus pies. A su izquierda, el castillo de Hastings, iluminado con luces doradas de muy buen gusto, se alzaba majestuosamente en West Hill como si estuviera vigilando la ciudad, velando aún por Inglaterra. Fue girando la cabeza poco a poco para asimilar aquellas vistas tan maravillosas.

—¡Qué increíble!

Scott seguía sonriendo.

—Ven por aquí —le indicó

La llevó por una pasarela que rodeaba el tiro de la chimenea principal por el otro lado. En aquel espacio, donde una pendiente del tejado se unía a una zona plana, Scott había preparado un picnic —o más bien una fiesta nocturna, se dijo ella— sobre un trozo de tablero aglomerado a modo de mesa. Había más cerveza, media botella de vino blanco, una cuña de queso, una baguette partida a trozos y un bloque de mantequilla Anchor. También vio los restos de la bolsa de tamaño gigante de patatas fritas que habían estado comiendo antes, una caja sin estrenar de quesitos Cheeselets y un cuenco con las fresas un tanto mustias que les habían sobrado de la mermelada.

—Scott, esto es… no sé cómo describirlo —dijo ella emocionada mirando a su alrededor.

—Me imaginé que te gustaría picar algo después de toda la yerba que te has fumado, y, además —añadió bajando los ojos—, es para compensarte por cómo me he comportado contigo últimamente. Venga, sentémonos y disfrutemos de las vistas.

Apoyando la espalda en el tejado inclinado, se sentaron con las piernas extendidas. A Scott los pies le llegaban al pretil. Se comieron la baguette y el queso, y después varias fresas algo blandas acompañadas de vino blanco dulce con un punto de gas que bebieron a morro. Tomarlo de la misma botella era en cierto modo más íntimo que compartir un porro. El vino estaba caliente, pero combinaba de maravilla con las fresas. Jo apoyó la cabeza en las tejas de pizarra mientras Scott liaba otro canuto, y se echaron a reír como locos por haberlo teñido él de rosa con los dedos manchados de jugo de fresa. Qué extraño era estar allí arriba, al aire libre y tan cerca del cielo.

—A Eva no le gusta que suba al tejado —admitió Scott dándole otra profunda calada al porro—. Pero es tan… Echó la cabeza hacia atrás sacando el humo—. ¡Es tan *jodidamente* bonito! —exclamó abriendo los brazos como si quisiera abrazar el cielo.

Jo asintió a su vez.

—Nunca había visto nada igual, ni siquiera sabía que se pudiera subir al tejado. ¿Por qué Eva…?

—Le da miedo que me parta el cuello. Le he dicho que no te puedes caer a no ser que seas un inconsciente de cuidado. Pero se pone muy nerviosa si lo hago. Cuando nos conocimos yo iba en moto, pero le aterraba que me matara en un accidente y no me quedó más remedio que vendérmela.

—¡Vaya!, la debes de querer mucho.

—Sí. Eva es muy importante para mí. Es una chica increíble. Ya sabes a lo que me refiero.

—Sí, claro. Fue encantadora conmigo cuando ni siquiera me conocía. Siempre ha sido muy buena.

—Le gusta tener a otra chica en casa. Aunque no suelen ser de las que necesitan un lugar para pasar la noche. Como Safiro, que se vino con nosotros al mudarnos a este lugar. Eva se llevó un buen disgusto cuando se fue; la echa de menos. —Scott le pasó el porro; incluso a la luz de la luna ella vio que tenía la cara cubierta de una ligera capa de sudor—. Y creo que le gusta que las dos tengáis tantas cosas en común, como haberos quedado sin vuestra familia y otras cosas por el estilo. Yo la comprendo, pero como no he vivido en carne propia la pérdida de unos padres y de un hermano pequeño, no es lo mismo.

—No sabía que también hubiera perdido a un hermano.

Jo pensó en la fotografía, la que ahora llevaba escondida en el bolso, la de la madre de Eva embarazada a todas luces.

—Hace mucho que quería preguntarle sobre su familia. Sabía que sus padres habían muerto, pero…

—¿Te contó lo que les ocurrió? —le preguntó él.

—No. Empezó a explicármelo, creo, pero…

—¡Ah!, fue una gran desgracia —la interrumpió Scott—. Tenía un hermano pequeño, pero se murió al poco de nacer, pues en el hospital cometieron algunas negligencias; por lo visto no debería haber muerto. A los pocos días su madre tuvo una hemorragia cerebral. Desde que había dado a luz se quejaba de dolores de cabeza, pero nadie los tuvo en cuenta.

—¡Oh, Dios mío, qué horroroso!

Scott lanzó un suspiro.

—Hubo una investigación y todo lo demás, y algunas personas fueron relevadas de sus cargos provisionalmente. Pero a Eva y a su padre todo eso no les ayudó en nada —admitió sacudiendo la cabeza—. Lo ha pasado muy mal en la vida. Ha perdido a muchos seres queridos. Por eso ahora teme que me muera de sopetón, o que me caiga por un precipicio, o que me ocurra alguna otra desgracia.

—Pobre Eva.

Le invadió una oleada de tristeza en parte por ella y en parte por sí misma. Pensar en todo lo que le había sucedido a la madre de Eva le había hecho sentir un insondable vacío de tristeza por su propia madre. Parpadeó para contener las lágrimas que empezaban a aflorarle a los ojos y encendió un pitillo. Le habría gustado preguntar qué le ocurrió al padre de Eva, pero no estaba segura de poder soportarlo de momento.

Se quedaron sentados en silencio algunos minutos, fumando y contemplando el mar.

Scott tenía una mirada tierna y soñadora en la cara.

—Me pregunto dónde estará ahora.

—¿Ni siquiera sabes dónde está? —dijo ella sorprendida.

—Habrá encontrado algún lugar donde quedarse, siempre lo hace. Sabe dónde están las casas de los okupas; encontrará a alguien que la aloje en su casa.

—Pero…

—No nos pertenecemos el uno al otro.

Era lo mismo que Eva decía una y otra vez.

—No, pero…

Pero ¿qué? ¿Qué había de malo en ser tan flexible con lo que el otro hacía? Jo se dijo que era estupendo. Tal vez ella debería intentar pensar del mismo modo. Apuró el porro y lo arrojó por el borde del murete. Apoyándose de nuevo en las tejas de pizarra, cerró los ojos. Todo estaba en silencio y quietud. Oyó el cadencioso rumor de las olas a lo lejos, el murmullo ocasional de un coche circulando por la carretera de la costa. De vez en cuando oía las voces estridentes y las risas de la gente saliendo de un pub o del muelle para regresar a casa. Ahora se empezaba a sentir soñolienta. Durante las dos últimas semanas algunas personas habían decidido pasar la noche al raso. ¿Cómo sería dormir en el tejado bajo las estrellas?, se preguntó. Todavía hacía bastante calor, pero al menos soplaba una suave brisa y volver a sentir aquel vientecillo en la piel probablemente le bastaba a la gente para intentar dormir en el tejado.

—¡Mira! ¡Una estrella fugaz! —exclamó Scott agarrándola del brazo.

—¿Dónde? —Pero no pudo verla.

—Sigue mirando el cielo, tal vez veamos otra.

Nunca había visto una estrella fugaz y se quedó mirando las luces plateadas parpadeando en medio de la oscuridad, esperando ver una cruzar velozmente el cielo. No tenía ni idea de cuánto tiempo hacía que estaba con la cabeza alzada, pero de pronto vio que Scott ya no estaba contemplando el cielo, sino que la estaba mirando con la cara a dos dedos de la suya. Jo no se movió. Él se fue acercando despacio, tan despacio que ella sintió su aliento en su hombro.

—Jo, desnudémonos y hagamos el amor —le susurró él.

29

Ella creyó haberle entendido mal.

—Sería tan hermoso, ¡qué hermosa eres! —le deslizó el dedo por el interior del brazo, haciéndola estremecer de placer—. Por favor —le rogó besándola en el hombro—. En este momento no puedo pensar más que en ti y en cómo sería hacer el amor contigo en el tejado, al aire libre, bajo este cielo tan precioso.

Ella no respondió, no se movió. Se sentía envuelta en la misma deliciosa sensación que la había embargado en el salón; era una especie de quietud atemporal, como si ese momento fuera a durar para siempre y nada pudiera cambiarlo. Salvo que *algo* había cambiado. Desde que había llegado a esta casa se había estado preguntando qué sentiría al besar a Scott e incluso al dormir con él. Pero no se refería en el sentido físico, en el de practicar el sexo. Cerró los ojos, como si hacerlo le permitiera pensar en privado. Pero él empezó a besarla en los párpados.

—Despierta. Despierta y hagamos el amor —le susurró.

Ella abrió los ojos.

—Eva. ¿Y Eva? —Fue todo cuanto dijo.

—Eva es muy abierta. —Le apartó un mechón húmedo de la frente y se la quedó mirando—. Oye, quiero a Eva y nada va a cambiar eso.

Y de pronto se puso a besarla en la cara y le deslizó la mano por la espalda cubierta de sudor hasta donde habría estado abrochado el sujetador de haberlo llevado.

—Pero no estaría bien. Eva es tu chica —repuso ella poniéndole la mano en el brazo.

Él, deteniéndose, se la quedó mirando.

—Jo, Eva no es «mi» lo que sea, no me pertenece. La quiero y la respeto, y lo que hay entre nosotros es fabuloso, de lo más fabuloso. Pero no tiene nada que ver con querer hacer el amor contigo ahora.

Hace una noche preciosa, estamos disfrutando de una noche de verano al aire libre, hemos compartido comida y vino, y también hachís. ¿Por qué no compartir además nuestros cuerpos? No es más que otra clase de placer, una forma más profunda de comunicación —afirmó mirándola con intensidad, con ojos tiernos y penetrantes—. Si estás segura, realmente segura de que no quieres hacerlo, dímelo y pararé en el acto.

—No es que no quiera —admitió Jo.

Al oírla, Scott, lanzando una especie de gemido, le deshizo las tiras de la blusa y sepultó la cara entre sus pechos. Ella solo lo había hecho unas pocas veces en Cornualles con Rob. Nunca lo había considerado su novio, al menos no en el sentido de estar «saliendo» con él. En una ocasión Rob la llevó al cine a ver a David Essex en *Stardust*, pero sobre todo quedaban para pasar el rato en casa del padre de él. No era más que Rob. Olía a pitillos y a aceite de motor y también a colonia Brut en exceso, pero era amable y nunca le dijo nada desagradable sobre su madre, ni siquiera cuando la había visto borracha. La primera vez que lo hicieron le dolió mucho y se le manchó de sangre la parte baja del vestido nuevo. Pero cuando la abrazó al terminar, se sintió segura. Ninguno de los dos era un experto —en sexo—, pero no les importaba, estaban practicando el uno con el otro, aprendiendo cómo se hacía para que en el futuro, cuando tuvieran una pareja «adecuada», supieran cómo funcionaba la cosa. A Jo le gustó sentir sus cuerpos pegados, la cálida piel de Rob fundiéndose con la suya. Pero aparte de eso, no entendía por qué la gente le daba tanto bombo.

Sin embargo, lo que ahora sentía era muy distinto. Scott la guiaba con desenvoltura como si estuvieran bailando, como si ella solo tuviera que dejarse llevar. El placer era tan tremendo que no pudo gemir siquiera de lo impresionada que estaba. Pero Scott sí que lo hizo, dio unos gemidos de placer tan desgarradores que ella temió que la gente de la calle les oyera, aunque probablemente no había nadie alrededor.

Después, con los cuerpos empapados en sudor y los corazones latiéndoles desaforados, se quedaron tendidos hasta recuperar el aliento. Ahora estaban en la parte plana del tejado, pegados al murete. Jo se dio cuenta de que la rodilla le dolía, pues se la había arañado con el cemento. Scott seguía encima de ella a todo lo largo. Intentó que se echara a su lado para que no la siguiera aplastando con el peso de su cuerpo.

—Ha sido fantástico —le susurró él con la boca pegada a su cabello.

El sexo con Scott había sido un sexo como Dios manda, un sexo de adultos, entre hombre y mujer, y no los escarceos incompetentes e insatisfactorios que había tenido con Rob. Pero el deleite y la excitación que había sentido unos momentos antes se estaban esfumando por segundos y ahora empezaba a darse cuenta de la barbaridad que acababa de hacer. A pesar de lo que él le había dicho, no creía que Eva se fuera a tomar tan a la ligera que ella se hubiera acostado con su novio la noche que no estaba en casa. Eva, la encantadora, buena y generosa Eva. Sintió las lágrimas resbalándole por entre los párpados. ¿Cómo podía haber traicionado a su amiga de una forma tan horrible? Dejó escapar un sollozo ahogado y se quitó a Scott de encima. Estaba completamente desnuda, ¿cómo era posible? Él le había sacado la blusa, pero no se acordaba de que la hubiera despojado de los pantalones cortos ni de las bragas. Se sentó para buscar su ropa y de pronto se sintió mareada. ¡Por Dios!, estaba colocada y probablemente cabreada también. No era de extrañar que no se acordara de algunos detalles.

—¡Eh, relájate! No hay ninguna prisa. Pasemos aquí la noche —le propuso Scott alargando la mano con indolencia hacia ella.

—¡No!, no me quiero quedar aquí toda la noche.

Se puso a recoger a toda prisa la ropa, poniéndose la blusa vuelta del revés y los pantalones cortos con la parte trasera delante. No encontró las zapatillas, pero de repente se acordó de haberlas lanzado alegremente por encima del pretil, soltando risitas al imaginárselas volando por los aires y aterrizando en la cabeza de algún viandante. Aunque era muy poco probable que hubiera ocurrido, porque aquella zona del tejado daba en su mayor parte al jardín, y de todos modos era muy inusual que alguien pasara por allí, sobre todo a esas horas de la noche.

Tambaleándose al levantarse, se apoyó en el cañón de la chimenea para recuperar el equilibrio. Avanzó dando traspiés para encontrar la puerta del desván y dirigirse a las escaleras, pero ahora el tejado le pareció enorme, estaba lleno de pendientes, tiros de chimeneas y recovecos, y no tenía ni idea de por dónde iba.

—Jo, espera. ¿Qué estás haciendo? —gritó Scott poniéndose la camiseta al tiempo que se levantaba.

—Volver abajo —le respondió por encima del hombro avanzando por una parte plana que había entre la pendiente y el murete—. No debería haber subido al tejado. Ni haber fumado tanto —añadió llorando.

—Te estás equivocando de camino. No vayas más allá de esa chimenea...

Pero ya lo había hecho y ahora se había quedado paralizada. Faltaba una parte del murete. Un paso más y caería al vacío si resbalaba o tropezaba. Agarrada todavía del cañón de la chimenea, junto al pretil que le llegaba por encima de la rodilla, intentó decirse que no le pasaría nada, que estaba a salvo, pero a un palmo de distancia frente a ella se abría un vacío a la izquierda. No sabía a qué altura estaba, pero la casa tenía cuatro plantas y al menos debía de encontrarse a quince metros del suelo. A pesar del calor de la noche, la envolvió de pronto una sensación fría y nauseabunda. Notó la fragilidad de los ladrillos del cañón de la chimenea a punto de desmenuzarse en cualquier instante y la blandura del musgo bajo sus dedos. Se dio cuenta de que se había puesto a temblar y rezó para que su cuerpo no lo hiciera con demasiada violencia para no moverse hacia delante un solo centímetro. Quería gritarle a Scott que la ayudara, pero temía que al hacerlo moviera el cuerpo sin querer. Él se encontraba a poca distancia, lo oía avanzando a su espalda, pero ¿sabía lo del boquete en el pretil? ¿Y si no lo sabía e intentaba sobrepasarla? Tenía que decirle que no se acercara demasiado, pero se había quedado sin habla y no podía emitir el menor sonido. Se dio media vuelta hacia él, pero al hacerlo miró hacia abajo y se le heló la sangre. ¡Oh, Dios mío!, se dijo, podría caer al vacío, morir esta misma noche. Los dedos le empezaron a sudar. ¿Y si se le humedecían tanto que los ladrillos a los que se agarraba se le escurrían de las manos? Pero de súbito descubrió que no estaba agarrada a los ladrillos del cañón de la chimenea, sino al musgo que los recubría. Scott se detuvo a pocos palmos de distancia y ella comprendió que él al ver el boquete en el pretil se había dado cuenta de lo que ocurría: que se había quedado paralizada de terror de golpe. El bochorno no había aún desaparecido pese a ser ahora la una o las dos de la madrugada, pero el sudor en la piel de sus brazos desnudos se había vuelto helado. Recula simplemente, pensó, no te pasará nada a no ser que sigas adelante. Pero no podía moverse. Le vino a la cabeza la expresión «paralizada de espanto»; ahora la entendía más que nunca.

—Jo, retrocede, no te pasará nada —oyó que él le decía con voz queda y tierna.

Ella no le respondió.

Entonces dando un paso más, le tendió la mano lentamente.

—Agárrate de mi mano —le susurró.

Se le ocurrió por un instante que quizá Scott se preguntaba si ella estaba dudando de si saltar al vacío, pero no, por más disgustada que estuviera, no era tan estúpida como para hacer esa barbaridad y él lo sabía.

—Jo, no pasa nada. Todo saldrá bien, no es más que vértigo. Ya sabes a lo que me refiero, como en la película de Hitchcock. Me voy a acercar un poco más para que te agarres a mi mano y retrocedas. ¿De acuerdo?

Ella seguía sin poder hablar y no tenía sentido agarrarle de la mano, porque no podía mover ni un dedo, aunque él se la tendiera. ¿Cuánto tiempo estaría petrificada en el tejado?, se preguntó. ¿Y si le entraban ganas de ir al lavabo? ¿Y cuando se hiciera de día? ¡Dios mío! Cuando amaneciera sería peor aún porque vería con claridad la altura a la que estaba. El estómago le dio un vuelco con solo pensarlo. Sintió la mano de Scott posándose en su brazo con mucha suavidad al tiempo que algo pequeño y peludo se abalanzaba volando contra ella. Instintivamente se cubrió la cara con las manos pegando un grito, y en ese instante Scott, agarrándola de las muñecas, tiró de ella.

—No pasa nada, no pasa nada, no pasa nada —la tranquilizó estrechándola entre sus brazos—. No era más que un murciélago, eso es todo. Ahora estás a salvo, no te preocupes.

La acompañó hasta el otro lado del cañón de la chimenea, cruzaron la pasarela y se dirigieron a la puerta del desván. Tan pronto como la cerró y ella sintió la moqueta bajo sus pies, se echó a temblar convulsamente. Se sentó en un escalón, incapaz de controlarse. Tal vez era una reacción retardada. O quizás estaba empezando a ver que no solo se había acostado con el novio de Eva, sino que además no habían tomado precauciones. ¿Y si se había quedado embarazada?

30

Jo era incapaz de concentrarse. Hoy no tenía que ir a trabajar al pub y se suponía que iba a pintar algunas conchas para Eva, pero apenas había pegado ojo en toda la noche y ahora estaba sentada en la habitación de pensar, dándole vueltas a lo de la noche anterior. No daba crédito a lo que había ocurrido y al revivirlo en su mente le invadieron unos tormentosos sentimientos contrapuestos: en un instante sentía un deleite embriagador al recordarlo, y al siguiente la embargaba una sensación de culpabilidad espantosa y repugnante.

¿Y si se había quedado embarazada? Gimió en voz alta. Al oír por la ventana los chillidos de las gaviotas fuera sintió por un instante el deseo irreprimible de volver a su hogar, a la playa arenosa de Newquay, con las ruidosas gaviotas argénteas despertándola temprano cada mañana. La habían vuelto loca, como le ocurría ahora en este lugar, y para mucha gente eran como una plaga. El señor Rundle las llamaba «ratas voladoras». Pero este punto en común que Hastings tenía con Newquay hacía que echara de menos su ciudad natal.

Encendió un cigarrillo. Aunque no se hubiera quedado embarazada, estaba el asunto de Eva. La idea de engañarla era impensable, pero por otro lado ¿cómo se lo iba a decir? No podía creer lo que Scott le había dicho, que a Eva no le importaría.

Una gaviota se posó en el alféizar de la ventana lanzándole una mirada malévola, como si supiera lo que había hecho. Apagó la colilla y encendió otro pitillo. Scott no parecía sentir el menor remordimiento. La noche pasada había querido que durmieran juntos en su cama, pero ella se había negado. Decepcionado, le había dado las buenas noches encogiéndose de hombros y alejándose a grandes pasos se había metido en su habitación, junto al pasillo. A la mañana siguiente, al bajar a la cocina y ver que Scott ya estaba allí, había vuelto sigilosamente a la habitación antes de que la viera, y solo bajó a prepararse un té y una tostada cuando él ya estaba en el jardín serrando una tabla de madera que había encontrado en un contenedor de basura para hacer una caja.

Las ventanas de la habitación de pensar no estaban cubiertas con ningún tipo de cortina y el sol pegando de lleno en los cristales la convertían en un auténtico invernadero. Cogió la taza y los cigarrillos y, al salir al ambiente relativamente fresco del descansillo, se sintió al instante aliviada del calor implacable que ya hacía a media mañana. Scott seguía trabajando en el jardín y cuando ella estaba a punto de bajar, advirtió que había dejado de serrar; oyó unas voces. Eva había vuelto. Se le hizo un nudo en el estómago. Ojalá pudiera retroceder en el tiempo veinticuatro horas para no cometer el mismo error. Se quedó plantada en el descansillo, aguzando el oído, pero no pudo oír con claridad lo que decían. En un determinado momento hicieron una pausa y ella tuvo la clara sensación de que se estaban besando. La puerta del sótano se abrió y se cerró, y luego oyó los pasos de su amiga acercándose por el pasillo.

—Jo —le sonrió Eva abrazándola cariñosamente como siempre—. Scott me lo ha contado y sé que te sientes mal por ello, pero no tiene ninguna importancia. De verdad.

Ella se quedó callada. A Eva el pelo le olía a polvo y no a mar como de costumbre, le olía a trenes, a tráfico y a Trafalgar Square.

—Después de todo no son más que cuerpos. ¿Por qué no compartirlos para darnos placer?

Jo se despegó de ella.

—Pero ¿no te sientes... traicionada? Me refiero a que se supone que soy tu amiga.

Eva se echó a reír.

—¿Traicionada? ¡Claro que no, tonta! Me sentiría así si me hubieras mentido, pero ¡cómo iba a sentirme traicionada sabiendo la verdad! Y tú *eres* mi amiga. Te lo he dicho mil veces, yo y Scott no nos...

—Lo sé, no os pertenecéis.

—Exacto, así es, Jo. El sexo es muy bello, algo que a veces debemos compartir. No estoy diciendo que debamos acostarnos con cualquiera, pero ¿por qué no compartirlo con las personas especiales de nuestra vida?

—Es que… yo no…

—¿Por qué te lo tomas tan en serio? No pasa nada. ¿Es que no me crees? —dijo secándole una lágrima de la mejilla.

Entonces, dando media vuelta, salió corriendo de la cocina para subir disparada a su habitación. Estaban locos, Eva y Scott estaban locos de remate. Eran como aquellos *hippies* que llegaban a Cornualles durante el solsticio, con los abrigos afganos, los collares de cascabeles y las flores pintadas en la piel. De pronto le vino a la memoria aquel día en el que al cruzar el parque se topó con unos *hippies* haciendo un picnic. Iban a pecho descubierto, incluso las mujeres, y uno estaba sentado entre dos de ellas, abrazándolas, toqueteándoles los pechos, mientras besaba primero a una y luego a la otra. A ella, tan joven, le había chocado enormemente la escena. *Haz el amor y no la guerra.* Pero eso era en 1969, ahora esta forma de pensar ya estaba pasada de moda. Se metió en la cama y se quedó mirando el techo, contemplando las motas de polvo bailando a contraluz. ¿Era posible que a Eva no le importara de verdad? Aunque fuera así, seguro que estaba un poco decepcionada de ella. Al igual que decepcionó a su madre cuando no pudo evitar coger una de las magdalenas con crema de mantequilla de la mesa media hora antes de su fiesta de cumpleaños. Por aquel entonces tendría unos ocho o nueve años, porque después ya no celebraron apenas ningún cumpleaños más. Y aunque ahora supiera que tuvo más que ver con la separación de sus padres que con su conducta, a partir de ese instante creyó que en ella había un lado codicioso que la empujaba a coger lo que no era suyo para satisfacer sus deseos, fuera con el permiso de la otra persona o sin él.

Se sumió en un sudoroso estado de duermevela. Al despertar tenía la blusa pegada a la espalda y el sudor resbalándole por el pecho. Solo pensar en que tenía que bajar le revolvía el estómago. Ya no podía seguir en esta casa, se sentía expuesta, sucia, *avergonzada.* Volvería a Londres y buscaría otra vivienda ocupada, empezaría de nuevo. Si Eva podía encontrar un lugar donde quedarse como si nada, ¡ella no iba a ser menos! Y si se había quedado embarazada, buscaría un hogar habitado por una madre con un bebé. Seguro que en Londres encontraría sitios de ese estilo. Dejaría claro que no pensaba dar a su hijo en adopción y que solo quería que le echaran una mano hasta valerse por sí misma. No sabía cómo saldría adelante, pero otras chicas de su edad lo habían hecho y por tanto era posible. Levantándose, empezó a meter sus cosas en la bolsa de lona con los ojos húmedos. ¿Cómo era posible que hubiera acumulado todo eso en solo varios meses? En esta casa había innumerables cosas que no quería dejar. Como la ropa que Eva le había dado, para empezar. Ahora le encantaban las blusas de estopilla y de campesina, y las faldas largas y sueltas. También se estaba dejando crecer el pelo, aunque ahora Eva lo llevara más corto; se parecían cada vez más, la única diferencia era que Eva estaba engordando un poco. De hecho, el tipo de la tienda de la esquina cuando las veía juntas las había empezado a llamar Tweedledum y Tweedledee, como los gemelos de *Alicia a través del espejo*. Se le nublaron los ojos de lágrimas al mirar el estante lleno de libros, la lámpara roja de lava y todas las otras cosas que había encontrado en mercadillos benéficos o en contenedores de basura. No quería desprenderse de ellas, pero ¡cómo iba a seguir en esta casa! Dejó la bolsa de lona en el suelo y se sentó en la cama lanzando un suspiro. No había ninguna prisa, podía irse al final de la semana.

—¿Qué? ¿Por qué? —exclamó Eva impactada cuando se lo comunicó.

En ese momento estaba cosiendo una puntilla de encaje en el borde de una gorra de niño. Se vendían bien en la playa. Muchos bañistas habían subestimado el poder del sol dándole de lleno en la cabeza de sus hijos pequeños y un gorro de algodón barato les sacaba del apuro. Eva había comprado un lote de retales de algodón, los había cortado en círculos, y luego los había fruncido con una goma elástica para darles la forma de gorritas. Dejó la que tenía entre manos y se quedó mirando a Jo. Estaba pálida y los ojos le brillaban como si estuvieran a punto de saltársele las lágrimas.

—No te vayas ahora, Jo. Te lo ruego.

—No me puedo quedar. Después de lo de la otra noche es imposible —atajó ella sin poder hablar del tema de una forma abierta y desinhibida como Eva y Scott—. Lo siento. Ya sé que me dijiste que no te importaba, pero aunque sea verdad me siento fatal por lo que hice. Cada vez que os veo a los dos me muero de vergüenza.

—Pero no tienes por qué sentirte…

—Lo sé, pero no puedo evitarlo.

Jo se horrorizó al ver a Eva derramar grandes lagrimones. Solo la había visto llorar por cosas terribles, como la guerra de Vietnam, los conflictos en el Norte de Irlanda o los terremotos con miles de muertos. Pero hasta ahora ella *nunca* la había hecho llorar.

—Lo siento. —Eva se secó las lágrimas al instante sacudiendo la cabeza—. Es que en este momento estoy un poco sensible. Oye, tengo que decirte algo y espero que te haga cambiar de opinión —añadió clavando los ojos en la gorrita—. Voy a tener un hijo.

—¿Qué? —repuso Jo pasmada.

Pero enseguida se dio cuenta de que saltaba a la vista que Eva estaba embarazada. Simplemente no se había fijado en los detalles: en el aumento de peso, el cansancio, los mareos que duraron hasta hacía pocas semanas. Tragó saliva.

—¿Cuándo lo vas a tener?

—En noviembre.

—¿En noviembre? Así que estás…

—De cinco meses y medio.

Se puso colorada. ¿Cómo no se había dado cuenta? Eva había estado engordando cada semana y la ropa le iba ahora muy ajustada. Y ella lo único que había hecho era alegrarse de las prendas que le daba. ¡Estaba más claro que el agua! ¿Cómo había podido ser tan ingenua?

—Pero ¿por qué no me lo has dicho antes? —preguntó calculando rápidamente la fecha—. Cuando me vine a vivir con vosotros ya estabas embarazada.

—Sí, pero entonces todavía no lo sabía. Iba a… íbamos a decírtelo pronto, pero… la cuestión es que… —dijo Eva cambiando de postura en la silla, como si estuviera buscando las palabras adecuadas para decirle algo—. La cuestión es que quería pedirte una cosa.

Por un instante pensó que iba a preguntarle si creía que ella también estaba embarazada. ¿Le había dicho Scott que lo habían hecho sin usar un preservativo? Esperó.

—Sí, verás, no quiero dar a luz en el hospital y necesitaré un poco de ayuda, de ayuda femenina. Scott es maravilloso, pero no es lo mismo que tener a una mujer a tu lado.

Nunca había recibido esta clase de trato y se sintió absurdamente emocionada de que la viera como una mujer en lugar de como una niña.

—Eres mi amiga, Jo, y esperaba que siguieras con nosotros para que me echaras una mano no solo antes del parto, sino después de nacer el bebé. Creo que sería maravilloso que te tuviera a ti además de sus padres.

—Pero, por qué…

—Ya sabes que no tengo familia y la de Scott vive en Nueva Zelanda; estamos solo los dos. Y quiero que mi hija, o mi hijo, tenga a más personas que le quieran. Tú serás su tía honorífica —le propuso alzando los ojos, su rostro era la viva imagen de la esperanza y la confianza—. Jo, te lo ruego, quédate, te necesito.

Una plétora de pensamientos se le agolparon de pronto en la cabeza. ¡Un bebé! Eva iba a tener un hijo y le estaba pidiendo que formara parte de la familia, que participara.

—Yo… no sé —repuso—. Deja que lo piense.

Salió a toda prisa de la cocina y subió corriendo las escaleras para volver a la habitación de pensar. Al abrir la puerta casi se le cortó la respiración del calor que hacía, el sol estaba dando de lleno en los cristales. Se sentó en la silla de mimbre, apoyó los pies en el alféizar de la ventana y, echando la cabeza hacia atrás, cerró los ojos. El sol le quemaba la piel, pero quería sentir su intensidad. Le ayudaba a concentrarse. ¿Qué le diría Eva si se enteraba de que ella tal vez también estuviera embarazada?

¿Seguiría pareciéndole bien lo que le había propuesto? Se quedó sentada con los ojos cerrados durante diez largos minutos, preguntándose si se lo debía decir. La frente se le cubrió de gotas de sudor, pero aun así no se movió. Lo más probable es que no estuviera embarazada y de todos modos la regla no le vendría hasta dentro de quince días. No tenía sentido preocuparse por ello. Ahora debía pensar en lo de Eva. Ella sí que *estaba* embarazada e iba a tener un hijo.

Desde pequeña siempre había esperado con ilusión el día que sería madre. A los once años, poco después de largarse su padre, la vecina de al lado tuvo gemelas y a ella se le caía la baba con las niñas. Iba a verlas a la menor ocasión, ofreciéndose para colaborar. Aunque ahora que lo pensaba probablemente había sido más una molestia que una ayuda. Pero tía Pat, como la madre de Jo le había dicho que la llamara —para dirigirse a ella de manera respetuosa—, siempre la había recibido con los brazos abiertos e incluso tratado como a una mujer en lugar de como a una niña. Un día le contó a tía Pat que estaba deseando crecer, casarse y tener hijos. «No tengas tanta prisa», le advirtió Pat inclinándose sobre una pileta llena de agua caliente y jabonosa, con el pelo corto rizado por la permanente pegado a la cara debido al vapor, y los brazos y las manos enrojecidos por el calor. «Yo me casé a los dieciséis y mírame ahora.» Jo la observó, una figura de botijo con un vestido ancho, las piernas desnudas y los pies hinchados embutidos en unas zapatillas mugrientas. «Vieja antes de tiempo.» Sacó con unas pinzas de madera un pañal gris chorreando de la pileta y lo escurrió con todas sus fuerzas para sacarle hasta la última gota.

«¿Cuántos años tienes?», le preguntó ella inocentemente. Siempre había supuesto que tía Pat tendría la misma edad de su madre, y todas las madres tenían la misma edad, unos treinta y cinco años. «Dieciocho», le había respondido Pat secándose la frente con el dorso de la mano.

Pero Eva no se avejentaría prematuramente como la pobre Pat. En realidad tenía mejor aspecto a cada día que pasaba: sus ojos eran cristalinos y brillantes, su piel se veía reluciente, sobre todo ahora que estaba dorada por el sol. Se preguntó si Scott se habría acostado con ella porque Eva estaba embarazada. Quizá no te permitían practicar el sexo durante el embarazo. Se acercó a la ventana para mirar al exterior. ¿Era eso mejor o peor para la situación? Sacudió la cabeza, ya no podía pensar con claridad.

Scott seguía trabajando en el jardín, tenía la espalda muy morena, casi de color caoba. Eva y ella lucían un bonito moreno, pero Scott a su lado ya no parecía ni siquiera inglés. Observó los músculos de su espalda moviéndose mientras lijaba la tabla. Fue al detenerse para unir la pieza curvada de madera que sostenía en la mano con lo que ella había creído que era una caja, cuando descubrió lo que estaba haciendo. ¡Las piezas curvadas eran los pies de una cuna de madera! Al verla montada, la situación le pareció de pronto más real. Debían preparar la llegada del bebé. A Jo se le aceleró el pulso de excitación, podría echarles una mano, Eva lo estaba *deseando.* Volvería a hacer de canguro, podría sacar al bebé a pasear en su cochecito. Se emocionó nada más pensarlo. Quizá podría tejer o confeccionar una prenda de ropa para él. Cuando las gemelas de Pat cumplieron dos años, tuvo que hacer a mano una prenda infantil en la clase de manualidades y confeccionó un vestidito azul celeste de verano adornado con un ribete en zigzag. Le pusieron muy buena nota, y entonces compró más tela con su propio dinero, hizo otro vestido igual y le regaló los dos a Pat. Su vecina la abrazó emocionada y le dijo que era una niña muy lista y amable. Tal vez era una de las razones por las que pasaba tanto tiempo con la vecina en lugar de estar en su casa con su madre, además del hecho de que la dejaba echarle una mano con las gemelas. Le encantaba hacerles de canguro y, a veces, cuando Pat y Derek no estaban en casa, ella fingía ser su madre. Incluso ahora, si cerraba los ojos, podía casi sentir el peso de sus cuerpecitos cuando las sostenía en brazos: las piernas regordetas de Lisa, el pelo sedoso de Lynne con la cabeza apoyada en su hombro.

Cuando bajó al salón le dijo a Eva que sí, que por supuesto se quedaría para ayudarla con el bebé.

Durante los días siguientes mientras pensaba en la llegada del hijo de Eva, se puso a imaginar cada vez más en qué ocurriría si ella también estuviera embarazada, si las dos tuvieran un hijo que se llevaran pocos meses de diferencia. A los catorce años había visto en el colegio una película sobre una tribu africana donde cada hombre tenía varias mujeres que vivían felizmente juntas, echándose una mano las unas a las otras y compartiendo el cuidado de los hijos. La entrevistadora les preguntó a un grupo de mujeres africanas cuántas esposas tenía su marido. Algunas dijeron tres y otras, cuatro. «Soy la primera esposa de cinco», respondió una mujer alzando la barbilla henchida de orgullo. Una de las mujeres le preguntó soltando unas risitas a la entrevistadora cuántas esposas tenía el suyo. Al explicarle que en Inglaterra los matrimonios eran monógamos y que la bigamia se consideraba un delito, las mujeres dejaron de golpe de charlar alegremente y de reír, y se quedaron mudas de asombro. «Pero ¿cómo se las apañan cuando tienen un hijo? ¿Quién les ayuda con el bebé? ¿Quién cuida a la mamá?», preguntó una mujer horrorizada.

A simple vista el pensamiento de que las dos se hubieran quedado embarazadas por el mismo hombre parecía absurdo, pero no era tan descabellado en otras culturas. Y se descubrió pensando en esta posibilidad cada vez más encantada y complacida, incluso la deseaba. Se imaginó siendo una pequeña familia poco convencional, ayudándose las dos a criar a sus hijos, como hermanas. Se planteó por un momento pedirle a Eva que le volviera a leer las hojas del té, pero seguramente no serviría de nada, porque las dos últimas veces que se lo había pedido ella no se había mostrado demasiado predispuesta a hacerlo.

31

Sheffield, 2010

Mientras bajaba a toda prisa la pendiente que conducía a la estación de tren de Sheffield, el agua pulverizada de las fuentes y los surtidores salpicándome la cara me trajo a la memoria el mar. Me dirigía a Hastings. Habían transcurrido las dos semanas, y hoy era el último día que Scott me había dado y ya no sabía qué otra excusa poner. Hannah había mejorado mucho, tanto que Duncan volvía a darme la murga para que le comunicara que su padre estaba en la ciudad. «Díselo cuanto antes, porque que se haya quedado en una residencia para enfermos desahuciados, aunque solo sea para pasar una temporada, significa que tiene los días contados», me había pedido la noche anterior.

Era un viaje largo para hacerlo en un solo día, pero no había vuelto desde que había ocurrido aquello y ahora sentía un deseo irrefrenable de ir a aquel lugar, de contemplar plantada en la playa las olas, de ver la casa donde pasamos aquel verano. Supongo que lo que en realidad quería era hablarle a Eva, pedirle qué debía hacer, pero me sentía como si el mero hecho de estar allí me fuera a ayudar a aclararme las ideas.

Desde que había visto a Scott en la residencia había estado soñando cada día con él. La otra noche había soñado que no estaba enfermo en absoluto y que al volver a casa me lo encontraba en el umbral charlando con Duncan. Y la noche anterior soñé que él estaba en la cocina de la casa de Hannah, sentado a la mesa, contándoselo todo mientras le hacía el caballito a Toby. Últimamente Hannah me había vuelto a preguntar sobre él, quizá por eso había tenido ese sueño. Por lo visto, Duncan había dado en el clavo en cuanto a que ella desearía conocer más a fondo sus raíces. Ahora a duras penas pasaba un día sin que Hannah me preguntara algo sobre Scott o sobre ella cuando era pequeña. Le podía decir la verdad sobre algunas cosas, pero cuando no era así me sentía como si la estuviera pisoteando. A lo largo de los años me las había ingeniado para contarle algunas mentiras prácticas, cómodas y necesarias. Pero en las últimas semanas era como si se hubieran transformado en pilas de hojas secas por entre las que tuviera que caminar, pegándose a mis pies, y a medida que la situación se había ido volviendo más compleja y embrollada, le mentía ya como si nada.

Al subirme al tren que me llevaría a la estación de San Pancracio de Londres, reflexioné en que había comprado un billete que costaba un ojo de la cara para un viaje de cuatro horas y media de ida y otras tantas de vuelta con la vaga esperanza de que al volver a aquel lugar tuviera una especie de revelación que me ayudara a decidir qué iba a hacer. En cuanto me acomodé en el asiento, le envié un mensaje de texto a Scott diciéndole que no lo había olvidado y que me comunicaría con él más tarde. Fui en metro de la estación de San Pancracio al Puente de Londres para tomar el tren hacia Hastings, y al cabo de poco ya estaba sentada junto a la ventanilla con un café para llevar y un periódico gratuito en la mano. *Buenos días, damas y caballeros, este es el tren de las 13,23 de la South Eastern con destino a Hastings, para en…*

Intenté leer, pero no estaba para la labor y tras dejar atrás la estación de Tunbridge Wells, mi concentración se esfumó del todo y empezaron a venirme a la memoria imágenes del pasado. Cuando el tren llegó a la estación estaba ya echa un manojo de nervios. Los viajeros cogieron sus bolsas de viaje y sus periódicos y empezaron a apearse. Yo me quedé sentada, aferrada al vaso vacío de café. ¡Era una locura! ¿Por qué había vuelto a este lugar?

—Han llegado a Hastings, damas y caballeros, final de trayecto. Final de trayecto —anunció el conductor.

Avanzó por el vagón, cerrando las ventanillas a su paso.

—Es la última parada, señora. Final de trayecto.

Me sorprendí al oír que me llamaba «señora», pero me acordé de pronto que ahora era abuela y no la joven que se había bajado en esta estación hacía mucho tiempo.

—Sí, lo siento. Estaba distraída.

Me levanté y me puse el abrigo, pero al ver que las piernas me temblaban me volví a sentar. El conductor cruzando el vagón, fue a ver qué me pasaba.

—¿Se encuentra bien? —me preguntó inclinándose hacia mí.

El aliento le olía a tabaco y tenía algunas migajas incrustadas en su bigote gris.

¿Se encuentra bien? El mozo de estación se dirigió a toda prisa por el andén hacia nosotros. Scott ya había subido al tren y estaba alzando desde arriba los dos carritos llenos hasta el borde que llevábamos de equipaje. «Deje que le ayude», dijo el mozo. Cogió mi bolsa de viaje y, agarrándome por debajo del codo, me ayudó a subirme al tren. Aquí tiene la bolsa, muñeca. ¿Cuánto falta para que nazca? Abrí la boca para responderle, pero Scott poniéndome la mano en la espalda me acompañó al interior del vagón. «Lo va a tener cualquier día de estos», le dijo al mozo, que sonrió haciendo un guiño. «¡Buena suerte, amigo!», exclamó. «Yo también tengo dos chiquillos, que Dios los bendiga. Espero que todo vaya bien, querida», añadió asomándose al vagón. «Sí, claro. Gracias por la ayuda», repuso Scott cerrando la puerta del vagón tras él. Me dije que aquel hombre debía de pensar que éramos unos antipáticos, pero por lo visto ni siquiera se le pasó por la cabeza, porque se despidió con un «hasta pronto» sacándose la gorra antes de dar media vuelta y marcharse silbando por el andén.

—¿Está segura de que se encuentra bien? —insistió el conductor arrancándome de mis recuerdos.

Parpadeé un par de veces.

—Sí, sí, estoy bien. Solo me he sentido un poco mareada, eso es todo.

—En la estación hay un experto en primeros auxilios —me sugirió sacándose el *walkie-talkie* del bolsillo.

—No, de verdad. Ya me encuentro bien, gracias.

Me levanté y dejé que me ayudara a bajar al andén. Le sonreí, le di las gracias efusivamente y me esforcé por fingir estar recuperada mientras me dirigía a las barreras de la salida. La estación había cambiado mucho, lo cual supongo que era lógico después de haber transcurrido treinta y pico de años. Al salir a la entrada principal mi pelo revuelto por el viento me azotó con violencia la cara. Junto a la estación vi una nueva facultad universitaria con muchos cristales relucientes, tiendas nuevas, macetas de hormigón llenas de narcisos, tramos de escaleras y un paso subterráneo que estaba segura que antes no existía. Por lo visto Hastings se había «regenerado». Miré a la izquierda y luego a la derecha, pero lo único que reconocí fueron las gaviotas flacuchas volando como una flecha, bajando en picado y deslizándose por el cielo ceniciento. Instintivamente me dirigí hacia el paseo marítimo y el lugar empezó a volverse más conocido. Los viejos lavabos públicos seguían allí, pero ahora habían mejorado de aspecto. En cambio, el Carlisle, el pub de los moteros, que aún estaba abierto, no había cambiado en absoluto. En la pizarra de la entrada se anunciaba escrito en tiza las bandas que tocarían el viernes y el sábado por la noche.

El mar estaba tan turbio como el cielo y hoy parecía una balsa de aceite. Se veía en calma, sosegado, las olas batían suavemente en la orilla y se oía el apacible sonido del rodar de guijarros, a pesar del fuerte viento. *Aburrrrido*, habría dicho Eva bostezando. Le gustaba el mar embravecido arrojando espuma blanca al romperse contra la playa, o cuando subía la marea y el mar picado y agitado se estrellaba contra el malecón, haciendo que el agua oscura pareciera densa, musculosa y peligrosa. Avancé por la orilla, con los guijarros crujiendo bajo mis pies, con los ojos escociéndome por el aire salado. Apenas había gente en la playa. Lo cual no me sorprendía, porque era la fría tarde de un martes de marzo. Mientras me dirigía al muelle, me crucé con un tipo pescando con una caña al lado de uno de los espolones y con dos de mujeres que paseaban a sus perros. Las nubes se desgarraron y por un momento un rayo plateado de sol invernal iluminó el agua antes de desaparecer, haciendo que el lugar pareciera más inhóspito y solitario que antes. No tenía nada que ver con aquel verano, cuando la playa estaba tan abarrotada que apenas encontrabas un hueco para poner la toalla, e incluso a altas horas de la noche había gente nadando, parejas de enamorados paseando por la orilla del agua cogidas de la mano y grupos de amigos sentados en los guijarros calientes hasta mucho después de que se escondiera el sol. Me sentí invadida por la tristeza al recordar las numerosas noches en las que los tres nos habíamos sentado en esta playa, disfrutando del calor residual del día y del cadencioso rumor del mar mientras charlábamos a las tantas de la noche.

Eva siempre estaba llena de entusiasmo, convencida de que las cosas nos irían cada vez mejor a todos. La echaba mucho de menos. Estar en la playa donde habíamos pasado tanto tiempo charlando, riendo y haciendo planes no solo hacía que me sintiera más cerca de ella, sino también que su ausencia me resultara más dolorosa si cabe.

Mi cabello impregnado de humedad y salitre por la fina niebla que venía del mar me azotaba con violencia la cara. Intenté en vano apartármelo de los ojos mientras caminaba, y de pronto me paré en seco en la playa. La estructura ennegrecida del muelle se alzaba ante mí, con la silueta de sus restos calcinados recortada contra el cielo nublado. Había oído hablar de lo del incendio, pero lo había olvidado, y me sorprendí cuando se me humedecieron los ojos al ver los resultados. Esta construcción tan magnífica en el pasado, el gran centro de ocio para todos los habitantes del lugar y los turistas, ahora no era más que una pobre figura fantasmal abandonada. El sol salió de entre las nubes un instante al tiempo que me dio la sensación de tener a alguien pegado a mi espalda, pero al volver la cabeza no vi a nadie. Di media vuelta para alejarme de la imagen insoportable del muelle en ruinas, sintiéndome como si mi propia sombra se hubiera vuelto densa y pesada.

Avancé por la playa hacia la parte más baja del paseo marítimo, hasta llegar al Callejón de las Botellas. Contemplé las formas que creaban los miles de pedazos de cristales de colores incrustados en las paredes, un triunfo del reciclado artístico. Los paneles de mayor tamaño, hechos de cristales de botellas más «tradicionales» de color azul, verde y marrón, estaban entremezclados con otros más pequeños de bonitas esquirlas multicolor. El efecto era más asombroso de lo que recordaba. Pero como el fuerte olor a orina impregnándolo todo estropeaba la experiencia, abandoné a los pocos minutos la playa y crucé la calle principal. El cielo estaba encapotado y empezó a llover, aunque de vez en cuando los rayos del sol aparecían por entre las nubes, haciendo que las gaviotas blancas parecieran incandescentes en medio de la negrura del cielo. Era la clase de luz inquietante que anunciaba la llegada de una tormenta. Me pregunté de nuevo por qué había vuelto, cómo estar aquí físicamente iba a cambiar algo, y una parte de mí quería ir directa a la estación y hacer el largo viaje de regreso a Sheffield. Me imaginé que estaba en casa, en la cama, al lado de Duncan, con el resplandor de las farolas de la calle penetrando por las cortinas, el crujido de las tuberías enfriándose tras apagarse la calefacción central, la alarma del despertador puesta a las siete y cuarto, lista para empezar otro día más. Pero sabía que no podía volver hasta haber visto la casa.

No estaba segura de acordarme de cómo se iba desde la playa, pero mientras subía resoplando la pronunciada pendiente de la colina, empecé a reconocer los nombres de las calles —Cornwallis Terrace me sonaba— y también vi el puente del ferrocarril, la calle Braybrook y después, sí, allí estaban, los seis tramos cortos de hormigón que subía casi a diario cuando vivía en Hastings. Subí las escaleras, deteniéndome a mitad de camino para recuperar el aliento. No sabía qué era lo que esperaba ver cuando apareciera la casa, pero seguro que nada parecido con lo que ahora estaba contemplando: un edificio impoluto recién pintado y renovado, convertido al parecer en pisos. Subí con vacilación los peldaños que daban a la entrada delantera. Vi un interfono con una hilera de seis timbres. ¿Cómo habían podido caber seis pisos?, me pregunté. Algunos debían de ser miniviviendas, o estudios, como los llamaban ahora. Regresé a la acera y me quedé con la cabeza alzada contemplando la casa. Una ventana tenía persianas de madera de buen gusto y otra, persianas de lamas. Algunas de las cortinas estaban descorridas y otras echadas. En la de la última planta había luz, y me pregunté quién viviría allí y qué estaría haciendo en la habitación de trabajo de Eva. Las gárgolas de las esquinas del tejado estaban restauradas y habían reparado el boquete del pretil, pero las ventanas de la habitación de pensar se veían vacías y tristes. Tal vez nadie la usaba ahora. Qué lástima, porque era una estancia pequeña y encantadora, a pesar de ser tan fría en invierno y tan calurosa como un invernadero en verano. No era la única casa de la calle con una torrecilla, pero al tener la particularidad de alzarse por encima del tejado y estar rodeada de ventanas, si te acercabas a una de ellas veías el mar.

Me quedé plantada en el lugar una buena media hora, mirando las ventanas. Me sorprendió que nadie llamara a la policía por mi extraño comportamiento, pero si alguien se había percatado de mi presencia seguramente estaba esperando a que algún otro vecino del edificio hiciera algo al respecto. La casa, pese a estar limpia e impecable por fuera, se veía solitaria y muerta por dentro, alojaba a seis inquilinos solteros. Cuando nosotros vivíamos en ella era a la inversa, estropeada y caótica por fuera, pero llena a más no poder de calidez y amor por dentro. Me puse a pensar en Eva, en lo que ella había perdido y en cómo me había acogido, cuidado y querido como si fuera un miembro más de la familia. Por un segundo vi su rostro en mi mente con gran claridad. Había ido a este lugar para sentirme cerca de ella y ahora estaba sintiendo su presencia.

De súbito la imagen se desvaneció y apareció en su lugar la cara de Hannah. Fue entonces cuando se me humedecieron los ojos. Me odié por mentirle a Duncan, pero sobre todo por haberle mentido a Hannah, en especial después de haberse encontrado tan mal, y en particular tras la conversación que habíamos mantenido hacía pocos días. Aceptó que Toby no podía ser consciente de que una donante facilitó el óvulo para su gestación, pero ahora estaba apegándose a su hijo y quería decirle la verdad en cuanto fuera lo bastante mayor como para comprenderla.

—Pero ¿por qué se lo quieres decir? —le pregunté mientras lo cambiaba.

—¡Cómo quieres que *no* se lo diga! —replicó, y la mirada que me echó me sugirió que le había horrorizado la idea—. Es su derecho saber de dónde viene y yo no puedo ocultarle algo tan importante. Se disgustaría, se disgustaría *conmigo* —matizó abrochándole a Toby los corchetes del pelele.

—Pero no tiene por qué enterarse, me refiero a que...

—Mamá, Marcos y yo hemos hablado del tema. Creemos que debemos ser sinceros desde el principio. Sí, nos resultaría más fácil que no lo supiera, por supuesto —afirmó levantando a Toby para que yo lo sostuviera mientras ella guardaba el cambiador—. Pero seríamos unos egoístas si lo hiciéramos, ¿no te parece?

Justamente yo había acusado a Scott de ser un egoísta por querer decirle a Hannah la verdad. No sé si fue por estar delante de la casa, pero de pronto me vino a la memoria el día después de haber hecho el amor con Scott por primera vez. Me preocupaba mucho que Eva se enterara, pero Scott se lo dijo y ella se lo tomó de maravilla. Lo único que importaba, me dijo, era que habíamos sido sinceros, que le habíamos dicho la verdad.

Antes de volver a la estación fui a pasear por el Parque Alexandra y me senté en un banco, junto al mayor de los dos estanques. Contemplé a los cisnes deslizándose en parejas por la superficie del agua. ¿Había cisnes en el estanque ese verano? Lo único que recordaba era ver el agua en él disminuyendo a cada día que pasaba, hasta que los desechos ocultos de la ciudad fueron apareciendo poco a poco, medio enterrados en el cieno: carritos de la compra, neumáticos de coche, ruedas de bicicleta e incluso un viejo cochecito. Al cabo de un rato, hasta el lodo se había secado, no había más que una capa de tierra reseca y quemada por el sol cubierta de profundas grietas. Ahora el estanque volvía a estar lleno de agua y vegetación, repleto de vida. Estar sentada en este lugar contemplando el agua hizo que me sintiera más tranquila.

No estoy segura de cuánto tiempo me quedé sentada en el parque, pero estuve cavilando tanto que casi me dolía la cabeza. No dejé de pensar en la conversación que había mantenido con Hannah. Viendo la mirada que me había echado, oyendo sus palabras en mi cabeza. *Sí, nos resultaría más fácil que no lo supiera... Pero seríamos unos egoístas si no lo hiciéramos.* Y ahora, por más que detestara admitirlo, veía que Scott tenía razón, no podía seguir guardando aquel secreto. Hannah tenía derecho a saber la verdad, y Duncan también.

El viaje de vuelta se me hizo más rápido de algún modo, quizá por estar tan preocupada. Había dejado el coche aparcado a unos diez minutos de la estación, cerca de donde Scott vivía. No había tenido noticias suyas, pero como no eran más que las nueve de la noche decidí ir a verlo antes de regresar a casa. Le había dicho a Duncan de todos modos que quizá llegaría tarde. No tenía ninguna prisa por volver y sin duda no quería molestar a Hannah esta noche, ya se lo diría al día siguiente. El estómago me dio un vuelco nada más pensarlo.

Al aparcar el coche delante de la casa de Scott no vi ninguna luz. Me bajé y rodeé el edificio para ver si había una lámpara encendida en la parte de atrás. Pero la casa estaba a oscuras. Al principio me dije que quizá ya estaba acostado, pero de pronto recordé que ahora tenía problemas para subir las escaleras que llevaban al dormitorio y que solía quedarse dormido en el sillón. Quizá siguiera en la residencia, tal vez no se sentía todavía con fuerzas para volver a su casa. Me di media vuelta para subir al coche, pero de pronto se abrió la puerta de la casa de al lado —donde vivía la casera— y una mujer menuda de mi misma edad, más o menos, con el pelo corto y unos grandes pendientes colgándole de las orejas salió corriendo, con la luz de la cocina a su espalda iluminando el pequeño jardín.

—¿Es usted una parienta? —preguntó con el rostro encapotado por la ansiedad.

Me la quedé mirando desconcertada.

—Lo siento —dijo hablando atropelladamente al tiempo que me tendía la mano—. Soy Brenda, la casera de Scott. ¿Es usted una amiga? ¿Una parienta? —Hizo una pausa—. Lo siento —añadió hablando con más calma—. ¿Está buscando al señor Matthews?

Asentí con la cabeza.

—Sí, así es, soy una amiga suya

—No sabía por qué se me había ocurrido decirle eso.

—Una amiga. ¡Oh, querida! —exclamó aturdida—. Me temo que… es muy triste, pero… —Ladeando la cabeza, posó su mano en mi brazo—. Me temo que tengo que darle malas noticias.

Me la quedé mirando. ¿Me estaba queriendo decir lo que me estaba imaginando?

—¿Era…? Perdón, ¿es una amiga íntima suya?

—No —dije sacudiendo la cabeza—. No, en absoluto. Soy más bien una conocida.

Pareció sentirse aliviada de golpe.

—¡Ah!, bien. En ese caso… ¡Oh, vaya!, siento tener que ser yo la que le dé la noticia, pero murió apaciblemente el lunes por la tarde —me comunicó poniéndose nerviosa de nuevo—. ¿Sabía que estaba enfermo?

Asentí con la cabeza.

—Sí, sí, lo sabía.

Había muerto. Scott había muerto.

—Pero no es una amiga íntima suya, ¿verdad? Verá, tengo que encontrar… ¡Oh, vaya!, se ha puesto blanca como la cera. ¿Quiere entrar en mi casa un minuto? —dijo señalando la puerta abierta de la parte trasera.

Las piernas me temblaban, necesitaba agarrarme a algo.

—No. No, gracias. Se lo agradezco, pero… no. Tengo que…

—Quieren saber quién es su pariente más cercano. En la residencia dio mi nombre, porque no tenía familia, salvo la niña pequeña que murió —puntualizó sacudiendo la cabeza—. ¡Qué desgracia más grande perder a una hija! No conoce a ninguno, ¿verdad cariño? Lo quieren saber por lo del funeral.

—No —le aseguré sacudiendo la cabeza al tiempo que me echaba el bolso al hombro—. No, no creo que tuviera ningún familiar. De todos modos, no le conocía demasiado.

—Déjeme su número de teléfono si no le importa, al menos así podré…

—Lo siento, me tengo que ir —dije saliendo disparada—. Gracias por decírmelo. Siento no haberle sido de más ayuda —añadí por encima del hombro.

—Espere, cariño —gritó, pero yo ya había dejado atrás el pasadizo y me había subido al coche en un santiamén.

Al encender el motor se me caló, pero conseguí ponerlo en marcha al segundo intento y salí a toda velocidad con la marcha inadecuada y sin señalizar. Doblé la esquina y aparqué en la siguiente calle. Estaba temblando. Intenté desabrocharme el cinturón, pero vi que ni siquiera me lo había puesto. Scott había muerto. Ya no me podía hacer más daño. Sentí un subidón de adrenalina al quitarme este peso de encima. Ahora era libre. Le tendría que decir a Hannah que él había estado en la ciudad, que quería verla, pero no me vería obligada a contarle toda la verdad. No tendría que arriesgarme a perderlo todo. El corazón me martilleaba en el pecho y creo que estuve conteniendo el aliento mientras mi brillante fantasía se quedaba flotando en el aire durante diez, quince segundos quizás. Y de pronto se deshizo como la pompa de jabón de un niño y me eché a llorar desconsoladamente. Claro que debía contarle la verdad.

Me quedé sentada en el coche un rato antes de volver a casa. Quería asegurarme de que Duncan estuviera dormido porque tenía que decírselo a los dos al mismo tiempo. Me preparé una manzanilla aunque no me gustara su sabor, nunca me había gustado, pero Eva siempre me decía que la manzanilla me ayudaría a superar los momentos difíciles. Me dirigí al comedor, encendí la estufa eléctrica y me senté en el cómodo sillón, donde saborearía estas últimas pocas horas. *Monty* alzó los ojos tumbado en su cesta y meneó la cola golpeteando el suelo varias veces antes de volverse a dormir. Envuelta en la silenciosa oscuridad, reflexioné sobre lo afortunada que era por haber conocido a Duncan. Si Dios existía, no podría haberme enviado a un padre mejor para Hannah. Pero me pregunté qué ocurriría ahora.

Debí de quedarme dormida un rato porque al abrir los ojos afuera ya era de día y oí los crujidos del suelo de madera de la planta de arriba mientras Duncan se movía por ella.

—Por fin te encuentro —dijo apareciendo en la puerta del comedor con cara de extrañeza por verme aún vestida.

—¿Puedes llamar a Hannah? —le pedí—. Y dile que venga sin Toby, estoy segura de que Marcos se podrá ocupar de él un par de horas. Hay algo que os tengo que decir a los dos, algo muy importante —maticé saltándoseme las lágrimas sin poder controlarme. Duncan se dirigió hacia mí pero alzando la mano, sacudí la cabeza—. No, por favor, no me merezco tu comprensión.

—Cariño, pero qué demonios te…

—Duncan, te lo ruego, haz lo que te he pedido. Lo siento. Te lo explicaré cuando ella llegue.

Media hora más tarde Hannah llegaba hecha un manojo de nervios, con cara de angustia. Quería saber si me encontraba mal. Sacudí la cabeza vigorosamente y aspiré una bocanada de aire para armarme de valor. Y entonces se lo conté, se lo conté todo.

32

Hastings, 1976

La sequía había empeorado. En las tiendas que daban a la playa vendían camisetas con el eslogan: *Ahorra agua: ¡báñate con un amigo!,* que hacía soltar risitas a muchos adolescentes y lanzar miradas de desaprobación a algunos jubilados. El caluroso verano había hecho que un gran número de visitantes y turistas inundaran el lugar y cuando Scott se ponía a cantar con su guitarra cerca del muelle, en el Callejón de las Botellas, o en la parte antigua de la ciudad, sacaba mucho más dinero que nunca. El sol abrasador hacía que la gente fuera más generosa y las canciones de Bob Dylan o de Neil Young que cantaba acompañadas de la guitarra parecían irle que ni pintadas a los largos días de verano y al estado de ánimo aletargado de la gente. En la casa se las ingeniaron para canalizar el agua usada de la pileta de la cocina mediante un tubo que salía por la ventana para llevarla al jardín, donde Eva cultivaba los tomates, las judías verdes y otras clases de hortalizas en distintos recipientes: tiestos de terracota, una pileta de piedra que habían encontrado escondida debajo de un montón de hiedra e incluso un viejo baúl que ella había sacado de un contenedor de basura. Mientras los tres trabajaban para asegurarse de que el sistema de riego funcionara a la perfección y el agua llegara a las hortalizas sin perderse por otras partes del jardín, se preguntó cómo se le había podido ocurrir irse de la casa. Ahora se había convertido en su hogar, y Eva y Scott eran su familia; se necesitaban los unos a los otros. Eva había dicho mil veces que no le importaba que Jo y Scott hicieran el amor, a decir verdad lo decía tan a menudo que ella acabó creyéndoselo. Y de vez en cuando, sobre todo cuando Eva se sentía muy cansada, Scott se metía en su cama, algunas veces solo para dormir, y otras para hacerlo con ella, pero siempre con el consentimiento de Eva. Y por la mañana ella les preguntaba sonriendo alegremente si querían tomar té o café.

Los tres habían adquirido un ritmo natural, moviéndose por la casa, cocinando, comiendo y cumpliendo con sus labores en un ambiente de compañerismo cómodo y relajado. Y si se había quedado embarazada —ahora usaban condones, pero al habérsele retrasado la regla nueve días se lo estaba empezando a plantear con más seriedad— de algún modo lo superarían, los tres se las apañarían para salir adelante y serían una familia maravillosa. Todavía no se lo había mencionado a Eva ni a Scott, pero no les importaría, estaba segura. Y el hecho de que el resto del país siguiera topándose con un problema detrás de otro, no hacía más que aumentar el delicioso aire que se respiraba en la casa. No era la vida que se había imaginado, y de vez en cuando echaba de menos a su madre, pero en muchos sentidos eran felices, todo les iba sobre ruedas.

Al décimo día cuando le vino una regla tan copiosa que se sintió como si se le salieran las entrañas por abajo, se llevó una gran decepción, y al preguntarle Eva qué le pasaba, se alegró de poder decirle de verdad que la regla le dolía como una puñalada y que se pasaría el día encerrada en la habitación. Después de estar veinticuatro horas a solas se sintió mejor, incluso aliviada. Vivían en una casa okupada, cuidar de un bebé no era un asunto de poca monta. ¿Cómo se le había podido ocurrir que se las apañarían con un par? Aunque se lo había pasado bien imaginándose a las dos empujando los cochecitos de sus hijos la una al lado de la otra. Pero no era más que una fantasía. A pesar de tener casi diecisiete años y de considerarse una adulta, aún no se sentía lo bastante madura como para tener un hijo. Pero aun así estuvo llorando tres noches seguidas hasta dormirse rendida.

Era finales de agosto y ella y Eva habían ido a la playa. Le pasó a Eva un helado medio derretido y se volvió a sentar en la toalla para hojear el *Daily Express* que había encontrado asomando en una papelera.

Igual que las noticias que escuchaban por la radio, el diario estaba lleno de catastrofismo: la inflación batía récords, hacía años que no subía tanto, y la libra se había devaluado una enormidad comparada con el dólar. La escasez de agua era ahora tan grave que en algunas zonas estaba restringida y la gente tenía que usar las fuentes provisionales del final de la calle. El gobierno incluso había nombrado a un ministro para que se ocupara del problema de la sequía. La continua ola de calor estaba haciendo estragos, provocando plagas de insectos inesperadas. En algunos lugares por lo visto había tantos millares pululando, que las calles estaban tapizadas de una capa gruesa de mariquitas que la gente aplastaba al caminar por ellas. Los embalses se encontraban totalmente secos y agrietados, el asfalto de las carreteras se derretía bajo el sol implacable, los incendios forestales estaban devorando hectáreas de bosques. Habían pronosticado cambios dentro de pocos días, pero incluso costaba recordar la sensación que producía la lluvia.

—Casi hace que te sientas culpable —observó Jo dándole un buen mordisco al polo, que se le empezaba a despegar del palo—. Me refiero a que el país entero se está esfumando, en el sentido literal de la palabra, y nosotras estamos tumbadas bajo el sol, poniéndonos morenas y pasándonoslo en grande.

Llevaban casi todo el día en la playa, leyendo y nadando. Scott vendría más tarde con la guitarra y también con queso, una baguette y uvas negras. Iban a nadar un poco más, a comer, tomar sidra y fumar hierba, al menos Jo y Scott, porque Eva afirmó que recientemente habían publicado un par de estudios científicos que revelaban que fumar marihuana era malo para el feto y aunque solo lo hiciera de vez en cuando, no quería correr ese riesgo.

Eva le dio un buen lametón al helado.

—Lo de los incendios es horrible, y también lo de la sequía y todo lo demás, pero no debemos nunca, nunca en la vida, sentirnos culpables por ser felices —afirmó acariciándose distraídamente en círculos el vientre, que ahora le había crecido de forma considerable.

Cubierto de una gruesa capa de crema Ambre Solaire, le brillaba bajo el sol como un gran balón playero marrón. Estaba orgullosa de su preñez y se negaba a cubrírsela. El embarazo era hermoso, alegaba, una vida nacida del amor, y no tenía sentido ocultarlo con un vestido espantoso de premamá de corte recto con un recatado cuello blanco. Saltaba a la vista que no todo el mundo estaba de acuerdo, pero a Jo ya no le incomodaban las miradas desaprobadoras que otros bañistas les echaban, solo la sacaban de quicio por Eva, sobre todo aquella mañana cuando una mujer se le había quedando mirando la redonda barriga, sacudiendo la cabeza y mascullando: «*¡Es vergonzoso!*» Ella se levantó de un salto, furiosa, y poniendo las manos en jarras le había soltado: «*Perdone, pero ¿me puede decir qué tiene de vergonzoso estar embarazada?*»

Mientras la mujer se quedaba sorprendida sin saber qué responder, Jo sintió la mano de Eva posándose en su brazo.

—Déjalo correr Jo —le dijo en voz baja—. No sabes lo que le ha podido pasar para que diga eso.

Ella se fue calmando al contemplar a la mujer alejándose por la playa.

—Solo podemos sentirnos culpables de ser felices si para serlo le causamos dolor o desdicha a otro ser. La vida es un regalo y nuestra tarea es sacarle el máximo partido —afirmó Eva—. Y esta personita también tiene que ser feliz —añadió mirándose la barriga—. ¿Lo oyes, pequeñín? —Sonrió como si el bebé pudiera oírla—. Vas a nacer en una familia maravillosa muy feliz, de lo más feliz.

—¡Qué ganas tengo de que nazca! —exclamó ella sonriendo—. Me parece como si llevaras años embarazada.

De súbito sintió un vago ramalazo de tristeza al pensar en el bebé que había creído esperar por un breve tiempo.

—A mí me ocurre lo mismo. Pero ahora ya no falta tanto, nacerá cuando esté lista.

—¿Y si es un niño? —bromeó Jo.

—No lo es. La llamaré Lili —afirmó zampándose la punta del cucurucho.

—Hablando de otro tema —repuso Jo moviendo el cuerpo al tumbarse de nuevo para acomodarse sobre los guijarros—. ¿Ya has decidido quién será la comadrona?

Se había pasado un buen rato en la biblioteca leyendo sobre los partos en casa y ahora dominaba bastante el tema, aunque todavía no habían hablado de algunos detalles. Esperaba que no hubiera ningún problema en cuanto al deseo de Eva de dar a luz en casa. Ella había nacido en el dormitorio de sus padres y Pat, la vecina de la puerta de al lado, planeaba tener a su hijo en su propia cama hasta que descubrieron que esperaba gemelos, pero Eva vivía en una casa okupada. Tenían agua y electricidad, pero aun así…

Al principio creyó que no la había oído y le repitió la pregunta.

Eva tardó un poco en responder.

—No habrá ninguna comadrona.

Se la quedó mirando desconcertada.

—No habrás cambiado de idea ¿verdad? —preguntó un tanto decepcionada por toda la información que había estado reuniendo. Cada vez le hacía más ilusión participar en un nacimiento de una forma tan directa—. ¿Y…?

Eva se había tumbado de nuevo sin dar señales de que iba a contarle nada más. Jo la quería, pero a veces su amiga la sacaba de quicio.

—Y entonces, ¿qué piensas hacer? —insistió.

Eva le respondió medio dormida como si la hubiera despertado de repente de su siesta.

—¿De qué me estás hablando? ¿Qué pasa?

—¡Oh, Eva, por el amor de Dios! —exclamó ella acodándose en la toalla para mirarla a la cara—. Sabes muy bien a lo que me refiero.

En aquel momento divisó a Scott dirigiéndose con paso largo por la playa hacia donde ellas estaban con la guitarra colgando del hombro y una nevera portátil en la mano. Ahora no había tanta gente, y los bañistas estaban recogiendo sus toallas y cestas de picnic para regresar a sus coches preparándose para el sinuoso viaje de vuelta a casa, o al hotel, o a la pensión con derecho a desayuno para darse una refrescante ducha y aliviarse la piel quemada con loción para después del sol antes de pasar la velada en el muelle o en un pub.

—Hola —nos saludó Scott con su sombra cayendo sobre el cuerpo de Eva—. ¿Cómo están mis dos adoradoras del sol preferidas?

Dejó en el suelo la nevera portátil agitando y sacudiendo el brazo para mostrarnos lo pesada que era, se descolgó la guitarra del hombro y se acomodó al lado de Eva antes de llevarse la mano a la nuca para sacarse la camiseta. Ella se descubrió mirando el pecho lampiño de Scott, estaba moreno a más no poder, nunca había visto a una persona de raza blanca con una piel tan oscura. Un ligero hormigueo en el estómago le recordó que aunque ahora solo se acostaran en contadas ocasiones, todavía le seguía gustando.

—Eva vuelve a estar misteriosa de nuevo —dijo alegremente intentando ocultar su irritación.

—¿Eva? ¿Misteriosa? ¡Pero qué dices! —repuso él sonriendo al tiempo que le plantaba un beso en el abultado vientre.

—Quería saber cómo pensaba preparar lo del nacimiento, eso es todo, y le he preguntado sobre la comadrona. Solo quería saber si le dejarán tener al niño en casa.

Jo vio que Scott intercambiaba con Eva una mirada de complicidad.

—Será mejor que se lo digas —le advirtió Scott a Eva con voz seria.

33

—¿Que me diga qué? —preguntó Jo mirando a Scott y luego a Eva, y a Scott de nuevo.

Eva, suspirando, se quitó las gafas de sol y levantando la espalda de la toalla se quedó sentada.

—De acuerdo. Jo, quiero que entiendas algo. Es mi hijo —nuestro hijo— y «ellos» no tienen ningún derecho a decirme dónde puedo o no dar a luz.

—Pero…

—Tendré a mi hijo en casa, contigo y Scott ayudándome.

Jo se quedó callada mientras asimilaba lo que acababa de oír.

—Te refieres a… no, no es posible… ¿me estás diciendo que *solo* estaremos Scott y yo?

Eva, sonriendo, asintió con la cabeza.

—No te preocupes, Jo —dijo cogiéndole la mano—. Todo irá bien, te lo prometo. Te diré lo que tienes que hacer cuando llegue el momento.

—Pero… no se puede hacer algo así, estoy segura de que no te lo permitirán…

—Ya te lo he dicho, tanto me da que no me lo *permitan*; tendré a mi hijo donde yo decida, ayudada por las personas que yo decida.

—Pero ¿qué ha dicho el médico? —insistió Jo convencida de que ningún médico aceptaría una idea tan descabellada.

—¿Qué médico?

—*Tu* médico, o el del hospital, no sé, quienquiera que sea el que te haga los chequeos prenatales.

Sabía lo de los chequeos prenatales porque a Pat se los habían estado haciendo cuando esperaba a las gemelas.

—No tengo ningún médico —admitió Eva en voz baja—. No la necesito. Nunca estoy enferma. Y si alguna vez no me encuentro bien

—matizó encogiéndose de hombros— sé qué remedios usar para recuperarme. En la naturaleza está la cura para todos los males, ya te lo dije otras veces. Los alimentos, las plantas, los aceites, no tienes más que…

—Sí. Ya sé, pero… —dijo ella apartándole la mano para coger los cigarrillos—. Joder, Eva. Tener un hijo no es como tener un resfriado o un dolor de muelas —alegó encendiendo un pitillo y lanzando luego el paquete sobre los guijarros—. No puedes tener un hijo sola.

—Pero no estaré sola, ¿no? Os tendré a vosotros dos.

Jo miró a Scott, sentado con las piernas cruzadas y la cabeza agachada, acodado en las rodillas, con las manos colgando en medio.

—¿Y a ti qué te parece? ¿No crees que es una locura?

Él se encogió de hombros.

—No lo es. Tal vez sea algo poco corriente, pero no me parece una locura para nada.

—¿Lo ves? —terció Eva sonriendo. Solo tienes que acostumbrarte a la idea, eso es todo.

Ella sacudió la cabeza y le dio otra calada al cigarrillo.

—Oye, Jo, sé que *parece* una locura, pero es porque nuestra sociedad nos obliga a las mujeres a ir en contra de la naturaleza. En todas partes del mundo hay mujeres que dan a luz sin atención médica. A veces lo hacen ayudadas por su madre, sus hermanas o sus amigas, y otras completamente solas. Y les resulta más fácil, el parto es más rápido, se recuperan más deprisa y se sienten más contentas.

Ella volvió a pensar en el documental que había visto en el que las tres mujeres de un mismo hombre hablaban del parto reciente de una de ellas. La mujer había dado a luz en una cabaña de barro con la ayuda de su madre y de las otras dos mujeres, y aquella misma noche ya estaba levantada, preparándose para los numerosos visitantes que iban a llegar más tarde para ofrecerle sus buenos deseos y sus amuletos en honor del recién nacido.

—Vale. Tal vez sea una buena idea si todo va bien. Pero ¿y si hay alguna complicación?

La expresión en el rostro de Eva cambió de golpe y sacudió la cabeza irritada.

—La razón principal por la que quiero hacerlo sin médicos ni comadronas es precisamente porque las cosas *salen* mal por culpa de sus intromisiones —afirmó poniéndose el vestido playero amarillo de algodón antes de levantarse—. Si mi madre no hubiera dado a luz ayudada por una comadrona, mi hermano no habría muerto. Y si él no hubiera muerto, mi madre ahora probablemente estaría viva.

—¿Qué? ¿Cómo pudo pasar?

A Eva se le encendió el rostro de pronto al intentar contener las lágrimas.

—Justo después de lo de mi hermano, a mi madre le dolía la cabeza una barbaridad y no cesaba de decirles a las enfermeras y los médicos que tenía algún problema. Pero le dijeron que era por la pena y que con el tiempo el dolor se le pasaría —le contó secándose un par de lágrimas—. Al morir mi madre, dijeron que debía de tener la tensión por las nubes y, sin embargo, nadie había caído en ese detalle.

—Eva. Evita, ¿estás bien? —le preguntó Scott con ternura agarrándola del brazo.

—Ya se me pasará. Pero quiero volver a casa —repuso apoyándose en él—. Necesito estar sola un rato.

Scott asintió con la cabeza y, levantándose, la estrechó en silencio entre sus brazos un momento.

Entonces ella se separó de Scott.

—Siento haber sido una aguafiestas —dijo mirando a Jo al tiempo que señalaba con la cabeza la nevera portátil y las bolsas llenas de comida que se habían traído—. Quedaos en la playa. Os veré más tarde.

Esbozando una breve sonrisa, les aseguró que se le pasaría enseguida. Dio media vuelta y cruzó lentamente la playa para volver a casa. En ese instante empezó a chispear.

—No lo entiendo —dijo Jo en cuanto Eva se fue—. Es lógico que culpe al hospital de la muerte de su madre. Pero ¿por qué la ha tomado con la comadrona? Me refiero a que es horrible cuando un bebé muere, pero a veces esas cosas pasan. ¿Es que nació con algún problema?

Scott sacudió la cabeza y suspiró antes de contárselo. Una comadrona en prácticas se estaba ocupando de la madre de Eva mientras la comadrona jefe atendía a otra parturienta. Cuando el bebé empezó a salir con mucha más rapidez de la esperada, la estudiante despavorida fue a pedir ayuda, pero entre tanto intentó retrasar el parto empujando la cabeza del recién nacido. El bebé sufrió lesiones cerebrales muy graves que le produjeron la parálisis cerebral y más tarde la muerte. La comisión que investigó el caso concluyó que el hospital era responsable de los hechos y que probablemente el derrame cerebral de la madre de Eva había estado inducido por el trauma del parto y la tensión alta.

—Fue todo muy espantoso —prosiguió Scott—, y su padre hundido en una terrible depresión, dejó un día a Eva con un pariente y se arrojó bajo un tren. A Eva se le ha quedado grabado lo de los hospitales. Su madre quería dar a luz en casa, pero su marido insistió en que lo hiciera en el hospital, por eso se culpaba a sí mismo.

Cuando acabó de contarle la historia, Jo estaba derramando unos grandes lagrimones. No era de extrañar que a Eva le dieran pánico los médicos y las comadronas.

La lluvia golpeaba con violencia las ventanas y caía copiosamente sobre el tejado de la habitación de pensar. Jo estaba sentada contemplando el mar gris. Había algo relajante en el murmullo de la lluvia azotando los cristales. Apoyó la frente contra la ventana fresca, había estado diluviando durante horas, liberándoles del calor asfixiante al refrescar un tanto el aire. Un relámpago en forma de horquilla dentada destelló en el cielo ennegrecido, seguido del retumbar de un trueno lejano. Tras levantarse, caminó de arriba abajo de la diminuta estancia y luego abrió la ventana un poco más. Se sentía inquieta y quería oír la lluvia con más claridad. Tal vez era por estar la atmósfera más limpia, pero de pronto se sintió llena de energía, segura de poder ayudar a Eva en el parto, convencida de que la idea no era tan descabellada si la afrontaban bien desde un principio. Después de todo, era lo mismo que decían los libros que había estado leyendo, solo que se suponía que una comadrona experimentada estaría presente. Algo moviéndose en el jardín le llamó la atención.

—¡Eva! ¿Qué estás haciendo ahí abajo? ¡Te estás quedando empapada! —le gritó desde la ventana.

Pero el rumor de la lluvia sofocó su voz, de modo que bajó los tres tramos de escaleras que llevaban al sótano y salió por la puerta de atrás. Eva estaba en medio del jardín, el lugar donde antes se encontraba tapizado de césped, con la cabeza hacia atrás y los ojos cerrados, hasta que ella la llamó.

—¡Oh, hola, Jo! —exclamó sonriendo—. Sal aquí fuera para disfrutar de esta lluvia maravillosa.

Agarró una palangana de plástico que había en el suelo para protegerse de la lluvia mientras subía las escaleras.

—¡Eh, Jo!, olvídate de la palangana. Disfruta sintiendo la lluvia en la piel, ¡es increíble!

Abriendo los brazos hacia el cielo, Eva echó hacia atrás la cabeza de nuevo para que el agua le cayera en la cara y le bajara por el cuello. Llevaba aún el ligero vestido playero de algodón, pero estaba tan empapada que se le transparentaba todo, revelando su protuberante ombligo y sus pechos hinchados. Jo sintió un ramalazo de envidia. Había dejado de llevar sujetador al poco tiempo de vivir en esta casa, pero sus tetas eran patéticas comparadas con los soberbios pechos de Eva. Desprendiéndose de la palangana, dejó que la lluvia le calara hasta los huesos. Era muy refrescante y no estaba tan fría como se había imaginado. El jardín olía a lluvia cálida y a tierra húmeda, y al aroma silvestre y penetrante de las tomateras. Las numerosas verduras que Eva cultivaba en macetas y que con tanto esmero cuidaba, estaban siempre mustias al final de un día caluroso, pese a recibir su ración diaria de agua utilizada procedente de la pileta de la cocina, pero ahora se alzaban de lo más vivarachas tras las largas semanas de sequía. Incluso bajo la luz que se proyectaba desde la casa el jardín se veía más verde. Eva estaba en medio, con sus pechos exuberantes, su abultada barriga y la cara sonriente levantada al cielo. Parecía una especie de diosa maternal, una estatua erigida en honor de la naturaleza, la fertilidad y la fecundidad. Claro que sería capaz de dar a luz sin problema. ¡Cómo se le había ocurrido ponerlo en duda!

34

Durante las semanas siguientes estuvieron preparando la llegada del bebé. Leyeron todo cuanto encontraron sobre partos, compraron sábanas impermeables y toallas nuevas. Limpiaron las áreas principales de la casa, sobre todo el salón, y decidieron que era el mejor lugar para dar a luz por estar cerca de la cocina y, por tanto, del agua caliente, y ser lo bastante espacioso como para que los tres durmieran en él si era necesario. Fregaron el suelo de madera, eliminaron las pinturas de las paredes, se llevaron todo lo lavable a la lavandería, y en un rincón prepararon el lecho para el parto: un colchón encima de varios palés. Scott barnizó la pequeña cuna de madera y la dejó al lado de la cama, y poco a poco la fue equipando con un trozo de espuma a modo de colchón, varias sábanas afelpadas de algodón que parecían nuevas, un edredón de Winnie-the-Pooh procedente de un mercadillo benéfico, y dos mantillas para bebé azul marino, una tejida con torpeza y la otra con bastante maña. Jo había descubierto una tienda de madejas de lana que iba a cerrar, donde solo quedaba lana de colores oscuros, pero compró una caja de cartón enorme llena de ovillos y dos pares de agujas de tejer por treinta y cinco peniques. La primera mantilla fue de prueba, pero la segunda no le salió nada mal y a Eva le encantaron las dos.

A medida que el vientre de Eva crecía, fue saliendo cada vez menos de casa porque se cansaba cada día más haciendo el largo trayecto hasta el sótano para luego subir de vuelta las escaleras. Siguió creando bisutería y bolsas, y cuando a mediados de setiembre descubrieron que no solo había zarzamoras en el jardín repletas de moras, sino también en el de la casa vacía de al lado, además de árboles frutales cargados de manzanas, peras y ciruelas, Eva se dedicó de lleno a la producción, haciendo kilos y kilos de mermelada de ciruela, pera, moras y manzana. También aprovechó la fruta dañada y las últimas verduras del verano para elaborar lo que ella llamaba «encurtidos interesantes y originales». Ella y Scott llenaron hasta arriba los carritos de la compra de conservas caseras y las vendieron en mercados locales y en un puesto que montaron en la carretera intercomarcal, justo a las afueras de la ciudad. Gracias a los esfuerzos de Eva y al dinero que Jo y Scott llevaban a casa —él trabajaba en pubes y cocinas de hoteles de nuevo, la temporada turística se había acabado y tocar en la calle ya no era tan lucrativo como antes— siguieron ganando una considerable cantidad de dinero. Scott habló de terminar sus estudios de magisterio y buscar un buen trabajo. Eva se quedó consternada con la noticia.

—No nos hará falta, Scotty. No quiero que vivamos así —apostilló Eva cuando él se lo dijo una noche.

—Llevar este tipo de vida los dos está bien —alegó él—. Pero cuando nazca el bebé las cosas serán distintas. ¿Y si nos echan de la casa? No podemos estar sin hacer nada en cualquier antigua casa de okupas cuando tengamos a nuestro hijo.

Jo vio cómo la cara de terquedad de Eva se transformaba en una expresión de conformidad al aceptar a su pesar que las cosas tendrían que cambiar. Ella, que no había pensado en su futuro más que con tres meses de antelación como máximo desde que vivía en la casa, se empezó a preguntar qué le pasaría si les echaban. Estaba bastante segura de que si Scott encontraba un piso con un alquiler que pudiera pagar —él lo había mencionado un par de veces—, no contarían con ella, por más que hubiera dicho Eva que el bebé tendría dos madres y un padre.

Una tarde, un par de semanas antes del parto —el bebé nacería la primera semana de noviembre, según los cálculos de Eva—, harta de estar en casa, se quejó de que quería salir un poco. Después del largo y seco verano, había estado lloviendo casi a diario durante las últimas semanas y Eva apenas ponía un pie la calle. Y ahora que ya no llovía tanto, se sentía inquieta. Le sugirió ir al paseo marítimo para las celebraciones del Día de Hastings, un festival que se había estado celebrando cada año desde 1966 para conmemorar la Batalla de Hastings. Se celebraba el sábado más cercano a la fecha de la batalla —el 14 de octubre—, pero este año por primera vez los festejos durarían cuatro días. Había bandas de música desfilando, *majorettes*, música en vivo, un banquete medieval… y muchas otras cosas más y estaba deseando ir a verlas, pero Scott no volvería hasta la noche y no quería dejarla sola. Le gustaba ser responsable de su amiga, la cual, limitada por el volumen de la barriga y su cansancio abrumador, dependía cada vez más de ella.

—¿Estás segura de que no te importa que te acompañe, Jo-Jo?

Desde que le había contado que su madre la llamaba así de pequeña, Eva también lo hacía. Y no le importaba, pero si alguna otra persona la hubiera llamado de ese modo no le habría hecho ninguna gracia.

—¡Cómo me iba a importar! ¿Estás de guasa?, me parece una idea buenísima, sobre todo porque esta noche habrá la hoguera y el desfile. —Pero de pronto le asaltaron las dudas—. ¿Crees que podrás estar de pie durante tanto tiempo?

—Claro que sí, estoy segura —asintió sonriendo—. Mientras pueda apoyarme en ti al volver, porque no me veo subiendo la cuesta fácilmente sin tu ayuda.

Eva ya no podía moverse con ligereza y les llevó mucho más tiempo de lo habitual llegar al paseo marítimo. Jo le iba echando una ojeada de vez en cuando, consternada por los cambios que había experimentado en la última etapa del embarazo. Se veía ajada y demacrada, había perdido la frescura y la chispa que le daban un aire como si siempre estuviera a punto de hacer algo: de sonreír o reír, de cantar, de levantarse de un salto y ponerse a pintar un nuevo mural en una de las paredes. Esperaba que el cambio no fuera permanente. De pronto se acordó de la pobre Pat, que con solo dieciocho años ya era madre de dos gemelas, agobiada y desaliñada. Pero como no la había conocido antes de quedar embarazada se dijo que quizá siempre había sido así.

Cuando llegaron al paseo marítimo las celebraciones estaban en pleno apogeo. Se quedaron un rato mirando a un mimo y luego vagaron un poco para ver los bailes típicos ingleses y a un grupo de acróbatas jóvenes. Como no les atraía la recreación de la batalla que tenía lugar cerca del castillo, fueron al muelle a buscar té y donuts antes de que el desfile principal empezara. Jo esperaba que con el descanso Eva se recuperara lo bastante como para aguantar de pie las dos horas siguientes. Se dirigieron abriéndose paso entre el gentío a la parte de la playa donde se encendería la hoguera y eligieron un lugar para verla bien que les permitiera al mismo tiempo contemplar el desfile. Durante la última semana los organizadores habían reunido una montaña de muebles rotos, maderas traídas por el mar, trozos de vallas viejas y otros materiales desechados. Debido al tiempo que hacía se habían visto obligados a trabajar protegidos por una lona, pero ahora al sacarla y revelar lo que había dentro, todo el mundo estaba esperando excitado que le prendieran fuego. Le habían dado ingeniosamente la forma de un barco, de un galeón. Era impresionante tanto por su forma como por su tamaño, parecía mentira que estuviera hecha de desechos.

El desfile fue colorido, ruidoso y maravilloso. Jo se sintió de nuevo como una niña acudiendo por un día a la feria. Encantada por el espectáculo, contempló lo que parecía un desfile interminable de bailarines tradicionales ingleses, bandas musicales, brigadistas de la organización cristiana *Boys and Girls*, *majorettes*, y niños y adultos en trajes medievales encaminándose al castillo para la siguiente recreación.

Cuando el desfile empezó a disminuir ya estaba anocheciendo. El castillo iluminado, recortado contra el cielo, se veía magnífico aquella noche y Jo se maravilló de que siguiera alzándose en aquel lugar contemplando el acto como novecientos años atrás. La multitud alineada a lo largo de la calle estaba empezando a desaparecer ahora que parecía que no quedaba nada más por ver, pero mientras los padres se alejaban empujando los cochecitos de bebé y llevando a hombros a sus hijos pequeños agotados, ella escuchó a lo lejos un murmullo grave y rítmico.

—Escucha —le dijo a Eva—. ¿Lo oyes?

Pero casi antes de que terminara de hablar, el sonido se había vuelto mucho más nítido y era inconfundible.

—¡Oh, qué bien!, me encanta el ruido de tambores —comentó Eva—, sobre todo cuando es tan ensordecedor que lo sientes en el estómago —sonrió mirándose el barrigón—. Escucha, bebé, ¿lo oyes? ¡Oh, mira, ya vienen! —exclamó alzando los ojos.

Los tamborileros formaban parte de una procesión con antorchas que serpenteaba por el paseo marítimo y la carretera de la costa. Las llamas parpadeantes trazaban la forma de una ese ardiente en la oscuridad y el humo arremolinándose a su alrededor le daba un cierto dramatismo. Estaban encabezados por un tipo alto y delgado ataviado con capa y chistera negras. A Jo le recordó la primera vez que vio a Scott. Iba con la cara pintada de blanco y el pelo largo revoloteando al viento. El resto, sobre todo hombres, marchaban en columnas de tres o de cuatro, tocando tambores de distintos tamaños y formas. Todos iban con el cabello revuelto y el rostro pintado, algunos tocaban el tambor con las manos y otros con las baquetas, pero sonreían como locos agitando los brazos de forma elaborada al pasar, algunos bailando y haciéndoles muecas a la multitud como bufones de la corte enajenados. El estruendo de los tambores era tan atronador que tuvo que decirle gritando a Eva que los notaba resonando en sus entrañas. Los que llevaban las antorchas les iban a la zaga avanzando con pasos más lentos y firmes. Había tanto mujeres como hombres, lucían túnicas blancas largas y enarbolaban las antorchas humeantes con cara de solemnidad. También tenían los rostros pintados.

Mientras Jo los contemplaba avanzar por la carretera, sintió que la excitación se había trocado en un repentino y oscuro ramalazo de tristeza. Aquel fragor de tambores resonándole en las entrañas le hizo sentir una pena insondable no solo por su madre, sino también por su abuela, por el gato de su infancia, e incluso por el bebé que había creído llevar en su seno por un breve tiempo. Pero lo más extraño era la tristeza que ahora sentía por estar viviendo aquel momento, como si estuviera llorando por algo que aún no hubiera perdido.

Eva seguía sonriendo, pasándoselo en grande. Los tamborileros se acababan de dividir para formar un semicírculo alrededor de la hoguera y el repiqueteo de los tambores se estaba volviendo más rápido y potente por momentos. Los que portaban las antorchas se colocaron también al lado de los tamborileros, sosteniéndolas en alto, con las llamas anaranjadas y amarillas parpadeando con dramatismo en medio del cielo oscuro, mientras el fragor de los tambores se volvía tan pavoroso que rayaba en lo demencial. Jo sintió la adrenalina corriéndole por las venas y de pronto notó que Eva la agarraba del brazo. Ya no se sentía triste, pero el estruendo de los tambores le estaba suscitando algo de nuevo e hizo un esfuerzo por no echarse a llorar. De súbito los tambores cesaron. Fue tan súbito y tajante el impacto del silencio que lo sintió como una bofetada. Después, obedeciendo a la señal de uno de ellos, todos arrojaron las antorchas flameantes a la estructura de madera entre gritos y ovaciones del público.

Al principio fue como un anticlímax. Nada parecía ocurrir y la gente había empezado a susurrar que quizá la humedad se había colado por la lona después de todo. Pero de súbito prendió el fuego, al principio con lentitud, y luego fue cobrando cada vez más fuerza empezando a calentar el ambiente. Al cabo de poco las llamas se alzaron con violencia como lenguas de fuego y se esparcieron por todas partes avivadas por el viento.

—¡Madre mía! Es impresionante, ¿no crees? —exclamó ella.

Eva asintió con la cabeza mirando la hoguera casi con cara de devoción. Ella se dijo que era extraño ver aquel fuego enorme tan cerca del mar. A decir verdad, ahora que llevaba un tiempo observándolo advirtió que se parecía mucho a las olas gigantescas de un par de días atrás estrellándose contra el malecón durante una tormenta. Eran unas olas llameantes descomunales colándose por entre la estructura como el agua del mar pasando con violencia entre las rocas. Alzando la cabeza hacia el cielo nocturno, vio una lluvia de copos de fuego moviéndose en remolinos como un millón de luciérnagas danzando en una noche de verano. Otra ráfaga de viento hizo rugir de pronto el fuego como si no pudiera dejar de bramar mientras devoraba la estructura hasta reducirla a unos restos incandescentes y humeantes recortados contra el cielo.

El calor era ahora muy intenso y Jo lo sintió quemándole la cara.

—¡Qué fantástico! —exclamó mirando a Eva, y luego volvió a contemplar el fuego.

—Jo. Me tengo que ir —repuso Eva agarrándola del brazo de nuevo.

—¡Oh, quedémonos un poco más!

Sabía que Eva estaba cansada por haber permanecido de pie durante mucho tiempo, pero disfrutaba tanto del espectáculo que no quería irse aún.

—Jo... —insistió con voz estrangulada.

Al mirarla con más atención, se dio cuenta de que algo iba mal. La cara de Eva, iluminada por la hoguera, estaba contraída de tensión, con una mueca de dolor y los ojos cerrados con fuerza.

—¡Dios mío!, ¿qué te pasa? ¿Te encuentras bien?

Qué pregunta más estúpida le acababa de hacer, se dijo, era obvio que no se encontraba bien.

—¿Eva? —insistió.

Pero ella no le respondió, ni siquiera abrió los ojos. Solo seguía apretándole el brazo con tanta fuerza que le estaba empezando a doler.

—¡Mierda! —se dijo, no era posible, se suponía que no iba a dar a luz hasta dentro de un par de semanas. Por fin Eva dejó de apretarle el brazo y abrió los ojos.

—Nos tenemos que ir. Ahora mismo —le pidió.

Empezaron a abrirse camino entre la multitud. Eva iba a la cabeza y ella la seguía pegada a los talones.

—Perdone, me deja pasar por favor —oía decir a Eva.

Su voz era clara y firme, como si controlara la situación. Jo empezó a sentirse más tranquila mientras la seguía por entre la última aglomeración de gente hasta llegar a la calle principal, que se encontraba más despejada. La cruzaron y empezaron a subir la cuesta de la colina para volver a casa. Cuando pensó, aliviada, que ya todo había pasado, Eva se paró de golpe, agarrándola del brazo. Dejando escapar un gemido ahogado de dolor, siguió apretándoselo casi de manera insoportable. Ella se quedó quieta a su lado.

—¿Tanto te duele?

—No puedo hablar —contestó Eva.

Jo advirtió asustada que tenía una expresión extraña en los ojos, como si mirara al vacío.

Cuando las contracciones desaparecieron, volvieron a echar a andar.

—Creía que se suponía que iban aumentando de intensidad poco a poco, pero estas me han dolido una barbaridad.

Jo intentó pensar en algo para animarla, pero se había quedado en blanco. Eva también estaba callada. Se le hizo extraño subir penosamente la cuesta en silencio. A los dos o tres minutos, el dolor volvió. Las contracciones se apoderaron de su cuerpo de nuevo y Eva, gimiendo, se paró en seco en medio de la acera. Los gemidos se trocaron en lágrimas cuando empezó a doblarse de dolor.

¡Dios mío!, no dejes que lo tenga aquí, pensó Jo.

Echó un vistazo a su alrededor. Todavía les quedaban las escaleras por subir antes de que la casa apareciera a lo lejos. Se preguntó si debía ir a buscar a Scott corriendo, pero no podía dejarla en ese estado. Empezaba a ser presa del pánico.

—Venga. Tenemos que llegar a casa cuanto antes —dijo Eva de pronto enderezándose.

Cuando llegó la siguiente contracción ya habían logrado subir las escaleras de la entrada. Jo se dijo ahora más esperanzada que por suerte el bebé ya no nacería en la calle. Y en cuanto entraron en la casa solo tuvo una contracción más antes de volver todo a la normalidad. Creyeron que había sido una falsa alarma.

Eva fue a echarse un rato en el sofá del salón mientras Scott ayudaba a Jo a preparar la cena dirigiéndose al huerto para coger las dos últimas coliflores que quedaban. Eran pequeñas y tenían las cabezuelas amarillentas en lugar de blancas por el exceso de sol, había dicho Eva, pero sabían bien. Después las dejó en remojo en agua salada para eliminar cualquier posible gusano de la col, las cortó en pequeños ramilletes y las dispuso en una fuente junto con el brócoli que habían comprando en la tienda. Jo preparó la salsa de queso y se la echó encima y, por último, lo espolvoreó con queso y pan rallado para que la capa de arriba fuera crujiente. La coliflor con salsa de queso era el plato preferido de Eva y se la comieron con tomates asados y una *baguette*, partiéndose de risa por haber creído que el niño iba a nacer en medio de la calle.

—¡Qué estúpida he sido! Hace solo dos días estuve leyendo que las contracciones Braxton Hicks pueden ser muy fuertes —observó Eva bostezando—. Estoy reventada. Creo que voy a dejar que os ocupéis de lavar los platos. Me voy a echar otra vez al sofá.

—Me alegro de que fuera una falsa alarma —le dijo Jo a Scott arrimada a la pileta mientras él fregaba los platos y ella los secaba—. Creí estar preparada, pero esta noche cuando llegaron las contracciones se me encogió el estómago de miedo.

Scott le dio un plato para que lo secara y empezó a lavar otro.

—¿Por qué te asustaste tanto? *Estamos* preparados, ¿no? Me refiero a que no hay nada más que tengamos que comprar o preparar.

—Lo sé, pero me refería a preparada *mentalmente.* Lo de las contracciones me ha dado que pensar, eso es todo. Pueden surgir tantas complicaciones.

—Creo que ya lo hemos previsto todo…

Eva le interrumpió de pronto al llamarlos desde el salón. Había roto aguas.

35

Se fueron turnando para quedarse al lado de Eva. Las contracciones iban y venían, y cada vez que se detenían ella se sumía en un sueño rápido y profundo, como si se impregnara de energía y la almacenara como un camello acumulando agua en la giba. Y aunque se suavizaran, era evidente que pronto daría a luz. Mientras Eva estaba despierta, aunque sintiera dolor, se mantenían serenos y concentrados, pero era ella la que les tranquilizaba en lugar de ser al revés.

Ahora se había vuelto a dormir, pero Jo no podía concentrarse en el libro que tenía en las manos de lo nerviosa que estaba. Se puso a caminar de arriba abajo por el salón, procurando calmarse; estaba hecha un manojo de nervios. Scott volvió con dos tazas de infusión de ortiga, pero al verla tan alterada, se sentó y se puso a liar un porro.

—Ten, da unas caladas. Te ayudará a tranquilizarte.

Jo titubeó.

—No sé, deberíamos tener la cabeza clara. Porque y si…

—No es demasiado fuerte. Me reservo el bueno para luego.

Jo tomó el porro y agarrando el cárdigan largo salió afuera a que le diera el aire. Hacía una noche agradable, silenciosa y serena, la luna grande y redonda colgando del cielo derramaba la suficiente luz como para proyectar sombras en la calle desierta. Fue hasta el final, se sentó en un murete y contempló la ciudad extendiéndose a sus pies sin que ningún edificio alto interrumpiera las vistas. Eran casi las tres de la madrugada y apenas había luces en las casas, pero con todo era una escena bonita. La iluminación dorada alrededor del castillo, la luz de la luna tapizando de plata el agua oscura del mar, y los puntos anaranjados de las luces artificiales de las casas mirando aquí y allá a distintas alturas en los niveles escalonados de la ciudad.

Scott tenía razón, el porro era suave y no se sintió ida o con ganas de reír tontamente por nada, sino envuelta en una calma y estabilidad sumamente placenteras, capaz de afrontar lo que le esperaba. Mientras avanzaba por la calle silenciosa de vuelta a casa, un movimiento a su izquierda le hizo dar un brinco, pese a su sensación de calma. Era una gaviota inquieta por algo que había debajo de un arbusto. De pronto oyó un graznido y un ruido de aleteo, y otra gaviota apareció chillando y agitando las alas para ahuyentarla. Las dos gaviotas echaron a volar y se agachó para mirar lo que había debajo del arbusto. Retrocedió de un brinco al descubrirlo, era una tercera gaviota, estaba muerta y tenía las plumas de las alas y el pecho ensangrentados. Seguramente la había arrollado un coche. Pero ¿qué estaban haciendo las otras dos gaviotas? ¿Es que intentaban comérsela? Encogiéndose de hombros, regresó a casa.

Eva volvía a tener contracciones y estaba sentada agarrada al brazo de Scott, emitiendo un sonido prolongado y ahogado como si estuviera cabalgando la ola de dolor. Cuando la contracción desapareció se dejó caer sobre las almohadas, extenuada.

—¡Dios mío! —exclamó logrando esbozar una breve sonrisa—. ¡No me extraña que lo llamen parto, te sientes como si te fueras a partir en dos! —Hizo una pausa para recuperar el aliento—. Creo que es hora de que os vayáis a lavar. Esta vez va en serio.

Haciéndolo por turnos, se lavaron con jabón las manos y los brazos hasta el codo y se pusieron un camisón barato de algodón a modo de bata que habían comprado para la ocasión. Ahora que estaba a punto de ocurrir se habían quedado callados, quizá preguntándose por qué diablos habían aceptado meterse en esto.

A los pocos minutos Eva tuvo otra contracción y esta vez les agarró del brazo a los dos.

—¡Levantadme, levantadme, levantadme! —gritó.

Jo no sabía cómo se suponía que debían levantar su cuerpo de un considerable peso, pero entre los dos lograron alzarla lo bastante como para que se quedara de rodillas en lugar de estar tendida en la cama. A Jo le vino a la memoria una conversación que habían mantenido sobre que era poco natural y más difícil dar a luz tendida boca arriba.

—Eva —le dijo, pero ella tenía los ojos cerrados y aunque era evidente que el dolor se había ido, parecía estar preparándose para la siguiente contracción—. Eva —insistió—. ¿En qué postura quieres estar? ¿Quieres que intentemos ponerte en pie? —pero Eva seguía sin responder, solo se dobló sobre el hombro de Scott con los ojos cerrados. Se veía pálida y demacrada, estaba extenuada.

—¿Crees que está bien? ¿Es esto normal? —le preguntó a Scott.

Por primera vez desde que él había llegado a casa, también parecía estar preocupado.

—No lo sé. No está yendo como me imaginaba —repuso—. Eva ¿estás bien? ¿Evita? Dime algo, nena, te lo ruego.

Ella, abriendo los ojos, le miró, pero cuando estaba a punto de hablar, hizo otra mueca de dolor. Jo le puso la mano en el vientre. La intensidad de las contracciones la sorprendió.

—¡Madre mía, ponle la mano, son alucinantes!

Scott también se la puso, pero Eva les apartó la mano, intentando soportar el dolor.

—¡Oh, mierda! —exclamó Scott con un deje de pánico en la voz—. ¡Mierda! ¡Mierda! ¡Mierda! Se suponía que debíamos controlar el ritmo de las contracciones. Me he olvidado. Me he olvidado por completo de controlar el ritmo de las malditas contracciones.

Eva dejó escapar otro grito largo y ahogado y luego se dobló de nuevo, jadeando.

—¡Cálmate, idiota! —le increpó. Jo nunca había oído a Eva hablarle así a Scott—. Solo sirve para saber si una mujer está de parto, y es evidente que yo lo estoy, ¿no?

—¡Oh, es verdad! Lo siento.

Cuando llegó la siguiente contracción, Eva dejó escapar un sonido horrendo que ella nunca había oído. Los dos se miraron asustados.

—¿Voy a la cabina? —preguntó Jo.

Pero antes de que a Scott le diera tiempo de responder, Eva los apartó de un manotazo y se dejó caer hacia adelante, quedando de cuatro patas.

—¡No! —gritó. ¡No llaméis a una ambulancia! Puedo hacerlo. Puedo hacerlo. Puedo hacerlo.

Scott le acarició el cabello.

—Vale, chis, vale, Evita.

—Ya viene —dijo Eva levantándose el camisón al tiempo que dejaba escapar un sonido grave y gutural, casi como un gruñido.

Jo intentó recordar lo que había leído. Miró a Scott, pero él sostenía a Eva rodeándola por la espalda mientras ella le agarraba los hombros. De pronto Jo oyó la voz de Eva diciéndole en su cabeza lo que ella le había dicho una y otra vez al hablar del parto: *quédate simplemente a mi lado. Lo único que tienes que hacer es coger al bebé cuando nazca.* Y allí estaba la cabeza del bebé, una masa de cabello negro, una cara contraída y amoratada.

—No empujes con demasiada rapidez —se dijo Eva—. Jadea.

Los jadeos ayudaban a la madre a controlar el irreprimible deseo de empujar. Jo se acordó de haberlo leído en el libro: «Dale al que te ayuda tiempo para comprobar que el bebé no nazca con el cordón umbilical enroscado al cuello».

—Todo va bien, Eva —la tranquilizó ella procurando que no le temblara la voz—. Ya puedes seguir empujando. —Agarró una de las toallas nuevas de algodón que habían dejado plegadas sobre la mesa—. Estoy lista.

Y lanzando otro largo gruñido por el esfuerzo, Eva trajo a su hija al mundo con un último empujón. Se desplomó, exhausta, de lado. Cuando se deslizó en sus palmas abiertas aquella pequeña criatura con la piel amoratada, a ella se le anegaron los ojos de lágrimas.

—¡Es una niña! —anunció entre risas y lágrimas, conmocionada por la magnitud de todo ello.

—¡Hola, bebé! —exclamó Eva, y de pronto ella y Scott también se echaron a llorar y a reír. Pero el bebé no había emitido ningún sonido aún y seguía con la piel amoratada. Las risas se desvanecieron de golpe al comprender todos que no respiraba.

Jo no supo si lo hacía por haberlo leído en alguna parte o por puro instinto, pero dejó a la recién nacida sobre las piernas desnudas de Eva y se puso a frotarle la espalda con una toalla rugosa.

—Venga, bebé, respira para tu mamá; venga, cielo, venga —repitió una y otra vez.

Después de un instante en que parecían haberse quedado las dos aturdidas y desconcertadas, Eva tiró de su hijita y se abrió el camisón para arrimársela al pecho mientras seguía frotándole la espalda como Jo había hecho.

—Venga, mi preciosa y querida Lili, respira, te lo ruego.

Pasado lo que les pareció una eternidad aunque en realidad no fueron más de treinta segundos, el bebé emitiendo un sonido como si se ahogara y escupiera lanzó un largo berrido al tiempo que la piel amoratada se le volvía de color rosado por fin al llenarse ella de vida.

Jo se echó a llorar a lágrima viva sin intentar controlarse, no solo de alivio por haber ido todo bien, sino para liberar toda la tensión acumulada en los últimos meses. Estuvo sollozando como una criatura, sabiendo que aunque Eva y Scott también estuvieran llorando, ella era la única que lo hacía ruidosamente. Cuando terminó de llorar se sintió mucho mejor, quizás era eso a lo que la expresión «una buena llorera» se refería. Las lágrimas dejaron de rodar al cabo de poco y los tres sonrieron extasiados de felicidad. Jo observó a Scott mientras él ataba y cortaba el cordón umbilical, y le daba con ternura a Eva el bebé para que lo sostuviera en brazos.

Al mirar a la pequeña familia, Scott rodeando a Eva por el hombro mientras los dos contemplaban embelesados a su hija, sintió una punzada de soledad casi imperceptible.

Expulsar la placenta llevó más tiempo del que se imaginaban. Scott la envolvió en papel de periódico y la llevó al jardín para enterrarla. Eva había mencionado la idea de cocinarla y comérsela —lo había leído en un libro de parto natural—, pero a Scott y Jo la idea les pareció asquerosa y le habían hecho cambiar de opinión, convenciéndola de que alimentaría al menos la tierra si la enterraban en el huerto.

Después de tomarse el mejor té que había probado en su vida, según sus propias palabras, Eva se sumió en un sueño profundo, con la mano posada en Lili, que dormía en la cuna a su lado. Jo le levantó los brazos con suavidad para cubrírselos con el edredón, y luego ella y Scott se dejaron caer el uno junto al otro en el sofá que había en la otra punta del salón, muertos de cansancio pero locos de felicidad.

—Ha sido increíble —no dejaba de decir Scott en voz baja para no despertar a Eva ni al bebé—. ¡Qué maravilla, joder! No me lo puedo sacar de la cabeza.

Jo también creía que había sido lo más impresionante que había visto en su vida. El tremendo dolor la había impactado un poco, pero la forma de afrontarlo de Eva y de saber instintivamente cómo debía actuar habían hecho que ahora la viera más aún como una diosa.

Scott suspiró, era un suspiro de felicidad.

—Lo has hecho de maravilla —afirmó mirándola a los ojos—. Gracias. Nos has sacado de un buen apuro.

—Me aterraba que algo saliera mal —admitió ella suspirando. Echó la cabeza hacia atrás y se quedó mirando el techo. Qué bonita era la antigua cornisa, se dijo advirtiéndola por primera vez. Era una lástima que estuviera tan deteriorada—. Cuando pienso en todas las cosas que podrían haber…

—Te preocupas demasiado. Ha sido estupendo, ¿no?

Jo se sintió irritada de golpe. Él también se había preocupado lo suyo.

—Scott, ¿te llegaste a leer ese libro? El bebé podía haber nacido de nalgas, o incluso haber venido de pies. Podía haber tenido el cordón umbilical enroscado en el cuello o quedarse atascado por los hombros. ¿Y qué me dices de Eva? ¿Y si hubiera necesitado una cesárea? ¿Y si hubiera tenido una hemorragia? ¿Y si…?

—¡Jo, Jo, Jo!, cálmate que la vas a despertar y necesita descansar. Relájate. Por suerte no ha pasado ninguna de estas cosas, todo ha ido bien. Tenemos una hijita encantadora, y tú también, porque es *casi* como tu propia hija, y deberíamos estar celebrándolo. Ahora que lo pienso

—dijo alzando un dedo para indicarle que iba a volver en un segundo. Se dirigió de puntillas al pasillo, donde le oyó hurgar en una bolsa de plástico—. ¡Mira lo que tengo! —exclamó abriendo dos botellas de sidra—. No es champán, pero esto tampoco está nada mal —añadió dándole una.

Jo, sonriendo, tomó un trago bebiendo a morro, y luego otro. La sidra le supo a gloria después de una noche tan dura, la encontró casi tan buena como si hubiera sido champán.

—Y eso no es todo, tengo algo más —le anunció sosteniendo en alto una bolsita de plástico con marihuana que había sacado del bolsillo de su chaqueta—. Sé de buena tinta que es la de mejor calidad en todo Sussex. Por lo visto te coloca bastante, pero nos merecemos este premio, ¿no te parece?

—¿Y la niña?

—Es demasiado pequeña aún —se burló riendo por debajo de la nariz al tiempo que se sacaba el papel de liar y una petaca con tabaco del bolsillo—. Lo siento, no he podido evitarlo. No pasará nada, nos lo fumaremos en el rincón. Y, además, me parece que se están pasando una barbaridad con todo ese alarmismo. Mi familia siempre ha fumado marihuana y a nadie le ha ocurrido nada. Mi padre sigue fumando porros e incluso mi abuelo se fuma veinte Weights al día, y eso que ya tiene más de ochenta años.

Apoyando la mano en la cubierta del álbum *The Dark Side of the Moon*, se puso a liar uno de los porros más gordos que Jo había visto en su vida. Normalmente se habría negado a fumarse algo tan «alucinante», pero ahora estaba alterada, se sentía eufórica, excitada, y un poco temeraria. Eva siempre le decía que debía abrirse a una variedad más amplia de experiencias.

—¡Y por qué no! —exclamó dándole una honda calada al porro—. Se sintió en el acto un poco mareada. —¡Madre mía! —dijo reclinándose en los cojines—. Qué fuerte es.

Notó que la cabeza le daba vueltas y que las piernas le hormigueaban. Al levantarse para ir al lavabo descubrió que le flojeaban las rodillas.

Scott la ayudó a ponerse en pie y luego a sentarse de nuevo en el sofá en cuanto regresó del baño.

—¿Estás bien? —preguntó él sonriendo—. Es muy fuerte, ¿no? Una maravilla. Te hace sentir como si flotaras. Lo mejor es fumártela sentada. Échate y deja que te lleve adonde tú quieras —le aconsejó dando otra calada.

Él apoyó la cabeza en el sofá cerrando los ojos. Al pasarle el porro a Jo, seguía sonriendo. Ella dio una calada más pequeña esta vez, pero se tragó de manera automática el humo y lo retuvo en los pulmones. Al hacerlo, vio cómo la sonrisa de Scott iba agrandándose cada vez más hasta salírsele de la cara. Era tan enorme como el salón, y se enroscó alrededor de la cama de Eva, rodeándola a ella y al bebé como si sus labios fueran unos brazos rosados gigantescos. Soltó unas risitas, era evidente que la hierba le estaba haciendo alucinar, pero era la primera vez que experimentaba algo así y ahora había dejado de sentir náuseas y estaba fascinada. Dio un par de caladas más antes de pasarle el porro a Scott. Miró el lugar donde Eva estaba durmiendo con la niña al lado, pero vio su cara de cerca, como si estuviera pegada a ella, y mientras la contemplaba descubrió que los ojos se le habían transformado en dos pequeños diamantes que giraban despidiendo destellos. Volvió a soltar unas risitas, aunque no sabía si lo había hecho en voz alta o solo en su cabeza. El cuerpo dejó de responderle para que su mente pudiera volar a sus anchas, como si fuera una entidad traviesa que, liberada por fin de la cautividad, estuviera decidida a pasárselo en grande.

Tal vez se había quedado dormida, aunque no sabía si había sido por unos minutos o varias horas. La cara de Scott había desaparecido y lo único que quedaba de él donde estaba sentado era la sonrisa de casi dos metros de largo, sus labios brillando. Es por la hierba, se dijo, parpadea y así Scott reaparecerá cuando la sonrisa desaparezca. Parpadeó, pero los párpados le tardaron como una hora en cerrarse y abrirse de nuevo, y cuando lo hizo, Scott volvía a ser Scott, pero con la melena esparcida a su alrededor como si fuera el agua negra y sedosa de una piscina. Quiso alargar la mano sobre él para coger la sidra, pero sabía que si lo hacía la piscina se la tragaría y se ahogaría en el cabello de él. Intentó de todos modos hacerlo, pero cayó a la piscina, solo que ahora el agua no era negra sino roja, y la succionó en un espantoso remolino, engulléndola, embistiéndola y sorbiéndola con la fuerza de su inesperada corriente, y forcejeó para mantenerse a flote. De pronto un bebé pasó por su lado arrastrado por la corriente. ¡Era el bebé de Eva! Intentó agarrarlo, pero se le escabulló de entre las manos y de súbito Eva también estaba allí. Al principio creyó que sonreía, Eva siempre estaba sonriendo. Pero descubrió que tenía los ojos cerrados y el rostro lívido, inexpresivo, y que se hundía cada vez más en el agua roja de la piscina. Intentó tenderle la mano para que se la agarrara, pero no podía mover los brazos, en realidad no estaba segura de *tener* siquiera extremidades. La cabeza le daba vueltas y quería que todo aquello acabara de una vez. Probablemente era mejor permanecer con los ojos cerrados, porque así su cerebro no podría transformar lo que veía. Pero al cerrarlos le dio la sensación de que la casa estaba del revés y tuvo que volver a abrirlos para comprobar que no era así. Se dijo que si conseguía ir a la cocina a refrescarse la cara con agua se despejaría más rápido. Sí, eso era lo que haría. Intentó levantarse del sofá y al no responderle las piernas se puso a andar a gatas. Pero la alfombra se convirtió de pronto en el agua roja de una piscina más profunda aún, agrandándose por momentos mientras ella la contemplaba. Si se acercaba al borde se ahogaría. Regresó al sofá, se tumbó echa un ovillo y esperó a que los efectos de la marihuana se le pasaran.

36

Cuando Jo se despertó ya era de día. Tenía tortícolis por haber dormido con el cuello doblado y el cuerpo helado, aparte de los pies, que los había apoyado en la pierna de Scott. Él seguía sentado, aunque ahora permanecía con la cabeza recostada en el brazo del sofá. Estaba roncando con la boca abierta. Ella nunca lo había visto con un aspecto tan poco atractivo. Se sentó lentamente. En el salón había un olor raro, a hierro, como el de las tuberías frías de cobre. De pronto recordó que por fin había ocurrido, Eva había dado a luz ahí mismo.

En aquel instante Lili dejó escapar una especie de pequeño maullido y Jo sintió una oleada de amor. Tal vez fuera por haber ayudado a traerla al mundo, pero sentía una conexión muy fuerte con la niña pese a ser una recién nacida. Se dijo que la sostendría en brazos para abrazarla por un instante antes de que Eva o Scott se despertaran. Intentó desplegar las piernas y levantarse sin molestarle, pero al apartar los pies de la confortable calidez de su pierna, él dio un resoplido, abrió los ojos y se estiró. Tenía los ojos tan enrojecidos que parecían inyectados en sangre. Aunque ahora que lo pensaba seguro que los suyos también estarían igual de rojos. Aquella hierba era de lo más fuerte. Se levantó tambaleándose un poco para ir a ver a Eva, pero se paró en seco en medio del salón, pues su cerebro no podía asimilar lo que sus ojos estaban viendo.

Sangre. Por todas partes. Mucha sangre. En la alfombra, en el suelo de madera y también en la cama. Jo se quedó petrificada, sintiendo un horrible vacío en el fondo del estómago. Eva estaba tendida en la cama, tapada todavía con la ropa de cama que le habían comprado para la ocasión, pero ahora las sábanas y el edredón estaban empapados en sangre oscura. Intentó hablar, pero de su boca no salió más que un gemido de dolor. Oyó a Scott a su espalda poniéndose de pie de un salto.

—¡Mierda! —gritó acercándose corriendo a Eva—. ¡No te quedes plantada como un pasmarote, estúpida! —le espetó con voz aguda llevado por el pánico—. Ve a la cabina y llama a una ambulancia.

Estuvo en un tris de caerse encima de Eva e intentó hacerle la respiración artificial. Ella no se movió del lugar. Sabía por la cara cetrina y rígida de Eva que estaba muerta. Era la misma sensación que había experimentado al morir su madre. El cuerpo estaba allí, el semblante era el mismo, pero a la persona le faltaba algo: el alma se le había ido.

Scott sollozaba ahora desconsoladamente. Había levantado la cabeza y los hombros de Eva y la estaba acunando entre sus brazos.

—¡Eva, oh Evita, Evita! —no cesaba de decir.

No le volvió a pedir que fuera a buscar una ambulancia.

—Está muerta, Jo. Está jodidamente muerta.

Mirando la sangre a su alrededor, se la señaló con la cabeza haciendo un gesto de impotencia y luego volvió a sepultar el rostro en el cabello de Eva.

Ella se había quedado plantada en medio del salón inútilmente. Quería moverse, pero las piernas le fallaban y temió ponerse a vomitar. De pronto los oídos le empezaron a zumbar y perdió el mundo de vista. Recobró el conocimiento al cabo de un instante, estaba tumbada en el suelo de espaldas y solo pasó una deliciosa milésima de segundo antes de que la golpeara de nuevo el horror de lo que había ocurrido. Scott, agachado junto a ella, le ofreció la mano para ayudarla a levantarse.

—Te has desmayado —le dijo sin mirarla cuando ella se incorporó. Jo vio que él estaba muy conmocionado—. ¡Oh, Jo! —gimió—. ¿Cómo puede ser que esté muerta? ¿Cómo *puede* ser? Nos dijo que estaba perfectamente, que se encontraba bien.

Así era. En realidad había dicho que se sentía de maravilla, más viva de lo que nunca se había sentido. «Estaba destinada a tenerla, Jo», le dijo Eva sosteniendo a Lili contra su pecho.

—Debió de empezar a sangrar después del parto —concluyó ella, y de pronto se maldijo por decir algo tan absurdamente evidente—. Tal vez no salió toda la placenta, o…

—Pero ¿por qué? ¿Por qué, joder? —gritó Scott golpeando la mesita con el puño con tanta violencia que Lili se echó a llorar.

Como él no se movió, Jo se levantó y cruzó silenciosamente el salón como si temiera despertar a Eva. Al bajar los ojos, la visión de la sangre, su olor, la cruda realidad de que era algo que supuestamente debía estar dentro del cuerpo y no fuera, la hizo estremecer de horror. Deteniéndose un momento, se agarró al respaldo de una silla para recobrar el equilibro. La visión de la sangre no le afectaba como a su madre, que se ponía lívida cada vez que Jo se rasguñaba la rodilla y era incapaz de mirar cuando la pinchaban para hacerse un análisis de sangre. Pero ahora al ver en ella la cruda realidad de la muerte, se sintió mareada y con ganas de vomitar.

Lili dejó de llorar en cuanto ella la cogió en brazos, pero se puso a mover y a girar la cabeza vigorosamente hacia su pecho. Buscar, eso era lo que los libros decían, estaba buscando el pezón. Jo se echó a sollozar desconsoladamente al fin, era un llanto tan repentino e inesperado que no lo podía controlar, y le entregó la niña a Scott, que pareció sorprendido de encontrársela en brazos y la miró como si no estuviera seguro de quién era.

En la cocina Jo se dejó caer en el sillón donde Eva se había sentado tan solo unas horas atrás. El cárdigan verde largo de Eva, el que ella siempre le cogía cuando tenía frío, estaba apretujado en el fondo del sillón, en el lugar donde su amiga se lo había sacado sin levantarse. Cogiéndolo, se lo acercó a la cara mientras lloraba. Olía a Eva, una mezcla de patchulí y ese ligero aroma a manzanas que emanaba de su piel. En la mesa que había junto al sillón yacía lo que estaba tejiendo, una maraña de punto a mano que había decidido deshacer para empezarlo de nuevo. Y, al lado, su taza roja preferida con los posos del té que se había tomado y el libro *Baby Beloved* del que le había estado leyendo en voz alta un poco el día anterior por la mañana. *Qué más da que el pañal esté gris, mientras el culito al que está sujeto sea rosado, sano y querido.* Sonriendo, Eva le había pasado el libro a Jo. «¡Qué cursi suena!», había dicho ella y las dos se echaron a reír de lo mal redactado que estaba.

Lili estaba llorando. Lili. Todavía le costaba asimilar la realidad de lo que había ocurrido. Antes del parto, había estado despierta una noche tras otra pensando en lo que podía salir mal. Había leído que las hemorragias posparto podían ocurrir durante las cuarenta y ocho horas siguientes, pero eran mucho menos comunes que las hemorragias que tenían lugar durante el parto o justo al finalizar, y después de nacer Lili se había olvidado de estas posibilidades. En su estúpida e ingenua euforia, habían supuesto que Eva ya no corría ningún peligro. Y ahora estaba muerta. La situación parecía irreal, pero no hasta el punto de convencerse de que todavía estaba bajo los efectos de la marihuana. Gimió en voz alta. Si no hubiera fumado aquella maldita hierba Eva ahora estaría viva. Agarró la taza roja y la arrojó con furia contra la pared.

—¡Eh! —exclamó Scott.

Estaba en la puerta con Lili en brazos, que ahora había empezado a llorar con más insistencia.

—Lo siento —repuso Jo—. Ha sido por nuestra culpa. Si no hubiéramos fumado esa hierba… —le dijo mirándole con la cara cubierta de lágrimas—. Dios mío, Scott, ¿qué vamos a hacer?

Él se quedó con una expresión de puro desconcierto. Tenía los tejanos manchados de sangre en la parte con la que se había arrodillado en la cama.

—Ha sido por nuestra culpa —dijo entre dientes—. Sí, sí, supongo que así es.

Ahora Scott también estaba llorando, aunque eran unas lágrimas silenciosas que no dejaban de rodarle por la barbilla, cayendo sobre la niña.

Era como si por unos momentos se hubieran quedado inmóviles en sus posturas, Scott plantado en la puerta de la cocina sosteniendo en brazos a Lili, y Jo encogida en el sillón de Eva llorando amargamente. De súbito los llantos de Lili les hicieron reaccionar a ambos. Scott se dirigió hacia Jo.

—Tómala, necesito ir a fumar un poco.

—Pero ¡qué dices! No me puedo creer que quieras…

—Cállate, Jo —replicó entregándole a Lili sin mirarla a los ojos—. Necesito un canuto.

Jo se levantó del sillón a regañadientes, moviendo a la niña en brazos para que se calmara.

—¡No puedes hacerlo! —le gritó—. ¡No puedes escabullirte como si nada hubiera pasado! —Pero él ya había salido de la cocina—. ¡Scott! ¿Qué vamos a *hacer*?

Scott regresó a los pocos segundos.

—No puedo volver al salón —dijo sacudiendo la cabeza. Estaba blanco como la cera y la frente le brillaba con una capa de sudor. De repente se llevó la mano a la boca—. Dios, mío, creo que voy a…

Dando media vuelta, cruzó a toda prisa el pasillo y llegó al baño del piso de arriba justo a tiempo a juzgar por los ruidos que hizo.

Jo miró a Lili acurrucada en sus brazos. Tenía la carita contraída y enrojecida de haber estado llorando. Seguía buscando con frenesí el pezón, girando su cabecita una y otra vez hacia su pecho. Eva quería amamantarla el mayor tiempo posible. «Es el alimento perfecto y la forma ideal para una madre de consolar a su hijo», le había dicho sosteniendo en alto el libro para que viera la fotografía de una madre con la piel dorada y el torso desnudo sonriendo serenamente mientras su recién nacido mamaba feliz con su cabecita cubierta de un fino vello.

Oyó a Scott salir del baño y cruzar el pasillo de la planta de arriba. Y luego abrir y cerrar la puerta de su habitación. Esperó, pero él no volvió a aparecer. Una parte suya quería ponerse a gritar y a arrojarle cosas. Cómo se atrevía a esfumarse y a dejarla plantada en la cocina con el bebé —con *su hija*— llorando de hambre y Eva tendida en el salón… Sintió otro sollozo brotándole del pecho, pero lo reprimió. Quizás Eva sabía que Scott sería un inútil y por eso quería que ella se quedara para echarle una mano. Dirigiéndose hacia el sillón, se volvió a sentar moviendo aún a Lili en sus brazos para que se calmara.

—Necesitas un poco de leche, ¿verdad cielo?

La niña dejó de llorar un instante, como si se hubiera tranquilizado al oír su voz. Jo empezó a abrir los armarios de la cocina con Lili en brazos. En alguna parte debían de estar los biberones y las dos latas nuevas de leche en polvo para lactantes que había dentro de una caja con artículos de segunda mano para bebés. Encontró los biberones con bastante rapidez, pero tal vez habían tirado la leche en polvo a la basura. Quizá le podría dar leche de vaca solo por esta vez. Y estaba segura de que podía esterilizar los biberones haciéndolos hervir.

Miró a Lili con redoblada atención: su perfecta carita, su piel ambarina que parecía estar cubierta de una fina capa de polvos de talco, el pelo negro, como el de Scott, y sus diminutas uñas anacaradas tan finas que se transparentaba la punta rosada de los dedos. La niña la estaba contemplando con sus ojos azules abiertos de par en par con una mirada seria y sabia. La abuela Pawley siempre le había dicho que era «un alma vieja» y ahora al mirar a Lili entendió por fin a qué se refería. Mientras se miraban la una a la otra, a Lili le tembló el labio inferior de improviso y se echó a llorar de nuevo. No era como una recién nacida, como una criatura de pocas horas de vida, sino que parecía un ser con personalidad y sabiduría que estuviera decepcionado con ella por no adivinar lo que necesitaba.

—Lo siento, cielo —le susurró.

Casi instintivamente, se levantó el jersey y el sujetador y se arrimó a Lili al pecho. La sensación que tuvo cuando la niña le rodeó con su boquita el pezón fue inesperada e impactante, como una corriente eléctrica bajándole del pecho a las entrañas que se hubiera apoderado de su corazón y su cabeza, y era sexual y tremendamente casta al mismo tiempo. Nunca había sentido algo tan increíblemente poderoso en su vida. Le tocó la barbilla al bebé. Ni siquiera había querido que sucediera de manera consciente sino que más bien había creído que Lili al estar cerca de su cálida piel se calmaría. Pero los instintos de la niña adquiridos a lo largo de miles de años comportaban la confianza absoluta en que ella la consolaría y alimentaría. Contempló los dedos diminutos de Lili mientras abría y cerraba la manita apoyada en el patético pecho esmirriado y vacío de Jo. Durante algunos segundos la pobre criatura se lo chupó con todas sus fuerzas, hasta que ella, horrorizada por lo que estaba a punto de intentar, hizo amago de ir a presionarse el pecho para despegarlo de la boca de Lili, pero la niña apartándose por sí sola de golpe, se echó a llorar desconsoladamente de nuevo, esta vez con lágrimas rodándole por las mejillas. Entonces, con el pezón enrojecido y alargado, se bajó rápidamente el sujetador y el jersey para que ni ella ni Lili vieran la prueba de su engaño. Se arrimó a la niña al hombro.

—Lo siento, nena, lo siento mucho —le susurró con la boca pegada a su cuello, que olía misteriosamente a polvos de talco, aunque no hubiera tal cosa en la casa.

37

Mientras Jo calentaba un poco de leche de vaca, Scott se acordó de dónde habían guardado la leche en polvo para lactantes, que por suerte no estaba caducada. Siguiendo al pie de la letra las instrucciones indicadas en la lata, ella preparó tres biberones y le dio uno a la hambrienta Lili, que se durmió antes de terminárselo siquiera. Ahora dormía apaciblemente en la cuna, que habían colocado en la cocina después de limpiarle los arcos de los pies manchados de sangre. Los dos se sentaron a la mesa de la cocina el uno delante del otro, demasiado aturdidos como para comer, beber o fumar siquiera, a pesar de lo que Scott había dicho antes.

—Deberíamos decírselo a alguien —dijo él con un hilo de voz apenas perceptible, con la vista clavada en la mesa.

Jo lanzó un suspiro y luego asintió con la cabeza.

—Sí. Deberíamos hacerlo.

Al principio no podía pensar en nada, pero ahora sus pensamientos habían empezado a agolparse en su mente, estaba barajando unas cuantas opciones. Claro que deberían decírselo a alguien. ¿A los médicos? ¿A la policía? Pero ¿qué ocurriría cuando lo hicieran? Un pensamiento no cesaba de venirle a la cabeza, gritando con más fuerza que el resto. En cuanto contaran lo que tenían que contar, era muy poco probable que volvieran a ver a Lili de nuevo, y si había algo de lo que estaba absolutamente segura era de que quería a Lili como si fuera su propia hija.

—Scott —dijo, pero al parecer él no la había oído.

Scott era el padre de Lili, pero hasta era posible que ni él pudiera quedársela después de lo que había sucedido. Tocándole la espalda, se la sacudió suavemente como si lo despertara.

—Scott, oye. Tenemos que pensar en lo que vamos a hacer. Eva ha muerto y nosotros estábamos en el lugar donde ocurrió, ¡en la misma habitación, por Dios! Se suponía que debíamos cuidarla, aunque no estoy segura de que esté permitido dar a luz en casa sin un médico o una comadrona.

Él alzó la cabeza lentamente, revelando una cara destrozada, un rostro que había envejecido diez años en una sola noche.

—Lo sé.

—Se desangró hasta morir mientras nosotros estábamos colocados alucinando con drogas ilegales —apuntó ella.

Una escena le vino a la mente de repente, el agua roja de una piscina, la cara blanca de Eva en medio del torbellino rojo arrastrándola al fondo, ahogándola. Ahuyentó la imagen de su mente y miró a su alrededor, los objetos sólidos y reales de la cocina: el cenicero, la bandeja con berros creciendo en el alféizar de la ventana, el cactus que Eva había logrado reanimar, el reloj en la repisa de la chimenea... eran solo las nueve y media de la mañana.

—¿Te encuentras bien? —le preguntó Scott mirándola, y ella de pronto se dio cuenta de que estaba respirando de un modo más ruidoso y rápido de lo habitual.

—¡Dios mío! —exclamó—. Creía que era la marihuana, pero creo que vi... creo que vi la sangre. —Se puso a temblar incontrolablemente, los dientes le castañeaban.

Scott apartó la silla de golpe emitiendo un chirrido y rodeó la mesa para ir a calmarla.

—Estás en estado de *shock* —le advirtió posándole la mano en el brazo—. Creo que los dos lo estamos.

Cogiendo el cárdigan verde de Eva, se lo echó alrededor de los hombros y Jo al verlo rompió a llorar. Scott puso agua a hervir y preparó dos tazas de té cargadas de azúcar, lo que por lo visto les ayudó a sentirse algo mejor. Lio dos cigarrillos y tras darle uno a ella, los encendió con una cerilla.

—Joder, ¿qué vamos a hacer, Jo?

Ella se quedó en silencio un minuto fumándose el cigarrillo. Tendrían que llamar a la policía. Uno de ellos tendría que ir a pie a la cabina y llamarla. ¿Qué les diría? *Mi amiga está muerta. ¿Ah, sí? ¿Y cómo ocurrió? Tuvo un bebé y se desangró. ¿Y dónde estaba cuando sucedió? Sentada en un sofá a cuatro metros y medio de distancia. ¿Y por qué no...?* Eva le dio una calada al delgado cigarrillo.

—Nos arrestarán por la marihuana, sin duda.

Scott asintió con la cabeza.

—¿Qué otra cosa podemos hacer si no? Éramos responsables de ella, ¿no?

Era una forma extraña de expresarlo e hizo que de repente Scott le pareciera un crío, no un hombre hecho y derecho, sino un niño, quizá porque le recordó cuando ella formaba parte de un grupo de niñas de primaria que estaban ordenando la cocina de juguete en la clase. Su maestra le había dicho en voz baja que, como era la más sensata de todas, se encargara de cerciorarse de que la dejaran como una patena. Ahora veía con claridad que Scott no era solo un niño, sino una niña. Los dos se habían comportado como niñas estúpidas e irresponsables. Eva era la única con dos dedos de frente y ahora estaba muerta y ellos eran los culpables.

—Creo que deberíamos irnos.

—¿Adónde?

Jo se lo quedó mirando, sintiéndose a cada segundo que pasaba más segura de su decisión.

—Nadie viene nunca a esta casa. Creo que deberíamos limpiar a Eva, despedirnos de ella, llevarnos a Lili e ir a alguna ciudad grande donde podamos desaparecer, como Londres. Tenemos algo de dinero, podríamos alquilar un piso, encontrar un trabajo, empezar de nuevo...

—¿Qué? ¿Te has vuelto loca? La policía nos buscará.

—No nos encontrarán. Nadie nos conoce, ni sabe cómo nos llamamos, ¿no? Las facturas van a nombre de Smith, los dos cobrábamos en metálico sin que nos tomaran los datos, no estamos registrados en el paro... ni siquiera estamos censados. Cuando nos vayamos de aquí nos llevaremos todo cuanto pueda identificarnos.

—¿Estás diciendo que deberíamos irnos y dejarla aquí?

Jo tragó saliva. La idea de dejar a Eva sola en la casa le resultaba casi insoportable, pero la otra opción era aún peor.

—Te quitarían a Lili, lo sabes. La dejarían en un algún orfanato horrendo.

—Pero yo soy su padre.

—Que estaba tan colocado con drogas que vio cómo la madre de su hija se desangraba hasta morir sin mover un dedo.

Scott se estremeció de manera visible.

—Lo siento, pero es cierto —dijo ella hablando ahora atropelladamente, con una creciente sensación de urgencia y excitación—. Dirán que no estás preparado para hacerte cargo de tu hija. Y, además, vivimos en una casa okupada, la gente cree que somos unos yonquis por vivir de esta forma.

Jo esperó, pero él seguía sin decir nada. Aspiró una bocanada de aire para hablar con más calma.

—Míralo de este modo, Scott —insistió ella—. Si vamos ahora a la policía sabemos que nos arrestarán por tener drogas en casa, se llevarán a Lili y lo más probable es que nos acusen… no sé de qué… tal vez de homicidio involuntario…

—¡No! No es posible…

—Pues quizá no sea de homicidio involuntario, pero de *algo* nos acusarán. La dejamos morir, Scott —afirmó haciendo una pausa—. Pero si nos llevamos a Lili y nos largamos de aquí, hay la posibilidad de que no la encuentren por un tiempo. Además, podríamos cambiar de nombre, por si acaso.

Scott se levantó y empezó a caminar por la cocina de arriba abajo, y luego salió al pasillo para dirigirse al salón, donde se quedó plantado en la puerta un momento antes de entrar. Jo miró a Lili durmiendo mientras esperaba que él volviera. ¿Y si le decía que no?

Oyó los pasos de Scott cruzando lentamente el pasillo. Cuando entró en la cocina se veía agotado.

—¡De acuerdo! Hagámoslo.

Eran casi las dos del mediodía cuando estuvieron listos para irse. No les había dado tiempo de limpiar a Eva a fondo como querían, había demasiada sangre alrededor, y de vez en cuando tuvieron que detenerse por los temblores incontrolables o las arcadas que les entraban de golpe, pero le lavaron la cara, le cepillaron el pelo y la cubrieron con una sábana blanca limpia. Llenaron los carritos de la compra que habían usado para transportar el material a los mercadillos con un poco de ropa para ellos, y sobre todo con ropa de bebé, ropa de cama, las mantillas y los pañales. Rastrearon la casa para no dejar ningún papel donde figuraran sus nombres, pero lo más sorprendente era los pocos que tenían, y los guardaron en la bolsa que ella había encontrado meses atrás con la partida de nacimiento, el carné de conducir y la tarjeta con el número de la Seguridad Social de Eva. Preparó más biberones y una bolsa con sándwiches de queso y, por si acaso, también metió en el carrito algunas provisiones de la despensa: pasta para untar a base de extracto de levadura, varios tarros de mermelada, latas de judías, paquetes de lentejas y arroz. Las tripas le rugían. ¿Y si no encontraban un lugar donde quedarse? No podían dormir en la calle con un bebé. ¿Tal vez encontrarían una casa okupada? Pero ¿cuántas habrían que fueran adecuadas? No, se dijo, no pienses así, todo va a salir bien. Incluyendo el dinero de Eva, tenían casi noventa libras en total. Les alcanzaría para vivir al menos varias semanas.

Se fueron a despedir de Eva por separado, primero ella, y luego Scott. Al salir del salón, él tenía los ojos llorosos.

—De acuerdo. ¿Estás lista?

Jo se sujetó a Lili al cuerpo con el portabebés y la besó en la cabeza, maravillándose una vez más de lo suave que era su pelo.

—Espera un segundo —le dijo a Scott.

Regresó a toda prisa a la cocina y buscó en un cajón las tijeras. Con tiento, eligió un mechón del pelo sedoso de Lili y se lo cortó. Volvió al salón y tras apartarle con ternura un poco la sábana a Eva, le dejó el mechón de pelo en el pecho, en el lugar donde luciría un relicario de haber llevado uno.

—Es el pelo de tu hija. La amaré de tu parte, toda mi vida —le susurró besándole la frente antes de volver a arroparla con la sábana. Salió del salón cerrando la puerta silenciosamente como si temiera despertarla.

Jo se puso la parka de manera automática, pero al llevar a Lili pegada al pecho no se la pudo abrochar, de modo que cogió el gran abrigo de corte recto que Eva había comprado en un mercadillo benéfico y se lo abrochó sin ningún problema, con Lili acurrucada en el interior.

—Lili Hannah —observó ella mientras subían la cuesta de la colina para ir a la estación de tren—. ¿Le dijo a alguien que la llamaría Lili?

—No sé. ¿A quién quieres que se lo dijera? Llevaba semanas sin apenas salir de casa.

—Mejor, quizá deberíamos llamarla Hannah Lili, por si acaso.

En la estación, cuando estaban a punto de subir al tren, un mozo portaequipajes se dirigió corriendo por el andén hacia ellos. Jo se quedó petrificada. ¡Los habían descubierto!

—Ya te falta poco, ¿verdad? —les dijo sonriendo, y agarrándola por el brazo la ayudó a subir al tren—. Mi parienta y yo también acabamos de tener un chiquillo y sé lo que es. —Subió los carritos de la compra mientras Scott se ocupaba de las bolsas de viaje—. ¿Para cuándo es, cariño? —le preguntó señalando con la cabeza el bulto que Lili creaba debajo del enorme abrigo.

Ella titubeó, sin saber qué responder.

—Nacerá en un par de semanas —terció Scott—. Gracias por tu ayuda, amigo. Hasta pronto —añadió sonriéndole al mozo al tiempo que cerraba la puerta del vagón.

A Jo el corazón le martilleaba en el pecho mientras se sentaban en el vagón.

—¡Cretino! —le susurro ella—. ¿Por qué has dicho eso?

—Para despistarlos. Si la policía anda buscando a un tipo y a una chica con un bebé, lo único que el mozo ha visto ha sido a una joven embarazada.

—Pero ¿y si la niña se echaba a llorar o hacía ruido?

Scott se la quedó mirando turbado, y por un instante ella creyó que él rompería a llorar.

—No se me había ocurrido.

Se sentaron el uno delante del otro en silencio, todavía un poco desconcertados por lo sucedido y por lo que habían hecho. Jo notaba el cálido peso de Lili —no, de Hannah, debía acostumbrarse a llamarla su Hannah—, dormida sobre su pecho. Se desabrochó el abrigo para poder contemplar el pequeño remolino de pelo negro pegajoso aún y se recordó lo que le había prometido a Eva. Ahora ella era su madre.

Incapaz de mirar a Scott, giró la cabeza hacia la ventanilla y por unos minutos dejó su mente en blanco mientras las casas, los jardines traseros con los tendederos, las bicicletas y los juguetes desechados discurrían a toda velocidad ante ella. Vio su propio reflejo en el cristal mirándola. Intentó contemplar los jardines que iba dejando atrás, pero su mirada se volvió más insistente, como si fuera la de otra persona. En el cristal se posaron unas gotas de lluvia, pero la velocidad del tren las alineó, como si la lluvia cayera horizontalmente. Sintió sus propios ojos clavados en su cara, como cuando te quedas mirando fijamente a alguien hasta que no le queda más remedio que mirarte a su vez. Y al ceder y mirar, vio por un instante los ojos de Eva clavados en ella. Metió la mano en el bolsillo del abrigo y dejó que sus dedos rodearan la partida de nacimiento de su amiga: ahora era la *suya.*

38

Sheffield, octubre de 2010

Estoy viajando en el tren con destino a Hastings. No ha parado de llover en toda la mañana y el cielo está oscuro y encapotado, por lo que parece el filo de la noche en lugar de ser media mañana. Contemplo mi reflejo en la ventanilla del tren e intento ver a Eva mirándome de hito en hito, pero por lo visto ya no puedo evocar más su rostro.

Es la segunda vez que vengo a visitar su tumba desde que descubrí dónde se hallaba. La primera vez me resultó extraño, sabía que sus restos estaban allí, pero no había nada que describiera a quién pertenecían. Pero la semana pasada pusieron una lápida, por eso hoy estoy yendo a verla. Le mandé un correo electrónico a Hannah preguntándole si quería elegir la lápida y la inscripción, pero no me contestó. Ahora le escribo cartas prácticamente cada semana, pero tampoco me las contesta.

Al final elegí yo la lápida, es bastante pequeña, de mármol blanco liso, con un jarrón incorporado en la parte inferior. Le envié a Hannah una fotografía. Después le volví a escribir para decirle cuándo la iban a poner y la sencilla inscripción que había elegido: *Eva, mi querida madre.* Ahora estaba impaciente por verla.

Recorro el sendero recto de gravilla dejando atrás el césped cortado con exquisita precisión y las hileras de parcelas perfectamente alineadas. Eva habría detestado el aspecto del cementerio, al menos esta parte, donde se ven muy pocas lápidas por ser el lugar donde entierran a la gente anónima, sin identificar. Habría preferido el antiguo cementerio de Sheffield. Pero ya no lo usan para enterrar cadáveres, ahora se ha convertido en un sitio para pasear, en un espacio bonito asilvestrado lleno de lápidas desgastadas y de monumentos funerarios adornados con querubines diminutos, urnas griegas desportilladas, cruces celtas y ángeles de piedra llorosos.

Cuando giro por la hilera de parcelas donde Eva está enterrada, veo en el acto que Hannah ha recibido mi carta, porque hay girasoles, cinco enormes y preciosos girasoles perfectamente dispuestos en el jarrón. Sé que a ella le gustan los girasoles. A Eva también le gustaban. Me pregunto si es una casualidad. Me agacho para tocarlos. Hannah los ha puesto aquí, tal vez incluso hoy. ¿Habrá venido con Toby? ¿Se habrá quedado un rato y habrá hablado con su madre? Por un instante siento una insoportable soledad. Una ráfaga de viento agita de pronto el césped, arrancándoles algunos pétalos a los girasoles y aumentando de algún modo mi tristeza.

La lápida es preciosa y su simplicidad realza la hermosa inscripción. Resigo las palabras con las yemas de los dedos: *Eva, mi querida*, y por último, *madre*.

Los girasoles se ven muy bonitos con el mármol blanco de fondo.

—Son de tu hija —digo en voz alta—. Se parece mucho a ti, Eva, en muchos sentidos. Es buena, inteligente y fuerte. Estarías muy orgullosa de ella. —Hago una pausa, oigo el viento soplando entre los árboles. Y de súbito me doy cuenta de que quiero seguir hablando y así lo hago. Le cuento lo mucho que siento haberla dejado en la casa. Lo mucho que quiero a Hannah, y cuánto la ama Duncan también. Intento explicarle lo asustada que estaba cuando tuve que llevármela. Sigo hablando a balbuceos con lágrimas aflorándome a los ojos, y no dejo de hacerlo aunque un grupo de gente pase por delante de la lápida y se me quede mirando, preguntándose si deben hacer algo o decírselo a alguien.

Al cabo de un rato, me sobrepongo y me sueno la nariz. Qué estupidez. No necesito venir aquí para hablar con Eva. Podía haberlo hecho en cualquier otra parte, a la hora que quisiera. Pero ver su nombre grabado en la lápida y devolvérselo me ha hecho sentir cerca de ella de nuevo, como si estuviera aquí, en lugar de ser simplemente el sitio donde descansan sus restos. Mientras estoy de pie hablando con ella, comprendo que cada vez tenga menos ganas de irme. Sé que es algo estúpido e irracional, pero siento como si en cuanto me aleje del lugar, volveré a abandonarla.

Me cuesta creer que ocurriera hace más de treinta años, se me hace extraño pensar que Eva será siempre una veinteañera. Cuando Hannah tenía su misma edad no era más que una cría. Al menos me lo parecía a mí. Y, sin embargo, Eva era una figura maternal y una amiga al mismo tiempo, me hacía sentir segura, me enseñó tantas cosas y estaba orgullosa de mí. Pero en aquella época las dos necesitábamos el cariño de una madre. Fue una de las razones por las que me entusiasmó echarle una mano cuando esperaba a Hannah. Quería velar por ella, cuidarla como ella me había cuidado a mí. Pero al final le fallé.

—Lo siento Eva —acabo susurrándole.

Al decidir irme por fin, me descubro agitándole ligeramente la mano a modo de despedida.

Como no estoy preparada todavía para emprender el camino de regreso a Sheffield, después de dejar el cementerio me voy a dar un paseo y me descubro plantada al pie de los acantilados de la Bahía de Covehurst, con el pelo batiéndome sobre la cara por el fuerte viento. Es el lugar donde Eva me enseñó a nadar. Se me ocurre que esta es otra de las cosas que a Hannah quizá le guste saber de su madre, y dejo que mi mente vuelva a aquellos tiempos para acordarme de los detalles y escribírselos en una carta al regresar a casa.

Recuerdo el primer día que vinimos aquí. Quedaba a media hora de camino a pie de East Hill, un sendero estrecho y pedregoso que se internaba serpenteando por una zona boscosa y luego la abandonaba, de modo que a veces lo recorríamos a la sombra y otras a pleno sol. Aquel primer día el sol picaba tanto que la piel de los brazos me acabó escociendo. El sendero era seco y polvoriento, y cuando por fin llegamos a un letrero de madera pintarrajeado con la indicación: *A la playa*, estaba deseando lanzarme al agua fría, aunque cada vez que pensaba en nadar se me encogiera el estómago.

—Por aquí —me indicó Eva torciendo por otro sendero.

Se oía el suave rumor de las olas lamiendo la orilla, pero todavía tuvimos que trepar otro empinado sendero, agarrándonos a las raíces de los árboles y las rocas, hasta llegar a un claro situado a una cierta altura desde donde se veía en la lejanía el mar centelleante liso como un espejo. Las dos saltamos el desnivel de un metro de altura para bajar a la playa, lanzando una nube de guijarros a nuestra espalda al aterrizar. La playa estaba desierta. Era más arenosa que la de Hastings y no te hundías tan de sopetón al entrar en el agua. Las olas batían con mayor suavidad, el mar se veía incluso más azul.

Eva sonrió.

—¿Ves a lo que me refería? Aquí el mar es casi una balsa de aceite, probablemente tenga que ver con la forma de la bahía. Es precioso, ¿no? Aunque yo prefiero el mar un poco más movido.

Eva se sentía en la gloria cuando las olas de un mar embravecido se estrellaban contra el malecón arrojando espuma a seis metros de altura, empapando los coches que circulaban por la carretera de la costa. A mí también me gustaba contemplar las olas gigantescas y escucharlas rugir contra el murallón. Aunque no me gustaba hacerlo demasiado cerca, porque cuando me asomaba por el malecón me asaltaba un miedo casi físico, no por si me caía al vacío o por si las olas se me llevaban, sino por lo que pudiera hacer yo. Era una sensación aterradora que se manifestaba como una especie de hormigueo en los tobillos y las yemas de los dedos, como si dentro de mí hubiera una presencia oculta que se revolviera de pronto en contra mía, haciéndome saltar desde el murallón para que cayera en las garras del agua profunda y poderosa.

—Esta playa es ideal para aprender a nadar —prosiguió Eva—. Venga, empecemos —dijo tomándome de la mano para meternos en el agua. Y una vez dentro, se volvió hacia mí y me ofreció su otra mano—. En primer lugar —me indicó pegando los codos a los costados— trata mis manos como si fueran un flotador. Aguántate con ellas y mueve los pies detrás de ti.

Hice como me indicaba, pero no quería salpicarla demasiado.

—¡Venga! Muévelos con más brío, haciendo ruido. Vale, descansa. Ahora inténtalo otra vez, pero procura levantar el trasero un poco más, mantenlo en la superficie del agua, para notar el sol. Ya sabes —añadió sonriendo—, finge que quieres ¡ponerte el pompis moreno!

Tuve que enderezarme en el agua porque Eva me estaba haciendo reír. Pero luego volví a intentarlo y me concentré en mantener el cuerpo horizontal en la superficie. Al notar que ella me soltaba casi me dejé llevar por el pánico, pero me volvió a sostener en el acto. Después me hizo colocar boca abajo en el agua con los brazos en cruz al tiempo que me sostenía poniendo sus manos debajo de mi barriga.

—Oye, te estoy agarrando por el bañador para que no te hundas, pero es el agua la que te mantiene a flote. Intenta relajarte en esta postura, te sentirás más segura.

Sentí las cálidas manos de Eva pegadas a mi barriga. Intenté relajarme y tenía razón, me sentí más segura. Al cabo de poco ya era capaz de flotar con la cara vuelta hacia el agua, mientras Eva siguiera sujetándome. En realidad flotaba sola, pero me encantaba sentir sus manos cálidas y firmes manteniéndome a flote.

Seguí aprendiendo a nadar a diario, a veces dos veces al día si yo no iba a trabajar. Eva me enseñó a hacer el muerto en el agua y a mover los brazos para nadar de espalda. Después me enseñó a dar brazadas y a girar la cabeza respirando de manera coordinada, sosteniéndome todo el tiempo para que me sintiera segura. Una semana más tarde me dijo que me iba a soltar para ver si me aguantaba en el agua. Cuando lo hizo, en lugar de nadar moví los brazos frenéticamente nadando como los perros. Pero al menos me mantuve a flote, aunque fuera solo unos segundos. Después se alejó unos metros de mí.

—Venga Jo. Intenta venir nadando hacia mí —me propuso con los brazos en alto.

Había algo en su expresión, en la mirada de sus ojos que me decía que quería que lo consiguiera, que de veras le importaba si al final era capaz o no de nadar. Cogí aire, levanté el brazo y me impulsé hacia adelante, manteniendo el cuerpo horizontal en la superficie del agua. Di una brazada, dando patadas mientras oía mis pies agitar el agua al tiempo que me propulsaba. Alcé el otro brazo girando el cuerpo hacia la orilla, cogí aire, giré el cuerpo hacia el horizonte, cogí aire, moviendo los pies, siguiendo adelante, izquierda, derecha, respira, mueve los pies. Noté cómo mi fuerza y mis movimientos me propulsaban por el agua. Y ni siquiera estaba mirando a Eva, que aplaudía y gritaba.

—Eso, es, Jo. ¡Lo has conseguido! ¡Lo estás haciendo!

Y al mirar a través de las burbujas y ver el sol iluminando el mar verdeazulado, sentí que podía seguir surcando la inmensidad del océano como si nada, que si seguía dando brazadas y agitando las piernas seguiría avanzando y avanzando hasta llegar a la otra orilla. ¡Estaba nadando! ¡Estaba deseando contárselo a mi madre! Pero de pronto sentí aquella conocida punzada de dolor al golpearme la cruda realidad, pero la ahuyenté de mi mente, porque veía a Eva sonriendo y aplaudiendo mientras nadaba hacia ella.

—¡Ha sido maravilloso! —exclamó—. Estoy orgullosa de ti —me susurró al oído envolviéndome con la toalla.

39

Vuelvo de Hastings a altas horas de la noche, pero estoy despierta hasta las tantas para escribirle mi carta semanal a Hannah.

Queridísima Hannah:

Hoy he ido al cementerio y he visto los girasoles. ¡Qué contenta estoy de que hayas estado allí! Espero que te haya gustado la lápida con la inscripción. Ya sé que no pudiste decidir qué poner en ella, pero si hay algo que te gustaría cambiar házmelo saber, porque todavía estás a tiempo.

Mientras me encontraba en Hastings pensé en algo que quizá te interese. ¿Te acuerdas de que te conté que no había aprendido a nadar hasta los dieciséis años? Tu madre tuvo mucha paciencia conmigo y entendió cómo me sentía. Para que me relajara me hacía reír. ¿Recuerdas aquellas vacaciones que pasamos en la Bahía de Robin Hood en las que te enseñé a nadar? Tenías siete u ocho años, creo. Te enseñé como Eva lo había hecho conmigo e intenté hacer todo lo posible para que te olvidaras de lo nerviosa que estabas. Incluso te dije las mismas cosas para hacerte reír. Recuerdo que te dije que procuraras que el pompis se te pusiera moreno, tu madre también me había dicho algo parecido. Hice que te partieras de risa y correteando por la playa, fuiste adonde estaba Duncan gritando «el pompis moreno, el pompis moreno, el pompis moreno».

Te cuento esta anécdota porque de algún modo era como si tu madre te estuviera enseñando a nadar a través de mí. Y lo conseguiste, aprendiste a nadar en dos días, mucho más rápido que yo. Después de todo eras como Eva, una sirenita de carne y hueso.

Con todo mi cariño,
Mamá

Al despertar a la mañana siguiente lo primero en lo que pienso es en la tumba. Siento un gran alivio por alzarse por fin una lápida en el lugar adecuado con su nombre grabado. ¡Qué extraña es la facilidad con la que he renunciado al nombre! He estado siendo Eva durante treinta y cuatro años y nunca me sentí incómoda por ello, hasta que supe dónde estaba enterrado su cuerpo. Ahora me alegro de que ella lo haya recuperado.

Enciendo el portátil para volver a leer la carta antes de imprimirla y mandársela. Como sigo esperando que Hannah lea mis cartas algún día, las imprimo para que le sea lo más fácil posible hacerlo. Últimamente mi letra es desastrosa y sé que ella se impacientaría con la letra ilegible. Le hace perder demasiado tiempo, alegaría, y tendría razón.

Al acordarme de que hoy es miércoles, a pesar de llevar ya un rato levantada, me animo de golpe, porque los miércoles es cuando Hannah lleva a Toby a los columpios después de irlo a buscar a la guardería, y si me escondo entre los árboles, los puedo contemplar sin que me vean. A veces solo se quedan unos veinte minutos, pero es lo único que tengo y es mejor que nada. Hannah no me ha vuelto a dirigir la palabra desde el día de marzo en que se lo conté, ahora ya han transcurrido casi siete meses.

Después de contárselo, Hannah se me quedó mirando un buen minuto. Luego se levantó y se fue de casa lentamente, cerrando la puerta tras ella de una manera tan silenciosa que ni siquiera oí el chasquido. Duncan seguía mirándome con incredulidad. Nos quedamos sentados en silencio, no sé durante cuánto tiempo, y entonces empezó a hablar. «Eva, qué...» Sacudió la cabeza. «Por Dios, ni siquiera este es tu maldito nombre, ¿verdad?» Masculló algo, se levantó y salió de la cocina. Yo me quedé sentada, como si estuviera en estado de trance. No me sentía el cuerpo. Lo había hecho, se lo había contado.

Me quedé sentada allí, sin moverme, escuchando a Duncan trajinar en la planta de arriba. Le oí hablar por teléfono en un momento dado, y cuando bajó tenía las llaves del coche en la mano. *Monty* salió de su cesta y se estiró, meneando la cola expectante y mirándolo.

—Vamos, chico —musitó él dirigiéndose hacia la puerta—. Me voy a quedar en casa de mi hermano una temporada. Necesito pensar. Y aquí no puedo hacerlo —me dijo por encima del hombro antes de salir.

Asentí con la cabeza.

—¿Cuándo vas a traer a *Monty* de vuelta?

Me miró como si no me conociera, y tuve que desviar la mirada porque en lugar del amor y la amistad serena y natural que estaba acostumbrada a ver en sus ojos, lo que ahora estaba viendo era desconfianza y una traza de aversión.

—Es mi perro, Eva.

Abrí la boca para protestar, pero no tenía sentido hacerlo, *era* más suyo que mío. Cuando Duncan lo trajo a casa por primera vez, yo apenas quise saber nada de él. Hannah se acababa de ir a la universidad y yo la echaba de menos una barbaridad. Estaba enojada con Duncan porque creía que había traído a un cachorro para sustituirla en cierto modo. Pero no era así. Solo quería salvar al pobre animal después de que un policía lo hubiera encontrado atado dentro de un contenedor de basuras, medio muerto de hambre, con el cuerpo lleno de heridas. Tenía miedo hasta de su propia sombra. Fue Duncan el que lo cuidó hasta que se recuperó, el que le convenció pacientemente para que entrara en el comedor con nosotros y le habló en voz baja mientras el pobre se escondía debajo de la mesa encogido de miedo. Incluso fue Duncan el que al principio lo sacaba a pasear, mientras yo me quedaba en casa lloriqueando por echar de menos a Hannah. La situación naturalmente cambió. Al cabo de poco yo me ocupé de sacarlo a pasear, y a medida que *Monty* aprendía a confiar en mí, fui cogiéndole cariño. Y ahora por lo visto lo iba a perder también a él. Pero no tenía la fuerza ni el derecho, supongo, a oponerme. De modo que me quedé mirando cómo Duncan se iba, con *Monty* trotando felizmente a la zaga.

Después de un rato, de varios minutos, quizás, o de unas horas, pues perdí la noción del tiempo, subí las escaleras, me saqué la ropa con la que había dormido la noche anterior, y me duché. El día anterior había hecho un tiempo húmedo y con mucho viento, pero aquella mañana el sol entraba a raudales por las ventanas y las calles estaban cubiertas de pétalos rosados de flores de cerezo como si fuera confeti. La primavera se respiraba en el aire, se suponía que era un tiempo para una nueva vida, unos nuevos comienzos, pero para mí era el fin de todo. Me puse un jersey negro ligero y unos pantalones del mismo color que ahora me iban grandes por la cintura y miré mi reflejo en el espejo del pasillo. «Jo», dije en voz alta mirándome a mí misma. «Joanna», suspiré sacudiendo la cabeza. ¿Volvería a ser Jo algún día de verdad? Me puse el abrigo y agarré las llaves. El tintineo que emitían hacía que *Monty* viniera sin hacer ruido al recibidor moviendo la cola para quedarse mirando esperanzado la correa, y sentí la punzada de una pérdida reciente al darme cuenta de que no estaba. Cerré la puerta con llave al salir y me dirigí a la comisaría.

En aquel momento no tenía ni idea de lo que me iba a ocurrir, ni siquiera sabía si me creerían, parecía una historia de lo más absurda. Pero acabaron haciéndolo y como es natural tuvieron que llevar a cabo una investigación en toda la regla que duró meses. Fue un verano largo y tenso mientras esperaba que se celebrara o no un juicio. Lo más probable era que me acusaran de *no haber denunciado una muerte*, y tal vez incluso de homicidio por omisión, pero esto planteaba la pregunta de si se suponía que tenía la «obligación de cuidar» de Eva. Jen, mi abogada, creía que no, sobre todo por la edad que yo tenía en aquella época. Lo que más miedo me daba era que me acusaran de haber raptado a Hannah, pero como mi abogada señaló, no la había raptado porque Scott era su padre y tenía todo el derecho a llevársela.

A mediados de setiembre el caso por fin se archivó. Jen me comunicó que habían decidido que no era de interés público llevarlo a los tribunales por ser las circunstancias tan excepcionales y haber transcurrido tantos años, durante los cuales yo había sido «en efecto una buena ciudadana, una madre ejemplar». Jen había hecho un trabajo excepcional. Desde el principio había sido prudentemente optimista, sobre todo por ser yo tan joven cuando ocurrió y además porque creía que había salvado a Hannah de los servicios de protección de menores que dejaban mucho que desear. Ojalá Hannah también lo viera más bien de este modo.

Cuando Jen me comunicó que habían retirado la acusación, apenas reaccioné. Estaba tan extenuada que casi no tenía energía para agradecérselo. Qué extraño, ¿verdad? Antes de que esto saliera a la luz, no me quedaba ni un minuto libre, estaba siempre ocupada trabajando, yendo al supermercado y cocinando para Duncan y para mí, sacando a *Monty* a pasear dos veces al día, ayudando a Hannah con Toby. Y, sin embargo, ahora que tenía tan pocas cosas que hacer, estaba que no podía ni con mi alma la mayor parte del tiempo.

Odié a Scott cuando se presentó en Navidad. Durante los últimos meses me había estado preguntando cómo sería ahora mi vida si se hubiera quedado en Nueva Zelanda y nunca se hubiera puesto en contacto conmigo. ¿Habría contado la verdad en algún momento de mi vida? Tal vez sí, o tal vez no. Quizá la actitud de Hannah me habría obligado a hacerlo al avergonzarme de mí misma. Había estado pensando mucho en lo convencida que estaba ella en cuanto al derecho de Toby de saber la verdad con respecto a su nacimiento. O quizá nunca se lo habría revelado, quizás habría seguido siendo una cobarde egoísta el resto de mi vida. Al menos seguiría teniendo a mi hija. Ya no odiaba a Scott y era una lástima que él nunca pudiera visitar la tumba de Eva, porque habría encontrado un poco de paz al saber dónde estaba ella, creo.

Scott y yo intentamos que nuestra relación funcionara después de abandonar Hastings. Acabamos en el sureste de Londres, viviendo encima de la zapatería Freeman, Hardy and Willis en Catford. Scott consiguió trabajar algunas noches en el pub de la esquina y yo trabajaba a diario en la tienda de debajo de casa, subiendo penosamente los tres tramos de escaleras al final del día, reventada y oliendo a zapatos. Creo que siempre había sabido que lo nuestro no funcionaría a la larga. Ante sus ojos nunca podría sustituir a Eva, éramos una familia falsa. Pero lo intentamos durante ocho meses, hasta el día en que en el periódico salió la noticia: *Aparece un cadáver en una casa de la costa.*

Yo estaba en la lavandería, esperando que el ciclo del secado se terminara, pensando en que aquel olor a limpio del jabón de lavar la ropa me transportaba a mi infancia, a los días de la colada en los que mi madre dejaba la vieja lavadora de dos tambores burbujeando en el rincón. Mientras hojeaba el periódico vi los titulares al final de la página cinco. Se me revolvió el estómago y me embargó una sensación de frío y calor al mismo tiempo, como si me fuera a desmayar. A veces, incluso ahora, todavía me volvía aquella sensación al oler el aroma de ese jabón. Recuerdo que mientras leía la noticia se me iba calentando la sangre. Estaba furiosa por verla publicada en la página cinco, era de Eva de quien estaban hablando y no de una vieja vagabunda solitaria a la que nadie le importaba. La noticia tendría que haber estado en la portada. No daban demasiados detalles, solo que se trataba del cuerpo de una mujer de metro y medio de altura, de entre veinte y treinta años. Eso era todo. A la semana siguiente habría un *post mortem* y cualquier persona con algún tipo de información sobre el caso tenía que ponerse en contacto con la policía.

Detesté que dijeran que la casa se encontraba en un estado lamentable, no era cierto, simplemente estaba un poco destartalada, eso es todo. Había sido nuestro hogar, una casa en condiciones, cómoda y encantadora. El casero, que vivía en Suecia, había muerto y se la había dejado en herencia a su sobrino. El sobrino al viajar a Inglaterra para echarle un vistazo había descubierto a Eva en el lugar donde la habíamos dejado ocho meses atrás. En el periódico no decían nada sobre Hannah.

Scott se largó aquella misma noche. No podía aguantarlo más, me dijo, en parte porque temía que la policía viniera a buscarle en cualquier momento y, en parte, porque no soportaba que me estuviera haciendo pasar por ella. Yo creí que hacerlo era lo más lógico y sensato del mundo, pero él dijo que nunca, nunca jamás, podría llamarme Eva y que lo mejor era que no volviéramos a ponernos en contacto nunca más. Lo acepté a regañadientes. Lo curioso es que creí que le echaría de menos, pero en cuanto se fue no lo eché en falta. Tenía a Hannah y ahora que Eva había muerto, su hija era lo único que yo quería.

La historia del bebé desaparecido salió en los periódicos una semana más tarde aproximadamente. Daban algunos detalles más sobre Eva, pero no demasiados. Su historial dental no había servido de gran cosa, recuerdo que me había dicho que desde los seis años que no iba al dentista. Tenía unos dientes preciosos, de lo más sanos, y Hannah los ha heredado de ella. Me alegra decir que solo tiene un empaste, en cambio yo ya tenía la boca llena de mercurio a los doce años.

Dijeron repetidamente que si alguien tenía algún tipo de información al respecto que se la comunicara a la policía, pero después de pasar yo un mes espantoso, se convirtieron en actualidad otras noticias y la historia fue cayendo poco a poco en el olvido. Por fin pude seguir adelante sin vivir constantemente con el alma pendiente de un hilo.

Desde entonces me había estado considerando de una forma tan absoluta y completa como la madre de Hannah que en los momentos de semiinconsciencia, en los momentos entre el sueño y la vigilia, casi podía describir la sensación de haberla traído al mundo. Oía su corazón y la notaba moviéndose mientras todavía estaba dentro de Eva. La vi llegar a este mundo y la toqué y le hablé antes de que aspirara su primera bocanada de aire. Incluso la había ayudado a respirar. Que Dios me perdone, pero me la arrimé a mi pecho vacío aquel primer día de su vida.

La quiero como Eva la quería y Hannah no podía ser más mía.

40

Salgo a echar la carta en cuanto he terminado de ducharme y vestirme, antes de desayunar. Prefiero ir expresamente a hacerlo. Después de soltar el sobre y oír el agradable «tac» al caer encima de las otras cartas del buzón, me pregunto, como cada vez, si la leerá. Al menos no me las ha devuelto con las palabras «Devolver al remitente» garabateadas en el sobre. Tal vez las eche a la basura en cuanto las reciba, pero como no me ha pedido que deje de mandárselas, tengo esperanzas. Lo de las cartas ha sido idea de Estelle. Se ha portado de maravilla conmigo. Me está alentando constantemente, diciéndome que no me rinda. Hannah acabará volviendo, y Duncan también, me dice. «Porque en el fondo te quieren muchísimo. Solo necesitan un poco de tiempo para adaptarse a la situación.»

Desde entonces hemos estado quedando para tomar un café varias veces, Duncan y yo, aunque seguirá viviendo en casa de su hermano. En el último par de meses hemos estado hablando un poco más y aún nos queda un largo camino por delante, pero nuestros encuentros son un poco más largos cada vez. El último domingo estuvimos toda la mañana en un café como solíamos hacer en el pasado. La única diferencia es que antes nos sentábamos en un amigable silencio, leyéndonos de vez en cuando noticias del periódico el uno al otro, y en esta ocasión estuvimos toda la mañana manteniendo una delicada conversación un tanto angustiosa. Me asegura que Hannah está ahora mucho mejor y que se las apañaba estupendamente con Toby. Pero aún no se siente preparada para verme.

—Lo que ocurre... —vi que titubeaba un segundo al darse cuenta de que iba a llamarme Eva— es que entiende por qué hiciste lo que hiciste, todos lo entendemos. ¡Por Dios!, ni siquiera tenías diecisiete años. Pero lo que no puede superar aún es que le mintieras durante tanto tiempo, y sobre todo que *nos* mintieras a los dos —matizó clavando la vista en la pasta que yacía intacta en su plato—. Y no sé qué decirle para que cambie de opinión, porque para serte sincero es lo mismo que me pasa a mí.

Lanzó un hondo suspiro, apoyando la barbilla en su mano, con los ojos posados aún en el plato.

—¿Crees que lee mis cartas?

—No lo sé. Me gustaría decirte que sí, pero es algo que no le puedo preguntar. Lo entiendes, ¿verdad? —me dijo mirándome ahora.

Asentí con la cabeza. Duncan y Hannah estaban incluso más unidos aún después de esto, y yo era feliz por ello dentro de lo que mis circunstancias me permitían.

Estelle me había dicho que creía que Hannah estaba más receptiva, por lo visto ahora le escuchaba cuando le hablaba de mí y hasta habían conversado sobre mi plan de hacer una carrera en la Universidad Abierta. Todavía no estaba segura de cuál sería, pero de pronto me había dado cuenta de lo largo que era mi pasado y de lo corto que era mi futuro. Estelle se reía de mí, aunque no con mala fe. Decía que era demasiado joven para pensar de ese modo.

No sé que habría sido de mí si Estelle no me hubiera apoyado aquellos últimos seis meses. Como era lógico Duncan tuvo que contarle por qué se había ido a vivir con John, y al principio simplemente le dijo que nos habíamos separado y que no podía revelarle la razón. Ella se quedó por lo visto desolada, pero no dejó de insistirle para que le contara lo que había ocurrido. A Duncan le preocupaba que la noticia le impactara demasiado, pero Estelle le convenció de que no saber por qué nos habíamos separado era todavía peor y que la estaba haciendo enfermar, de modo que al final se lo contó. Y se quedó impactada, me dijo más tarde, pero le había dejado claro a Duncan que a su edad ya se había acostumbrado a las noticias impactantes, y además creía que no tenía ningún sentido hacer que la situación fuera más dramática de lo que ya era.

En cuanto supe que se lo había contado, le escribí una carta, que acabó siendo bastante larga, porque al empezarla vi que había estado deseando durante años poder hablar de Eva. Le conté lo buena que Eva había sido conmigo y lo mucho que yo la quería. Me descubrí explicándole lo que le había ocurrido a su familia y después le describí los maravillosos objetos que hacía, el aspecto que tenía, el color tan inusual de sus ojos, y el estilo de ropa cíngara que llevaba. Me descubrí soltando todo cuanto recordaba de ella, como si al evocar todos aquellos detalles estuviera intentando traerla de vuelta, hacer que volviera a la vida.

Terminé la carta intentando explicarle por qué convencí a Scott de llevarnos a Hannah y huir, lo aterrada que estaba por si no volvía a verla nunca más, y aunque ahora sabía que las cosas no habrían ido tan mal como para llegar a ese extremo, en aquella época no había manera de saberlo. Añadí una posdata diciéndole que me perdonara por haberme desahogado en la carta y que esperaba seguir pudiendo ir a visitarla al margen de lo que ocurriera entre Duncan y yo.

Me llamó enseguida al día siguiente. Claro que podía ir a verla, de hecho me preguntó si me apetecía que nos viéramos por la tarde. «Y, querida», me dijo en voz baja, «tengo que preguntarte algo un tanto delicado… ¿cómo quieres que te llame ahora? ¿Prefieres que te siga llamando Eva o has decidido volver a ser Joanna?»

Cuando Estelle abrió la puerta al día siguiente lo primero que hizo fue abrazarme efusivamente. Quería saber cómo lo estaba llevando. ¿Me estaba tratando bien la policía? Duncan era su hijo, y ella estaba disgustada porque él lo estaba, pero nunca iba a juzgarme.

—Nadie tiene derecho a juzgarte —afirmó mientras tomábamos té en el salón de su casa con la luz del sol de finales de primavera entrando a raudales por el ventanal—. Nadie puede saber qué habría hecho en una situación parecida. Al fin y al cabo perdiste a tu mejor amiga, ¿no? En tu carta se ve a la legua que la has estado echando de menos terriblemente, por Dios, todavía te sigue pasando, y en todos estos años no has tenido a nadie a quien poder contárselo.

En aquel momento, asintiendo con la cabeza, me deshice en lágrimas sin poder evitarlo. Estelle me ofreció una caja de pañuelos de papel. Mientras lloraba me dio unos golpecitos en la mano para consolarme.

Lo más extraño era que ahora que todo había pasado, la persona a la que más quería hablarle de Eva era a Hannah.

—¿Por qué no le escribes una carta? —me sugirió Estelle—. No para explicárselo todo. Duncan me ha contado que ya lo hiciste y creo que fuiste muy valiente por ello —añadió sonriendo al tiempo que posaba su mano en mi brazo—. Pero si estás segura de que te gustaría que supiera más cosas de... ¡por Dios!, no sé cómo referirme a... tu amiga...

—No pasa nada, puedes llamarla *su madre*, o simplemente *Eva.*

—Eva —convino asintiendo con la cabeza con cara de sentirse un poco más cómoda—. Intentaré no confundirme, pero perdóname si tengo un lapsus.

Le dije que me llamara Jo a partir de ahora, pero hacía tanto tiempo que me conocía como Eva que era evidente que no le iba a resultar fácil.

—¿De qué estábamos hablando? Ah, sí, de escribirle a Hannah. Estoy segura que te agradecerá mucho cualquier pequeño detalle que puedas contarle de ella... de su madre. Y desde el principio puedes dejarle claro que no esperas que te las conteste —puntualizó mirándome por encima de las gafas con aquella expresión suya un tanto dura, como si quisiera hacer hincapié en ello.

Asentí con la cabeza.

—Es una buena idea. Si sabe que no espero que me las responda leerá mis cartas sin sentirse presionada.

Aquella misma noche le escribí la primera y, como no quería asustarla, fue una carta breve:

Querida Hannah:

No hace falta que me contestes esta carta, aunque espero que la leas. Quería contarte algunas cosas que recuerdo de tu madre.

Supongo que estarás interesada en ella y que querrás saber sobre todo las cosas que tenéis en común. Fue la abuela la que me sugirió que te escribiera, y yo he pensado que es una buena idea, de modo que he decidido intentarlo y escribirte una carta cada semana. Tal vez no te sientas preparada para leerlas, pero al menos te las puedes guardar para hacerlo en el futuro. ¡La próxima semana te escribiré otra!

Con todo mi cariño,
Mamá

No se lo había contado a Estelle, pero a pesar de no querer que Hannah se sintiera obligada a responderme, me descubrí consultando a todas horas los mensajes de texto y los correos electrónicos por si acaso lo hacía. Como no podía ni imaginarme siquiera la posibilidad de que este silencio durara para siempre, me decía que Hannah seguiría leyendo mis cartas y que un día me las contestaría.

Queridísima Hannah:

Quería decirte lo orgullosa que tu madre estaría de ti. Te pareces a ella en muchos sentidos. Tu madre también creía como tú que hay muchas formas alternativas de curarnos y de curar a los demás. En aquellos tiempos la acupuntura y la reflexología apenas se conocían, pero estos son los métodos por los que se interesaría y habría estado encantada de lo que tú y Marcos hacéis.

Sé que también os gusta la aromaterapia. Seguro que esto te viene de tu madre. En aquella época no se llamaba así, pero ella creía que ciertos aromas tenían unos efectos muy poderosos, a veces como remedio físico: como por ejemplo el aceite de clavo para el dolor de muelas, las inhalaciones de eucalipto para los resfriados y el aceite de lavanda para las quemaduras. Y a veces usaba los aromas para subirte el ánimo. Si advertía que yo estaba triste —recuerdo que mi madre había fallecido recientemente—, al entrar en mi habitación yo descubría que había rociado mi ropa de cama con agua de rosas. No sé si era por el aroma de rosas o por su bonito detalle, pero cuando lo hacía siempre me sentía mejor. Un día cuando te estaba esperando a ti, intentó elaborar agua de rosas. Nos mandó a Scott y a mí en mitad de la noche a robar rosas de los vecinos —dijo que estaba harta de ver el suelo lleno de pétalos de rosa desaprovechados. Pues como te iba diciendo, no sé cómo aquel día no nos pillaron, porque como todos los rosales estaban en los jardines traseros de las casas, tuvimos que trepar por las vallas para meternos dentro. Volvimos cubiertos de arañazos con una bolsa de plástico llena de rosas. Eva intentó convertirlas en agua de rosas, pero acabó con seis frascos de algo que apestaba a cloaca. Al principio no se lo podía perdonar a sí misma —era muy raro que algo le saliera mal—, pero después se lo tomó a risa.

Con todo mi cariño,
Mamá

Queridísima Hannah:

Me he acordado de otra cosa que tienes en común con tu madre. Es doblar la página de un libro a modo de punto. En el colegio me reñían por hacerlo, pero Eva decía que le gustaba ver los libros con las páginas dobladas o incluso con anotaciones en los márgenes. Decía que mostraba que al lector le había encantado la novela y los personajes en lugar de importarle demasiado el libro en sí. Me acuerdo de que una vez tu madre estaba leyendo Cumbres borrascosas. *Ella ya lo había leído antes, pero yo no, y me habló con entusiasmo del libro. Era una de sus novelas preferidas, creo, además de Jane Eyre. Le pedí si me lo podía prestar cuando terminara de leerlo y, mirándome, me respondió partiendo el libro por la mitad: «Sí, toma», y me dio la primera parte. Me dijo que era mejor que empezara la novela aquel mismo día porque así podríamos hablar de ella mientras la leíamos al mismo tiempo. No era más que un libro maltratado que había comprado en un mercadillo benéfico por cinco peniques, pero lo que hizo me chocó. «Al fin y al cabo los libros no son más que objetos. Lo que cuenta es lo que te hacen sentir», me dijo para que no me preocupara.*

A ti también te gustó Cumbres borrascosas*, ¿verdad? ¿Te acuerdas de que te lo tuviste que leer para el examen de literatura al final del quinto curso de la enseñanza secundaria? Lo dejabas secándose encima del radiador porque siempre se te estaba cayendo a la bañera, y al final acabó siendo el doble de grueso. Pero no querías comprarte otro ejemplar, ¡decías que te gustaba manchado de agua!*

Catherine Earnshaw tiene algo que se parece mucho a ti y a tu madre, ¿lo sabías? No me refiero al aspecto egoísta y consentido de la protagonista, sino a su pasión por la naturaleza, el aire puro y los páramos salvajes y abiertos. A ti también te han gustado mucho, desde que eras pequeña. Y Eva sentía lo mismo por el mar. Cuando más contenta estaba era nadando o estando en la playa.

Con todo mi cariño,
Mamá

Mi queridísima Hannah:

Sé que ya te he contado lo buena y maravillosa que era tu madre, pero creo que te gustará saber el encantador regalo que una vez me hizo. No sé si te he contado que cuando llegué a Londres de Newquay a los pocos días de morir mi madre, me alojé varias noches en un albergue y otra chica con la que compartía la habitación me robó el camafeo de mi madre. Se lo conté a Eva, y ella sabía lo disgustada que yo estaba por haberlo perdido. Pues no se le olvidó, porque poco antes de que llegaras al mundo me dijo que tenía un regalo para mí, «para agradecerme de antemano por ayudarla a tener el regalo de su bebé», así lo llamó.

Era un colgante, un camafeo que había hecho con fragmentos de conchas. Usó conchas de navajas color azul marino para el fondo y conchas de color blanco, crema y rosado para la cabeza de mujer. Era precioso, pero lo que más me impresionó no fue su aspecto, sino el trabajo colosal que le había dado. El hecho de que me hubiera dedicado tantas horas me hizo sentir especial. Ojalá pudiera haber hecho algo parecido por Eva. Solo nos llevábamos tres años y medio, pero se notaba la diferencia una barbaridad. Yo no supe apreciar muchas de las cosas que ella hizo por mí, y solo fue al cabo de muchos años cuando se me ocurrió que si los pequeños gestos de Eva habían sido tan importantes para mí, a ella también le hubiera ido muy bien que yo le correspondiera a mi manera. Pero cuando se me ocurrió, ya era demasiado tarde.

Siento mucho no poder darte el colgante, porque desgraciadamente fue una de las cosas que no pude encontrar cuando tu padre y yo nos fuimos de la casa.

Con todo mi amor,
Mamá

Querida Hannah:

Te escribo para mandarte los pocos objetos que pertenecían a tu madre. Siento no haber podido hacerlo antes, pero fue al escribir-

te la semana pasada cuando me acordé de que los tenía y dónde los había escondido. En mi última carta te hablé del camafeo de conchas que tu madre me hizo, siempre tuvo dotes artísticas. Además de poseer un talento excepcional, era sumamente competente y voluntariosa. Por lo visto siempre había sido muy creativa y a los diez años, poco antes de morir su madre, hizo un collage con sellos de cartas y lo envió al programa infantil de Blue Peter. Era curiosamente, un camafeo: una cabeza de mujer en tonos rosados y crema con un fondo más oscuro. Al equipo del programa les encantó y le mandaron una chapa de Blue Peter, en aquellos días ¡todos los niños se morían por tener una! La conservaba dentro de una bolsa de ganchillo, junto con varias fotos de cuando era pequeña: una con algunas compañeras de clase, otra de un gato que supongo debería tener en algún momento de su vida, y otra en la que aparecía con sus padres, tus abuelos. Te incluyo estas cosas, espero que te guste tener algo que perteneció a tu madre.

También le dejé a tu madre algo tuyo. He estado intentando decidir si debía decírtelo, y todavía no estoy segura de si es adecuado o no, pero te lo diré de todos modos. Antes de irnos de la casa tu padre y yo nos despedimos de Eva, y yo te corté un mechoncito de pelo para dejarlo sobre su pecho. Quería que ella tuviera algo tuyo.

Besos,
Mamá

Al llegar a la entrada del parque ya está oscureciendo. Me alegro de haber ido con el coche, de lo contrario no habría podido llegar cuando aún hubiera un poco de luz. Y si hoy no los veía, no podría volver a verlos hasta la próxima semana. ¡Qué dolorosa es la ironía del destino! La mayoría de abuelas me llevan diez años y al nacer Toby me sentí agradecida por tener la energía para hacer muchas cosas con ambos. Pero ahora esto es todo cuanto tengo. Aparco el coche y me apresuro por entre el bosque para ir a la zona de los columpios. En aquella época del año me encantaba estar rodeada de árboles. Siempre me había gustado el despliegue otoñal de rojos y dorados, pero la belleza de la naturaleza me resulta ahora casi dolorosa. En mis prisas por llegar, tropiezo con la raíz de un árbol, pero consigo mantenerme en pie. Unos segundos más tarde resbalo con unas hojas húmedas y tengo que agarrarme de una rama para no darme de bruces. Debería ir más despacio, avanzar con más cuidado, no me puedo permitir romperme un hueso.

Camino por detrás del café hacia las pasarelas que cruzan el arroyo, acordándome de sacarme el pañuelo para que no me delate. Al principio no los veía y he estado esperando unos angustiosos minutos, mirando a un gatito juguetear con las hojas mientras intentaba no echar un vistazo al reloj de pulsera cada diez segundos. Pero de pronto los veo: hoy hace frío y Hannah lleva un abrigo morado largo y un gorro blanquinegro de lana que se ha tejido, y Toby se ve adorable con su nueva trenca roja. Ahora ya puede sentarse solo como si nada y desde el lugar donde los observo, escondida detrás de una tupida vegetación de árboles y arbustos, le veo reírse a carcajadas mientras Hannah le empuja en el columpio para bebés, pero no estoy lo bastante cerca como para oír su vocecita. Ella también sonríe, por fin está disfrutando de su hijo y esto me hace muy feliz. Bueno, tan feliz como puedo ser dadas mis circunstancias. Ahora Hannah también se está riendo y sonrío al verlos juntos. Es lo más cerca que me atrevo a estar de ellos. Si Hannah me viera, como me ocurrió en el verano, volvería a meter a Toby en el cochecito y se iría a toda prisa, así que por el momento debo conformarme con contemplarlos escondida en la penumbra.

No puedo soportar ir directa a casa después de haber estado en el parque y decido hacerle una visita a Estelle. Se alegra de verme como siempre y me hace pasar sonriendo al salón.

—Qué casualidad, en este momento estaba haciendo el té; en el aparador encontrarás dos tazas. Se te ve muerta de frío, querida. Ven y caliéntate.

Al sentarme en el salón con Estelle me siento casi normal. No sé cómo me las habría apañado sin ella; me había apoyado incondicionalmente desde el principio.

—Me alegro mucho de verte. El joven Marcos pasó por casa el sábado, le pedí que me limpiara los canalones antes de que el tiempo se pusiera chungo. Estaban atascados con hojas y musgo. Después charlamos un poco y le sonsaqué alguna información —me confiesa soltando unas risitas pícaramente—. Conseguí saber que Hannah conserva tus cartas. No es gran cosa, lo sé, pero al menos algo es algo.

—¿Las ha leído…?

Sacude la cabeza.

—No lo sé, Marcos me dijo que es muy reservada en ese sentido, por lo visto las esconde en alguna parte cuando se las encuentra en el buzón. Pero sin duda las conserva.

Asiento con la cabeza lentamente.

—Me alegra saberlo, es… un alivio.

Estelle me mira con tanta comprensión que me entran ganas de echarme a llorar. Levantándose despacio, se dirige con el bastón al otro extremo del salón para ir a buscar el jerez en el aparador.

Cuando llego a casa me preparo para la profunda tristeza que siento cada vez que entro en ella. El jardín lo diseñó Duncan al mudarnos a este lugar. Cavó el hueco para el estanque con peces, sembró el césped e hizo el camino con baldosas irregulares. Para nuestro primer aniversario me regaló el reloj de sol que ahora reposa sobre un plinto al lado del estanque. Me emocioné mucho porque él recordaba claramente que le había contado que en el pasado viví en una casa vieja y destartalada en Hastings y que me encantaba el antiguo reloj de sol que habíamos encontrado en el jardín. En el que Duncan me regaló había hecho grabar la inscripción: *Envejece conmigo, lo mejor aún está por llegar.* Ahora apenas soporto verlo.

En cuanto entro en casa todavía es peor. En las paredes del pasillo cuelgan fotografías de Hannah: en una aparece disfrazada como una estrella navideña en su primer año de primaria; en otra se la ve a los ocho años con el pelo corto y sin un diente de delante; en otra Hannah está malhumorada y hosca con su amiga Vicky en su etapa de gótica; en otra aparece en una operación con Duncan durante su año sabático, ayudándole a sostener a un terrier de Jack Russell mientras Duncan le examina una pata. También está la foto de la graduación, fotos de la boda… una pared forrada de Hannahs, sonrientes y felices. Contemplarlas me duele, pero sacarlas del pasillo me habría dolido más aún. Al abrir la puerta de la cocina me encuentro con las muescas que hicimos en el marco a cada cumpleaños de Hannah para medir su altura y los años en que las habíamos hecho escritos al lado en la pared. Qué curioso, hacía años que no me fijaba en las marcas y ahora en cambio parecen estar llamándome a gritos cada vez que paso por su lado.

Abro la puerta de atrás para que *Monty* pueda salir al jardín. Ahora Duncan me deja tenerlo media semana, aunque esta última será un poco más de tiempo porque me ha sugerido que cuando venga a recogerlo el domingo podríamos ir en coche a los páramos y detenernos incluso de vuelta a tomar algo en cualquier sitio. Supongo que es un paso más allá de tomar un café, pero no quiero hacerme demasiadas ilusiones.

Pongo el agua a hervir para el té y abro la nevera sin tener claro qué cenaré. Nada me inspira y como me da lo mismo, me corto un trozo de queso y lo pongo en un plato con una torta de avena y una cucharada de chutney. Voy picando del plato mientras vacío el lavavajillas. Como ahora estoy yo sola en casa, solo lo pongo en marcha cada varios días. Después me dirijo al salón y cojo el mando a distancia. Últimamente miro mucho la tele. Mientras zapeo, suena el teléfono. Estoy en un tris de no cogerlo.

—¿Diga? —respondo lanzando un ligero suspiro, lista para decirle que no, que no quiero cambiar de compañía telefónica, de proveedor de combustible o de lo que sea. Nadie me responde al otro lado de la línea, probablemente será una maldita llamada comercial. Cuando estoy a punto de colgar, oigo de pronto un carraspeo.

—¿Mamá? —dice ella con voz queda y vacilante, aunque no parece estar enojada—. Soy... soy yo.

Agradecimientos

Hay muchas personas que me han ayudado a superar los momentos difíciles con la confianza y la fe inquebrantable que han depositado en mí como escritora. Les estoy muy agradecida a todas. En especial, me gustaría darle las gracias a mi maravillosa editora Clare Hey por su genialidad en la edición de textos, sus agudos y reveladores comentarios y su reconfortante sonrisa. También quiero agradecer a mi agente literaria Kate Shaw sus excelentes sugerencias editoriales y su apoyo y aliento, me tranquilizaron cuando me debatía con algunas dificultades. También les doy mil gracias al fabuloso equipo de la editorial Simon and Schuster por su magnífica labor en la publicación del libro.

Agradezco a Kevin Robinson y a Gary Atkinson su generosa ayuda y la infinita paciencia que han tenido en cuanto a mis preguntas relacionadas con los procedimientos policiales, los temas forenses y los Servicios de Protección de Menores. Cualquier error que haya podido cometer al respecto es de mi propia cosecha.

Mis pesquisas sobre Hastings en los años setenta me condujeron a *Bats in the Larder, Memories of a 1970s Childhood by the Sea*, una autobiografía maravillosa de Jeremy Wells. Le doy las gracias a Jeremy por las encantadoras charlas que mantuvimos por correo electrónico. Me ayudaron a evocar mis propios recuerdos de Hastings y de la década de 1970.

Escribir es una tarea trabajosa cuando las palabras no te salen con fluidez. Soy increíblemente afortunada por tener a unas amigas tan estupendas que me comprenden cuando les hablo y sigo hablando de distintas versiones de la trama y de lo difícil que es todo, y que además no les importa. Les doy las gracias a Iona Gunning y Sue Hughes por escucharme y compartir conmigo vino, café y pasteles, y en especial a

James Russell por todo ello y por haberse leído partes del manuscrito y convencerme de que además de ser un buen argumento, valía la pena trabajar en él.

Y por último, tengo sobre todo una gran deuda con Francis, por tantas cosas y por todo lo que ha hecho por mí.